D0278502

STERFKOU

Lincoln Child bij Mynx:

Het datingbureau
Utopia
Deep Storm

www.mynx.nl

LINCOLN CHILD

STERFKOU

Oorspronkelijke titel: *Terminal Freeze*
Vertaling: Fanneke Cnossen
Omslagontwerp: HildenDesign, München
Omslagillustratie: Shutterstock

Eerste druk juli 2009
Tweede druk september 2009
ISBN 978-90-8968-143-0 / NUR 330

This translation published by arrangement with Doubleday, part of The Doubleday Publishing Group, a division of Random House, Inc.

Mynx is een imprint van De Boekerij bv, Amsterdam

Voor Veronica

In het begin van de twintigste eeuw werd in Siberië het karkas van de Beresovka-mammoet ontdekt. Toen het dier werd gevonden, lag het rechtstandig en nagenoeg intact in het zilte grind begraven. De mammoet had een gebroken voorpoot, duidelijk het gevolg van een val van een nabijgelegen klif, zo'n tienduizend jaar geleden. De etensresten in de maag bleken onverteerd en tussen zijn tanden zaten gras en boterbloempjes. Zijn vlees was nog eetbaar, maar naar verluidt niet lekker meer.

Niemand heeft ooit afdoende kunnen verklaren hoe de Beresovka-mammoet en andere in subarctische gebieden gevonden bevroren dieren konden bevriezen voordat ze door roofdieren uit die tijd werden verslonden.

J. Holland, Alaska Science Forum

PROLOOG

In de schemering, toen de sterren een voor een aan een vrieskoude hemel tevoorschijn kwamen, naderde Usuguk geruisloos als een vos de sneeuwhut. Die ochtend was er verse sneeuw gevallen en de dorpsoudste staarde over de eenzame grijswitte poolvlakte, die zich naar alle kanten eindeloos naar een grauwe en verlaten, ijzige horizon uitstrekte. Hier en daar staken ribben donkere permafrost als botten van prehistorische beesten boven het sneeuwdek uit. De wind stak op, ijskristallen prikten in zijn wangen en beten in het bont van zijn parkacapuchon. Her en der verspreid stonden een paar kleinere, onverlichte iglo's, zo donker als tomben.

Usuguk schonk er geen aandacht aan. Hij was zich enkel bewust van een overweldigend angstgevoel en van het snelle roffelen van zijn hart.

Toen hij de sneeuwhut binnenging, keken de rond het mosvuur zittende vrouwen snel met gespannen, bezorgde gezichten op.

'*Moktok e inkarrtok,*' zei hij. 'Het is zover.'

Stilzwijgend verzamelden ze met trillende vingers hun schaarse werktuigen. Benen naalden werden in hun vakjes teruggelegd, huidschrapers en *ulu's* voor het villen gleden in parka's. Een vrouw die op laarzen van zeehondenvel had zitten kauwen om ze zachter te maken, rolde die zorgvuldig in een versleten doek. Een voor een stonden ze op en glipten door de grove opening die als deur dienstdeed. Nulathe ging als laatste, het hoofd angstig en vol schaamte gebogen.

Usuguk keek toe hoe de kariboehuid voor de opening terugviel en het uitzicht erachter aan het zicht onttrok: de verlaten groep sneeuwhutten, de desolate ijskap die zich over het bevroren meer naar de ondergaande zon uitstrekte. Hij bleef even staan, wilde de onrust die als een zware cape op hem was neergedaald vergeten.

Toen draaide hij zich om. Er moest zo veel gebeuren... en ze hadden maar zo weinig tijd.

De sjamaan liep op de tast door de iglo naar achteren, trok de dekens van de kleine stapel bontvellen en er kwam een gepolijste, zwarte houten kist tevoorschijn. Voorzichtig zette hij de kist voor het vuur. Daarna trok hij een ceremoniële *amauti*, die met rituele zorg was opgevouwen, tussen de bontvellen uit. Hij trok de parka met capuchon over zijn hoofd uit en legde die opzij, daarna trok hij de amauti aan, de ingewikkelde versierselen van kwastjes met kralen tikten zachtjes tegen elkaar. Toen nam hij met gekruiste benen voor de kist plaats.

Hij bleef een minuut zitten, liefkoosde de kist met de verweerde vingers van een jarenlange strijd in een vijandig landschap. Toen maakte hij hem open en haalde er een voorwerp uit, draaide dat keer op keer om, voelde zijn kracht, luisterde nauwlettend naar alles wat het hem te vertellen had. Daarna legde hij het in de kist terug. Om de beurt deed hij dat met elk voorwerp uit de kist. En de hele tijd was hij zich bewust van de angst binnen in hem. Die lag als onverteerd walvisspek in de kern van zijn lichaam. Hij wist maar al te goed wat dit ding, dit voorteken waarvan ze getuige waren geweest, betekende. Het was slechts één keer eerder in de levende herinneringen van het Volk voorgekomen, vele generaties geleden, hoewel het verhaal – bij het iglovuur van vader op zoon overgeleverd – nog net zo onheilspellend was alsof het gisteren was gebeurd.

Maar deze keer leek het angstaanjagend groot in verhouding tot de overtreding waardoor het wakker was geschud...

Hij haalde diep adem. Ze rekenden er allemaal op dat hij de rust zou doen terugkeren, het natuurlijk evenwicht zou herstellen. Maar dat was een onmogelijke opgave. Het volk was nu gedecimeerd en slechts een kleine handvol had hem de geheime kennis van de voorvaderen kunnen doorgeven. En zelfs zij waren er niet meer, waren naar de geestenwereld overgegaan. Naar de geheime ordening der natuur was hij als enige nog over.

Hij stak een hand onder zijn amauti, haalde er een handvol gedroogde kruiden en planten uit, die zorgvuldig met een ranke steel van poolbalsem bijeengebonden waren. Hij stak het met beide handen in de lucht en legde het op het vuur. Grijze rookwolken stegen op en vulden de sneeuwhut met de geur van oeroude bossen. Langzaam en eerbiedig haalde hij de voorwerpen uit de kist en schikte ze in een halve cirkel voor het vuur: de punt van een slagtand van een zeldzame witte walrus, gevangen en gedood door zijn betovergrootvader; een steen met de kleur van zomers zonlicht in de vorm van een wolverinekop; een kariboegewei, ritueel in eenentwintig stukken gesneden en versierd met ingewikkelde patronen van kleine priemgaatjes, stuk voor stuk gevuld met oker.

Als laatste haalde hij er een beeldje van een man uit, vervaardigd van rendierhuid, ivoor en dekenstof. Hij zette het figuurtje in het midden van de halve cirkel. Toen legde hij zijn handen plat op de grond van de iglo, legde zijn kin op zijn borst en maakte een diepe buiging.

'Almachtige Kuuk'juag,' intoneerde hij. 'Jager van de ijsvlakten, beschermer van het volk. Wees niet langer vertoornd. Wandel opnieuw rustig in het maanlicht. Keer terug naar de vrede.'

Hij kwam weer overeind, pakte het eerste voorwerp van de halve cirkel – de walrustand – en draaide dat met de klok mee naar het beeldje toe. Met de hand op de tand neuriede en scandeerde hij het boetedoeningsgebed, waarin hij Kuuk'juag vroeg een hand over zijn hart te strijken, hun te vergeven.

De overtreding had die ochtend plaatsgevonden. Midden onder haar dagelijkse werkzaamheden had Nulathe per ongeluk de pezen van een kariboe in contact gebracht met zeehondenvlees. Ze was moe en ziek geweest... alleen dat kon zo'n nalatigheid verklaren. Maar wat verboden was, was toch gebeurd, de oeroude regel was doorbroken. En nu waren de zielen van de dode dieren, die spiritueel elkaars tegenpolen waren, bezoedeld. En Kuuk'juag de Jager had hun woede gevoeld. Dit verklaarde wat Usuguks kleine groep de avond tevoren op de bevroren vlakten had aanschouwd.

Het gebed duurde tien minuten. Toen verplaatste Usuguk – langzaam, voorzichtig – zijn gerimpelde hand naar het volgende voorwerp en begon zijn gezang opnieuw.

Het duurde twee uur voordat de ceremonie voltooid was. Ten slotte boog de oude man nog eenmaal voor het beeldje, sprak een afscheidszegen uit, maakte zijn benen los en kwam pijnlijk overeind. Als alles goed was gegaan – als hij het Lied in de juiste volgorde van zijn voorvaderen had voorgedragen – dan zou de smet van hen worden weggenomen en de woede van de Jager bekoelen. Hij liep om het vuur, eerst met de klok mee, daarna in tegengestelde richting. Vervolgens knielde hij voor de kist en legde de voorwerpen er weer in terug, te beginnen met het beeldje.

Hij was daar nog mee bezig toen hij buiten de iglo kreten hoorde: snikken, schreeuwen, harde stemmen van wanhoop en smart.

Hij stond snel op, angst drukte op zijn hart. Hij schoot zijn parka aan, trok het kariboevel opzij en stapte naar buiten. Daar stonden de vrouwen, ze trokken aan hun haar en wezen naar de lucht.

Hij keek naar de hemel en kreunde. De angst en het afgrijzen, die tijdens de kalmerende bewegingen van de ceremonie waren weggeëbd, sloegen nu dubbel zo hard toe. Zíj waren terug... en erger dan de vorige nacht. Veel erger.

De ceremonie had niets uitgehaald.

Maar nu, met dat afgrijselijke, sluipende, onafwendbare gevoel realiseerde Usuguk zich iets anders. Dit was niet het gevolg van wat Nulathe of de anderen hadden gedaan. Dit was niet zomaar de toorn van Kuuk'juag of een toevallige ontheiliging. Alleen de ernstigste schending van de taboes kon de woede van de geest veroorzaken waarvan hij nu getuige was. En Usuguk was gewaarschuwd geweest – zoals talloze generaties voor hem dat waren – welk taboe dat was.

Niet alleen gewaarschuwd, wist Usuguk. Hij had het gezíén...

Hij keek naar de vrouwen, die met verwilderde, angstige ogen naar hem terugstaarden. 'Pak in wat je nodig hebt,' zei hij tegen ze. 'Morgen gaan we naar het zuiden. Naar de berg.'

1

'Hé, Evan. Lunch?'

Evan Marshall zette de tas met rits opzij, stond op en wreef over zijn onderrug. Hij had de laatste anderhalf uur met zijn gezicht een paar centimeters boven de grond gehangen, monsters verzameld van gletsjersediment, en het duurde even voor zijn ogen zich hadden aangepast. Het was Sully's stem geweest en nu zag Marshall hem ook: een gedrongen, enigszins gezette figuur in een met bont afgezette parka stond met de armen over elkaar dertig meter verderop in de steile vallei. Achter hem rees de laatste uitloper van de Fear-gletsjer op, een verzadigd, mysterieus blauw met witte breuklijnen. Aan zijn voet lagen reusachtige ijsblokken verspreid, als evenzoveel monsterlijke diamanten, samen met dolkachtige, oeroude lavasplinters. Marshall wilde Sully waarschuwen dat hij er niet zo dichtbij moest staan: de gletsjer was mooi, maar gevaarlijk. Het was warmer geworden en dodelijke brokstukken kwamen met ongekende snelheid van het ijsfront omlaag. Toen bedacht hij zich. Gerard Sully ging er prat op dat hij zogenaamd de leider was en hij vond het niet prettig als men hem de les las. Marshall schudde dan ook enkel zijn hoofd. 'Ik denk dat ik deze keer oversla, bedankt.'

'Wat jij wilt.' Sully wendde zich tot Wright Faraday, de evolutiebioloog van het gezelschap, die verder heuvelafwaarts druk bezig was. 'Wat dacht je ervan, Wright?'

Faraday keek op, zijn waterige, blauwe ogen werden merkwaardig uitvergroot achter een schildpaddenbrilmontuur. Een digitale camera hing aan een stevige riem om zijn nek. 'Mij niet gezien,' zei hij met gefronst voorhoofd, alsof het ketterij was om midden op een werkdag een lunchpauze in te lassen.

'Verhonger dan maar. Vraag me alleen niet iets voor je mee te nemen.'

'Zelfs geen ijslolly?' vroeg Marshall.

Sully glimlachte zuinigjes. Hij was ongeveer net zo kort van stuk als Napoleon en straalde een combinatie van zelfingenomenheid en onbetrouwbaarheid uit waar Marshall een bloedhekel aan had. Op de universiteit had hij er nog wel mee weten om te gaan, waar Sully gewoon de zoveelste arrogante wetenschapper tussen zo veel anderen was, maar hier op het ijs – waar geen ontsnappen mogelijk was – was het behoorlijk vervelend aan het worden. Misschien, peinsde hij, was het wel een opluchting dat hun expeditie maar een paar weken zou duren.

'Je ziet er moe uit,' zei Sully. 'Gisteravond gewandeld?'

Marshall knikte.

'Pas maar op. Straks val je nog in een lavaschacht en vries je dood.'

'Oké, mam, ik zal oppassen.'

'Of je komt een ijsbeer tegen, of zo.'

'Dat is niet erg. Ik hunker naar een goed gesprek.'

'Dat is geen grap, hoor, want je weigert ook nog eens pertinent een wapen bij je te dragen.'

Marshall vond de kant die dit op ging niet prettig. 'Moet je horen, als je Ang tegenkomt, zeg hem dan dat ik nog wat monsters heb die naar het lab moeten.'

'Doe ik. Hij zal opgetogen zijn.'

Marshall keek toe hoe de klimatoloog voorzichtig langs hen heen over het puin naar de voet van de berg en hun basiskamp liep. Hij noemde het 'hun basiskamp' maar uiteraard was het van de Amerikaanse regering: formeel stond het bekend als de Mount Fear Remote Sensing Installation en officieel was het vijftig jaar geleden al ontmanteld. Het bestond uit een laag, grijs, verspreid liggend, instituutachtig bouwwerk, getooid met radarschotels en andere rommel uit de Koude Oorlog. Achter het kamp lag een kil landschap van permafrost, en eeuwen geleden hadden zich uit de spuwende vulkaan lava-afzettingen gevormd, er waren geulen en spleten ontstaan alsof de aarde in een geologische woede-uitbarsting uiteen was gereten. Op veel plaatsen lag de oppervlakte verborgen onder weidse sneeuwvelden. Er waren geen wegen, geen andere gebouwen, er was geen levende ziel. Het was er net zo vijandig, afgelegen en buitenaards als op de maan.

Hij rekte zich uit terwijl hij over het grimmige landschap uitkeek. Hij was hier nu al vier weken en nog kon hij het nauwelijks geloven dat een plek zo onvruchtbaar kon zijn. Maar de hele wetenschappelijke expeditie was van meet af aan wat onwerkelijk op hem overgekomen. Onwerkelijk was het dat een mediareus als Terra Prime hun subsidieaanvraag had goedgekeurd: vier wetenschappers van de universiteit van Noord-Massachusetts die niets anders met elkaar gemeen hadden dan belangstelling voor de opwarming van de aarde. Onwerkelijk dat de regering erin had toegestemd dat ze Fear Base tot hun beschikking kregen, oké, het kostte een lieve duit en er waren strikte voorwaarden gesteld. En onwerkelijk dat de opwarming zelf met zo'n adembenemende, angstaanjagende snelheid voortschreed.

Hij wendde zich met een zucht af. Zijn knieën deden pijn omdat hij uren op de eindmorene had rondgekropen om monsters te verzamelen. Zijn vingertoppen en neus waren half bevroren. En alsof dat nog niet genoeg was, was de sneeuw in fijne ijzel veranderd die nu traag door drie lagen kleding sijpelde en zich in de intiemste hoeken en gaten van zijn lichaam nestelde. Maar in deze tijd waren de dagen kort en de tijd die hun expeditie beschoren was, raakte snel op. Hij was zich scherp van bewust van de korte tijd die hun nog restte. In Woburn, Massachusetts, zou er voedsel in overvloed zijn, en tijd in overvloed om het op te eten.

Toen hij zich omdraaide om zijn tassen met monsters te pakken, hoorde hij Faraday zeggen: 'Vijf jaar geleden, twee zelfs, had ik het nooit geloofd. Régen.'

'Het is geen regen, Wright. Het is ijzel.'

''t Scheelt niet veel. Regen in de Zone, met de winter voor de deur? Ongelooflijk.'

De 'Zone' was een uitgestrekte vlakte in het noordoosten van Alaska, pal aan de Noordelijke IJszee, ingeklemd tussen het Arctisch Nationaal Wildpark aan de ene kant en het Yukon Ivvavik Nationaal Park aan de andere. Het was er zo koud en verlaten dat niemand er iets mee te maken wilde hebben: slechts enkele maanden per jaar kwam de temperatuur alleen met de grootste moeite boven de nul graden uit. Jaren geleden had de regering er het predicaat Federale Wilderniszone op geplakt en was het prompt weer vergeten. Marshall bedacht dat op die slordige miljoen hectaren zich waarschijnlijk niet meer dan vijfentwintig mensen ophielden: vijf wetenschappelijke teamleden, vier kadermensen van het basiskamp, in het noorden wat Eskimo's en een verzameling backpackers en loners, die zo rigide of buitenissig waren dat ze zich zo ver mogelijk van de wereld afzijdig wilden houden. Vreemd te bedenken dat slechts een paar mensen nog noordelijker zaten dan hun kleine groep.

Een plotselinge, reusachtige knal als van een kanonschot deed het gletsjerdal met de kracht van een aardbeving schudden. Het geluid weergalmde over de toendra, verscheurde de diepe stilte, kaatste als een tennisbal heen en weer, en stierf langzaam weg naarmate het zich verder in de eindeloze verte terugtrok. Boven aan de gletsjer was het ijsfront afgebroken, tonnen ijs en sneeuw vielen op het bevroren puin langs de voorste rand. Marshall voelde dat zijn hart een onaangenaam sprongetje maakte. Hoe vaak hij dit geluid ook al had gehoord, hij schrok elke keer weer van het geweld ervan.

Faraday wees ernaar. 'Zie je wel? Dat bedoel ik nou. Een gletsjerdal als de Fear zou kalm naar een mooi, dun ijsfront toe moeten lopen, met een minimum aan smeltwater en een gezonde filtratiezone. Maar dit... dit kalft af als een vloedwatergletsjer. Ik heb het basale smeltwater gemeten...'

'Dat is Sully's werk, dat hoef jij niet te doen.'

'... en er klopt niets van.' Faraday schudde zijn hoofd. 'Regen, idioot veel smeltwater, en er gebeuren nog andere dingen. Zoals het noorderlicht van de afgelopen nachten. Heb je dat gezien?'

'Natuurlijk. In één enkele kleur... het was spectaculair. En uitzonderlijk.'

'Uitzonderlijk.' Faraday herhaalde het woord bedachtzaam.

Marshall gaf geen antwoord. Hij had ervaren dat er in elke wetenschappelijke expeditie, zelfs in een kleine als deze, wel een Cassandra zat. Wright Faraday – met zijn verbazingwekkende hoeveelheid kennis, zijn pessimistische kijk op het leven, zijn sombere theorieën en buitensporige voorspellingen – speelde die rol met verve. Marshall wierp de bioloog een verholen blik toe. Hij kende hem slechts oppervlakkig als universitair collega, maar hoewel hij gedurende een maand bijna onafgebroken met hem had opgetrokken, wist hij niet echt goed wat de man bezielde.

Maar toch – dacht Marshall, terwijl hij een nieuw zakje vulde en verzegelde, in zijn aantekenboekje de locatie noteerde waar hij het monster had gevonden en vervolgens de plaats van herkomst opmat en fotografeerde – had Faraday wel een punt. En dat was een van de redenen waarom hij zelf op een bijna krankzinnige plek monsters aan het verzamelen was. Een gletsjer was bijna perfect voor zijn soort onderzoek. Door de tijd waarin die was gevormd en doordat er steeds meer lagen sneeuw op waren gevallen, waren er organische overblijfselen bewaard gebleven: pollen, plantenvezels, dierlijke resten. Later, als de gletsjer zich zou terugtrekken en langzaam zou wegsmelten, zou hij ruimhartig die geheimen opnieuw prijsgeven. Dit was een ideaal geschenk voor een paleo-ecoloog, een rijke informatiebron uit het verleden.

Alleen was er niets traags of ruimhartigs aan de manier waarop deze gletsjer zich terugtrok. Hij viel met alarmerende snelheid in stukken en nam zijn geheimen met zich mee.

Alsof ze op een teken wachtte, klonk er een volgende oorverdovende explosie van de gletsjerwand en stortte een volgende huiveringwekkende ijslawine omlaag. Marshall keek naar waar het geluid vandaan kwam en er ging een mengeling van irritatie en ongeduld door hem heen. Deze keer was een veel groter stuk van de gletsjerwand afgebroken. Met een zucht boog hij zich over zijn monsters, maar hij draaide zich met een ruk weer naar de gletsjer terug. Aan de voet ervan zag hij tussen de verspreid liggende ijsblokken dat een deel van de bergwand eronder bloot was komen te liggen. Hij kneep zijn ogen even tot spleetjes. Toen riep hij naar Faraday: 'Jij hebt de veldkijker bij je, hè?'

'Ja.'

Marshall liep naar hem toe. De bioloog had de verrekijker uit zijn zak gehaald en stak hem die met een in een dikke handschoen gestoken hand toe. Marshall pakte hem aan, blies de lenzen warm, veegde de condens weg en keek naar de gletsjer.

'Wat is er?' vroeg Faraday, en zijn stem klonk enigszins opgewonden. 'Wat zie je?'

Marshall likte langs zijn lippen en staarde naar wat het afgebroken ijs had onthuld. 'Daar is een grot,' antwoordde hij.

2

Een uur later stonden ze bij de ijsbrokken voor de wand van de Fear-gletsjer. De ijzige regen was opgehouden en een bleek zonnetje worstelde zich door de metaalgrijze wolken. Marshall wreef driftig over zijn armen om warm te worden. Hij keek hun groepje rond. Sully was teruggekomen en had Ang Chen, de promovendus van het team, meegenomen. Behalve Penny Barbour, de computerwetenschapper, was de hele expeditie nu op de eindmorene bij elkaar.

De grot lag pal voor hen, zijn opening stak zwart af tegen het kille blauw van de gletsjer. Marshall vond hem op de loop van een monsterlijk kanon lijken. Sully staarde erin, afwezig op zijn onderlip kauwend.

'Bijna een perfecte cilindervorm,' zei hij.

'Het is zonder twijfel een krater,' zei Faraday. 'Het wemelt ervan op Mount Fear.'

'Aan de voet wel,' antwoordde Marshall. 'Maar op deze hoogte komen ze niet vaak voor.'

Prompt brokkelde een ander deel van de gletsjer af, zo'n achthonderd meter verder naar het zuiden, het dook in huizenhoge blauwe brokken omlaag en een wolk ijssplinters schoot de lucht in. Chen schrok zich kapot en Faraday legde zijn handen over zijn oren tegen het lawaai. Marshall grimaste toen hij de berg onder zijn voeten voelde schudden.

Het duurde even voor de echo's waren weggestorven. Ten slotte liet Sully een grom horen. Hij keek van de ijswand naar de opening van de grot en toen naar Chen. 'Heb je de videocamera?'

Chen knikte en klopte op de tas die over zijn schouder hing.

'Haal 'm maar tevoorschijn.'

'Je gaat toch niet naar binnen, hè?' vroeg Faraday.

Sully antwoordde niet maar rekte zich tot zijn volle een meter vijfenzestig uit, trok zijn buik in en deed de capuchon van zijn parka goed: hij bereidde zich voor op de lens van de camera.

'Dat is geen goed idee,' vervolgde Faraday. 'Je weet hoe broos die lavapartijen zijn.'

'En dat is nog niet alles,' zei Marshall. 'Heb je gezien wat er net gebeurde? Elk ogenblik kan er meer ijs afbreken en de ingang bedelven.'

Sully keek besluiteloos naar de grot. 'Zij willen dat we naar binnen gaan.'

Met 'zij' bedoelde hij Terra Prime, de tv-zender voor wetenschappelijke en natuurprogramma's die de expeditie financierde.

Sully wreef met een in een handschoen gestoken hand over zijn kin. 'Evan, Wright, jullie blijven hier. Ang gaat met de camera met me mee. Als er iets gebeurt, haal dan het leger erbij om ons eruit te halen.'

'Had je gedacht,' zei Marshall onmiddellijk, en hij grijnsde. 'Als je een verborgen schat ontdekt, wil ik ook een deel.'

'Je zei het net zelf, het is onveilig.'

'Dus kun je wel wat hulp gebruiken,' kaatste Marshall terug.

Sully stak uitdagend zijn onderlip naar voren en Marshall wachtte af. Toen zwichtte de klimatoloog. 'Oké. Wright, we moeten zo snel mogelijk te werk gaan.'

Faraday knipperde met zijn waterige blauwe ogen, maar zei niets.

Sully veegde wat verdwaalde sneeuwvlokken van zijn parka en schraapte zijn keel. Hij keek enigszins behoedzaam naar de ijswand en stelde zich toen voor de camera op. 'We staan nu voor de wand van de gletsjer,' zei hij met gedempte, melodramatische stem. 'Het terugtrekkende ijs heeft een grot blootgelegd die tegen de flank van de berg genesteld ligt. We gaan daar nu op onderzoek uit.' Hij nam theatraal een pauze en gebaarde toen naar Chen dat hij de opname kon stoppen.

'Zei je daarnet werkelijk "genesteld"?' vroeg Marshall.

Sully sloeg er geen acht op. 'Kom mee.' Hij haalde een grote lantaarn uit de zak van zijn parka. 'Ang, loop met de camera achter me aan als we naar binnen gaan.'

Hij liep naar voren en de slungelige Chen volgde hem gehoorzaam op de voet. Kort daarna haalde Marshall zijn zaklamp tevoorschijn en richtte die achter hen.

Ze zochten langzaam en omzichtig hun weg over het terrein vol brokstukken. Een paar ijsblokken waren een vuist groot, andere waren zo groot als een slaapzaal. In het bleke zonlicht glansde een lichtblauwe oktoberlucht. Stroompjes smeltwater druppelden langs hen heen. Naarmate het drietal vorderde, viel de schaduw van de gletsjer over hen heen. Marshall keek ongerust langs de enorme ijswand omhoog, maar zei niets.

Van dichtbij leek de grotopening zelfs nog zwarter. Er kwam een kille luchtstroom uit die Marshalls toch al half bevroren neus dichtkneep. Zoals Sully al had opgemerkt, was de opening heel rond: de typische secundaire krater van een dode vulkaan. De gletsjer had de rotswand rondom bijna spiegelglad gepolijst. Sully priemde met zijn lamp door het pikkedonker. Toen wendde hij zich tot Chen. 'Zet hem even uit.'

'Oké.' De promovendus liet de camera zakken.

Sully bleef staan en keek toen naar Marshall. 'Faraday maakte geen grap. Deze hele berg is één grote opeenstapeling van gebarsten lava. Hou je ogen open voor breuklijnen. Als de schacht instabiel blijkt, moeten we maken dat we wegkomen.'

Hij keek naar Chen achterom en knikte dat hij weer kon filmen. 'We gaan naar binnen,' zei hij plechtig voor de camera. Toen draaide hij zich om en stapte de grot in.

Het dak was niet bepaald laag – minstens drie meter – maar Marshall bukte onwillekeurig toen hij achter Chen aan naar binnen liep. De grot liep regelrecht de berg in en glooide licht omlaag. Ze liepen voorzichtig verder terwijl ze hun lichten over de lavawanden lieten dwalen. Het was hier zelfs nog kouder dan op de ijsvlakte en Marshall trok de capuchon van zijn parka strak om zijn gezicht.

'Wacht,' zei hij. De lichtstraal van zijn zaklamp had een haardunne breuklijn in de door lava gevormde vlechten onthuld. Hij scheen ermee over de hele lengte en drukte er toen voorzichtig met een hand op.

'Lijkt stevig,' zei hij.

'Dan gaan we verder,' antwoordde Sully. 'Voorzichtig.'

'Ongelooflijk dat deze tunnel niet onder het gewicht van de gletsjer is ingestort,' zei Chen.

Voetje voor voetje gingen ze dieper de grot in. Als ze iets zeiden, deden ze dat op zachte toon, ze fluisterden bijna.

'Hier ligt een ijslaag onder de sneeuw,' zei Sully na een poosje. 'Die ligt op de hele vloer. Ongelooflijk glad.'

'En naarmate we verder komen, wordt hij dikker,' zei Marshall. 'Deze gang moet een keer vol water zijn gelopen.'

'Nou, dan is het wel ongelooflijk snel bevroren,' zei Sully, 'want...' Maar op dat moment gleed de voet van de klimatoloog onder hem weg en viel hij met een verbijsterde kreet dreunend op het ijs.

Marshall kromp ineen, zijn hart sloeg in zijn keel, hij wachtte tot het plafond om hen heen zou instorten. Maar toen er niets gebeurde en hij zag dat Sully ongedeerd was, sloeg zijn schrik om in pret. 'Dat staat er toch wel op, hè, Ang?'

De promovendus, die bleek was weggetrokken, grijnsde. 'Absoluut.'

Sully kwam omslachtig overeind, fronste zijn voorhoofd en veegde de sneeuw van zijn knieën. Hij vertoonde het aangeboren ongenoegen van een kat die zijn waardigheid verliest. 'Dit is een gewichtig moment, Evan. Vergeet dat alsjeblieft niet.'

Ze liepen nu nog langzamer verder. Er hing een ondoordringbare stilte, het enige geluid was het kraken van de sneeuw onder hun voeten. Aan beide kanten waren donkere lavawanden. Sully liep uiterst behoedzaam voorop, veegde met zijn laarzen de sneeuw weg en zwaaide met zijn zaklantaarn heen en weer over het pad voor hen.

Chen tuurde in de duisternis. 'Het lijkt wel of de grot verderop breder wordt.'

'Mooi,' antwoordde Sully, 'want de ijslaag wordt dikker en...'

Plotseling viel hij weer. Maar dit was geen stuntelige herhaling: Marshall zag onmiddellijk dat de wetenschapper zich van pure verbazing had laten vallen. Sully was als een uitzinnige de sneeuw aan het wegvegen en priemde met zijn lichtbundel door het ijs eronder. Chen liet zich naast hem op zijn knieën zakken, de camera was hij even vergeten. Marshall deed snel een stap naar voren en tuurde door het ijs.

Met een rilling die niets met de koude lucht in de grot te maken had, zag Marshall wat Sully had gevonden. Daar, begraven onder de ijsvloer, staarden twee vuistgrote ogen – geel, met zwarte ovale pupillen – meedogenloos naar hem omhoog.

3

Zo luidruchtig als de klim naar de berg was geweest, zo stil was de afdaling nu. Marshall kon wel raden wat ze allemaal dachten. Deze ontdekking zou deze tot nu toe bedaarde, bepaald geen betoverende, zelfs saaie wetenschappelijke expeditie compleet veranderen. Hoe die verandering eruit zou zien, wist geen van de wetenschappers. Maar van nu af aan zou niets meer hetzelfde zijn.

Hij wist dat ieder van hen zich hetzelfde afvroeg: wat wás dat in vredesnaam?

Sully verbrak de stilte. 'We hadden een ijsmonster moeten nemen om het te onderzoeken.'

'Hoe lang is het daar al, denk je?' vroeg Chen.

'De Fear is een MIS-2-gletsjer,' antwoordde Marshall. 'Die grot ligt al minstens 12.000 jaar begraven. Misschien wel veel langer.'

Ze vervielen weer in stilzwijgen. De zon was er eindelijk in geslaagd om door de laaghangende bewolking heen te breken, en terwijl hij naar de horizon zakte, vlamde het sneeuwdek in een vurige schittering op. Marshall haalde afwezig een zonnebril uit zijn zak en zette die op zijn neus. Hij dacht aan die raadselachtige duisternis in die dode ogen onder het ijs.

'Hoe laat is het nu in New York?' vroeg Sully ten slotte.

'Half negen,' zei Faraday.

'Dan zijn ze al naar huis, we nemen morgenochtend vroeg contact op. Ang, zorg jij dat de satelliettelefoon voor het ontbijt aanstaat?'

'Absoluut, maar ik moet aan Gonzalez nieuwe batterijen vragen, want...'

Chen stopte midden in de zin. Marshall keek op en zag onmiddellijk waardoor de promovendus stilviel.

Het basiskamp lag een paar honderd meter lager, het lange, lage bouwwerk stond naargeestig in de ondergaande zon. Ze hadden de gletsjervallei in een flauwe bocht gevolgd en de hoofdingang van het kamp was nu achter het veiligheidshek te zien. Penny Barbour, de computerwetenschapper van het team, stond op het betonnen platform tussen het wachthuis en de centrale deuren, ze droeg een spijkerbroek en een Schots geruit, flanellen shirt. Er stond geen zuchtje wind en haar korte, peper-en-zoutkleurige haar hing slap over haar voorhoofd. Naast haar stond Paul Gonzalez, de sergeant die de leiding had over de kleine groep militairen die Fear Base formeel operationeel hield.

Vier figuren in een dikke parka, een broek van ijsbeerbont en sneeuwlaarzen van dierenvellen stonden om hen heen. Een had een geweer in de hand, de anderen hadden een speer of pijl-en-boog op hun rug gebonden. Hoewel hun gezicht niet te zien was, was Marshall er zeker van dat dit Eskimo's van de kleine, noordelijke nederzetting waren.

Terwijl ze nu sneller naar het basiskamp liepen, wist Marshall niet of hij nieuwsgierig was of geschrokken. Hoewel ze hier al een maand zaten, hadden de wetenschappers geen contact met de Eskimo's gehad. Sterker nog, ze wisten alleen van hun bestaan doordat de soldaten van de basis daar iets over hadden gezegd. Waarom kwamen ze uitgerekend vandaag hier op bezoek?

Toen ze via het hek langs het lege wachthuis liepen en bij de ingang aankwamen, draaide de groep zich naar hen toe. 'Deze lui belden nog geen twee minuten geleden hier aan,' zei Barbour met haar sterke Noord-Londense accent. 'De sergeant en ik zijn ze gaan begroeten.' Haar alledaagse, vriendelijke gezicht stond gespannen en enigszins bezorgd.

Sully keek naar Gonzalez. 'Is dit wel eens eerder voorgekomen?'

Gonzalez was ergens in de vijftig en stevig gebouwd, en bezat het waakzame fatalisme van een beroepsmilitair. 'Nee.' Hij haalde zijn radio tevoorschijn om de andere soldaten op te roepen, maar Sully schudde zijn hoofd.

'Dat hoeft toch zeker niet?' vroeg hij. Toen wendde hij zich tot Barbour. 'Ga jij maar naar binnen, de warmte in.' Hij keek haar na toen ze naar de hoofdingang liep, schraapte zijn keel en keek hun gasten aan. 'Wilt u niet binnenkomen?' vroeg hij, elk woord langzaam uitsprekend en tegelijk naar de deur gebarend.

De Eskimo's zeiden niets. Het waren drie vrouwen en een man, zag Marshall, en de man was verreweg het oudst. Zijn gezicht was zo verweerd dat de huid door jaren van kou en zon bijna leerachtig was geworden. Hij had heldere, donkerbruine ogen, droeg grote, met fantasievolle details ingekerfde benen oorringen, uit zijn bontkraag staken veren en op zijn jukbeenderen prijkten de donkere tatoeages van een sjamaan. Gonzalez had hun verteld dat de stam buitengewoon eenvoudig leefde, maar – dacht Marshall, terwijl hij naar de speren en dierenvellen keek – hij had er geen idee van gehad hoe eenvoudig.

Even hing er een onbehaaglijke stilte om de groep heen, het enige geluid kwam van de dreunende generatoren in de buurt. Toen nam Sully opnieuw het woord. 'Komt u uit de noordelijke nederzetting? Dat is een lange reis en u bent vast moe. Kunnen we iets voor u doen? Wilt u misschien wat eten of drinken?'

Geen antwoord. Sully herhaalde zijn woorden langzaam en nadrukkelijk, alsof hij het tegen een halve gek had. 'U iets drinken? Eten?'

Toen er geen antwoord kwam, wendde Sully zich met een zucht af. 'Zo komen we nergens.'

'Waarschijnlijk verstaan ze geen woord van wat je zegt,' zei Gonzalez.

Sully knikte. 'En ik spreek geen Inuit.'

'Tunit,' zei de oude man.

Sully draaide zich snel om. 'Wat zegt u?'

'Geen "Inuit". "Tunit".'

'Neemt u me alstublieft niet kwalijk. Ik heb nog nooit eerder van Tunits gehoord.' Sully klopte licht op zijn borst. 'Ik heet Sully.' Hij stelde Gonzalez en de wetenschappers aan hem voor. 'De vrouw die u daarstraks heeft ontmoet is Penny Barbour.'

De oude man raakte zijn borst aan. 'Usuguk.' Hij sprak het uit als Oosóó-gook. Hij stelde de vrouwen niet voor.

'Aangenaam kennis te maken,' zei Sully, die zoals gewoonlijk overduidelijk de rol van teamleider speelde. 'Wilt u niet binnenkomen?'

'U vroeg of u iets voor ons kon doen,' zei Usuguk. Marshall merkte tot zijn verbazing dat de man zonder enig accent sprak.

'Ja,' antwoordde Sully, net zo verbaasd.

'U kunt iets heel belangrijks doen… iets heel belangrijks. U kunt vanhier vertrekken. Vandaag nog. En niet terugkomen.'

Sully stond bij dit antwoord met zijn mond vol tanden.

'Waarom?' vroeg Marshall na een ogenblik.

De man wees naar Mount Fear. 'Dat is een onheilsplek. Door uw aanwezigheid hier brengt u ons allen in gevaar.'

'Onheil?' herhaalde Sully, die zich herstelde. 'U bedoelt de vulkaan? Die is uitgedoofd, dood.'

De Tunit keek hem aan, de talloze groeven in zijn gezicht vormden een scherp reliëf in de ondergaande zon. Het was een gezicht vol bittere angst.

'Welk onheil?' vroeg Marshall.

Usuguk ging daar niet op in. 'U hoort hier niet,' zei hij. 'U dringt ergens binnen waar u niets te maken hebt. En u hebt de ouden boos gemaakt. Heel boos.'

'De ouden?' vroeg Sully.

'Normaal gesproken zijn ze...' Usuguk zocht naar het juiste woord. 'Goedgunstig.' Met een geopende hand beschreef hij een halve cirkel in de lucht. 'In vroeger tijden bleven alle mannen hier, degenen met wapens en in uniform, binnen de stalen muren die ze hadden gebouwd. Zelfs vandaag de dag dwalen soldaten nooit naar de verboden plek af.'

'Ik weet niets van een verboden plek,' baste Gonzalez. 'Maar ik hou mijn jongens binnen, daar is het lekker warm.'

Usuguk leek het niet gehoord te hebben. Hij staarde nog steeds naar Sully. 'Jullie zijn anders. Jullie hebben terrein betreden waar geen levend mens een voet mag zetten. En nu zijn de ouden furieus, erger dan mijn volk zich kan heugen. Hun toorn beschildert de hemel met bloed. De hemelen schreeuwen het uit van pijn, als een vrouw in barensnood.'

'Ik weet niet precies wat u met "uitschreeuwen" bedoelt,' zei Sully. 'Maar de vreemde kleur aan de nachtelijke hemel is simpelweg de aurora bordelaise. Het noorderlicht. Dat wordt veroorzaakt door zonnewinden die het magnetisch veld van de aarde binnendringen. Ik geef toe dat de kleur nogal ongewoon is, maar u hebt het vast wel vaker gezien.' Sully speelde nu de vriendelijke pater familias, glimlachend, vaderlijk, alsof hij iets aan een jong kind uitlegde. 'Atmosferische gassen geven vaak overmatig veel energie af in de vorm van licht. Verschillende gassen stoten op verschillende golflengten fotonen uit.'

Als deze uitleg er voor Usuguk ook maar enigszins toe deed, dan liet hij dat niet merken. 'Zodra we merkten hoe boos het geestenvolk werd, zijn we hiernaartoe op weg gegaan. Sindsdien zijn we blijven lopen... geen rust, geen voedsel.'

'Des te meer reden om binnen te komen,' zei Sully. 'We zullen u goed te eten geven, en iets warms te drinken.'

'Waarom is de berg verboden terrein?' vroeg Marshall.

De sjamaan wendde zich tot hem. 'Begrijpt u dat dan niet? U hebt toch allemaal mijn waarschuwing gehoord? Weigert u daar acht op te slaan? De berg is een plek van duisternis. U móét vertrekken.'

'We kunnen niet weg,' zei Sully. 'Nog niet. Maar over een paar weken, twee of drie, is het zover. Tot die tijd bezweer ik u dat...'

Maar de sjamaan wendde zich tot de Tunit-vrouwen. '*Anyok lubyar tussarnek,*' zei hij. Een van hen barstte in huilen uit. Usuguk draaide zich weer om en keek de wetenschappers stuk voor stuk aan, zijn gezicht een mengeling van zo'n smart en angst dat Marshalls nekhaartjes rechtovereind gingen staan. Toen haalde hij een buideltje uit zijn parka, stak er een vinger in en schilderde een paar tekens op de bevroren toendra, met een donkere vloeistof die zo kleverig was dat het niets anders kon zijn dan bloed. En toen – nadat hij met lage en devote stem iets in zijn eigen taal had gereciteerd – wendde hij zich af en voegde zich bij de anderen die zich al over de bevroren ondergrond terugtrokken.

4

De twee daaropvolgende dagen blies er een gure noordenwind die een heldere hemel en bitterkoude temperaturen meevoerde. Op de derde dag verlieten Marshall, Sully en Faraday om elf uur het basiskamp en liepen over de bevroren vlakte die zich vanaf Mount Fear eindeloos naar het zuiden uitstrekte. Het was een volmaakte ochtend, de hemel had zich als een poolblauwe koepel ontvouwd en er was geen wolkje aan de lucht. De altijd bevroren grond was zo hard als beton onder hun voeten. De temperatuur schommelde rond de min achttien graden en de gletsjer kraakte en kreunde niet meer zo angstaanjagend, voorlopig althans.

Hun gedachten werden onderbroken door een plotseling laag gezoem, dat in de poolkou merkwaardig ijl klonk. Aan de zuidelijke horizon verscheen een vlek. Langzaam veranderde die in een helikopter die laag op hen toe vloog.

Faraday snoof geërgerd. 'Volgens mij hadden we een paar dagen moeten wachten. Waarom moesten we ook zo snel in de telefoon klimmen?'

'Dat was de deal,' zei Sully met een oog op de naderende helikopter. 'Als we het hadden uitgesteld, zouden ze dat geweten hebben.'

Faraday mompelde iets, duidelijk niet overtuigd.

Sully keek met gefronste wenkbrauwen naar de bioloog. 'Ik heb het al eerder gezegd. Als je een pact met de duivel sluit, moet je niet over de gevolgen zeuren.'

Niemand voelde de behoefte daar antwoord op te geven.

De universiteit van Noord-Massachusetts pretendeerde niet tot de beste onderwijsinstellingen te behoren. Aangezien de subsidies schaars waren, had de universiteit een relatief nieuwe tactiek aangeboord: benader een mediabedrijf dat expedities financiert in ruil voor exclusieve rechten en toegang. Hoewel de opwarming van de aarde bepaald niet sexy was, was het wel actueel. Terra Prime had het team bekostigd, net als een stuk of vijf andere expedities – bijvoorbeeld een die lokale geneeswijzen in het Amazonegebied bestudeerde en een andere die het mogelijke graf van koning Arthur aan het blootleggen was – in de hoop dat ze er ten minste één wetenschappelijke documentaire uit konden slepen die de moeite van het ontwikkelen waard was. Al weken had Marshall zitten duimen, hopend dat ze hun onderzoek konden afronden en vertrekken zonder in de kijker te lopen. Die hoop was nu de bodem ingeslagen.

De wetenschappers stonden een volle minuut dicht bij elkaar toen de helikopter kwam aanvliegen, boven het kamp cirkelde en zo'n vijftig meter verderop op een relatief vlak stuk terrein landde, terwijl de rotorbladen driftig door de lucht sloegen. De passagiersdeur ging open en een vrouw sprong naar buiten. Ze droeg een leren jas en spijkerbroek. Lang zwart haar viel over haar kraag, danste licht in het kielzog van de chopper. Ze was slank, misschien dertig jaar en toen ze zich omdraaide om haar bagage te pakken, had Marshall uitzicht op een fraai gevormd achterste.

'Knap ding,' mompelde hij.

Nu tilde de vrouw haar tassen op en liep bukkend voor de rotorbladen hun kant op. Ze zwaaide nog een bedankje naar de piloot, die zijn duim opstak, gas gaf, snel opsteeg en met een scherpe bocht in zuidelijke richting wegvloog, zich terug haastend naar waar hij vandaan gekomen was.

De wetenschappers liepen naar haar toe om haar te begroeten. Sully trok zijn handschoen uit en stak snel zijn hand uit. 'Ik ben Gerard Sully,' zei hij. 'Klimatoloog en teamleider. Dit zijn Evan Marshall en Wright Faraday.'

De vrouw gaf ze allemaal een hand en Marshall merkte dat haar handdruk kort en zakelijk was. 'En ik ben Kari Ekberg, veldproducer voor Terra Prime. Gefeliciteerd met jullie verbijsterende ontdekking.'

Sully nam een tas van haar over, Marshall de andere. 'Producer?' vroeg Sully. 'Dus jij hebt de leiding?'

Ekberg lachte. 'Dacht het niet. Je zult merken dat op zo'n set iedereen met een klembord producer is.'

'Set?' herhaalde Marshall.

'Zo zien wij het, ja.' Ze bleef staan om de omgeving zorgvuldig in zich op te nemen, alsof ze inschatte hoe theatraal het landschap was.

'Je bent bepaald niet op de Federale Wilderniszone gekleed,' zei Marshall.

'Dat heb ik gemerkt, ja. Ik heb bijna mijn hele leven in Savannah gewoond. De koudste plek waar ik ooit ben geweest is New York City in februari. Ik zal de crew vragen of ze iets van Mountain Hardware voor me meenemen.'

'Maar of je er nu wel of niet op gekleed bent, je bent het mooiste wat me in dit basiskamp is overkomen,' zei Sully.

Kari Ekberg verplaatste haar onderzoekende blik van het landschap naar hem en nam hem van top tot teen op. Ze gaf geen antwoord, maar glimlachte een beetje, alsof ze met die blik zijn persoonlijkheid de maat had genomen.

Sully bloosde licht en schraapte zijn keel. 'Zullen we dan maar teruggaan? Voorzichtig waar je loopt, op de grond wemelt het van de oude lavaschachten.'

Hij wees de weg, en ging met Faraday het onderzoek van die ochtend bespreken. Ekberg had niet de leiding en was kennelijk niet gecharmeerd van zijn stuntelige hofmakerij, dus zijn belangstelling voor haar eindigde hier en nu. Ekberg en Marshall vormden de achterhoede.

'Wat je net zei, heeft me nieuwsgierig gemaakt,' vervolgde Marshall. 'Dat je onze expeditie als een set beschouwt.'

'Zo ongevoelig bedoelde ik het niet. Voor jullie is dit uiteraard een werkomgeving. Punt is alleen dat bij zulke opnamen de klok centraal staat. We hebben niet veel tijd. En bovendien weet ik zeker dat jullie zo snel mogelijk weer van ons af willen zijn. Dat is mijn taak: de *gig* voorbereiden.'

'De gig voorbereiden?'

'Locaties bekijken, een schema opstellen. In wezen zet ik een traject uit zodat wanneer producer en talent landen, het pad al geëffend is.'

Inwendig verbaasde Marshall zich over de woorden die ze bezigde: producer, talent. Net als de andere wetenschappers had hij gedacht dat Terra Prime één persoon zou sturen, of hoogstens twee: een cameraman en iemand die zo nu en dan voor de lens stond. 'Dus feitelijk doe jij vooraf al het zware werk, dan komen de bobo's en die stelen de show.'

Ekberg moest lachen, een heldere melodieuze alt die over de permafrost schalde. 'Daar komt het eigenlijk wel op neer, ja.'

Ze waren bij de controlepost, die al lang buiten gebruik was, aangekomen en Ekberg staarde er met onverholen verbazing naar. 'Mijn god, ik had geen idee dat het hier zo groot was.'

'Wat had je dan verwacht?' vroeg Sully. 'Iglo's en veldtentjes?'

'Sterker nog, het grootste deel van de basis is ondergronds,' zei Marshall toen ze door de omheining liepen en het betonnen platform betraden. 'Ze hebben dit in een natuurlijke glooiing gebouwd, prefab bouwelementen overgevlogen en de overtollige ruimte met bevroren aarde, puin en stenen opgevuld. Het grootste deel van de zichtbare constructies zijn de mechanische of technische systemen: elektriciteitshuis, radarschotels, dat soort dingen. De architecten wilden het zichtbare gedeelte zo klein mogelijk houden. Daarom is het in de schaduw van de enige berg in de wijde omtrek gebouwd.'

'Wanneer was de basis voor het laatst actief?'

'O, lang geleden,' antwoordde Marshall. 'Bijna vijftig jaar.'

'Goeie god. Door wie wordt ze dan onderhouden? Je weet wel, dat je het toilet nog kunt doortrekken, dat soort dingen?'

'De regering noemt dit een minimaal onderhoudskamp. Een kleine groep soldaten houdt hier de boel draaiende, drie jongens van de genieafdeling onder bevel van Gonzalez. "Sergeant Gonzalez" moet ik zeggen. Zij onderhouden de generatoren en het elektriciteitsnet, de verwarming, verwisselen lampen, houden het waterniveau in de voorraadtanks in de gaten. En momenteel passen ze ook op ons.'

'Vijftig jaar.' Ekberg schudde haar hoofd. 'Dat is vast de reden waarom ze het wel aan ons wilden verhuren.'

Marshall knikte.

'Toch is Uncle Sam bepaald geen goedkope huisbaas. We moeten honderdduizend dollar meer betalen, enkel om de documentairecrew een week te kunnen huisvesten.'

'Het leven is hier duur,' zei Sully.

Ekberg keek weer om zich heen. 'Moeten de soldaten hier blíjven?'

'Ze worden elk half jaar afgelost. Althans, dat geldt voor de drie soldaten. En de sergeant, Gonzalez... ik geloof dat het hem hier wel bevalt.'

Ekberg schudde haar hoofd. 'Over een man die overduidelijk ergens voor wegvlucht gesproken...'

Ze liepen langs de zware buitendeuren, staken een verzamelplaats over, een langwerpige klimaatkamer – waarin langs beide muren kasten voor parka's en sneeuwuitrustingen stonden – en daarna door nog een dubbele deur voor ze in de basis zelf waren. Hoewel Fear Base al een halve eeuw min of meer verlaten was, ademde de basis nog volop een militaire atmosfeer: Amerikaanse vlaggen, stalen wanden, praktische indeling. Op vergeelde posters stonden dienstbevelen en waarschuwingen voor schending van de veiligheidsmaatregelen. Vanaf het entreeplein liep naar links en rechts een brede gang die al snel in de duisternis verdween: de onmiddellijke omgeving was goed verlicht, maar in de meer afgelegen gedeelten was slechts hier en daar een enkele lichtbron. Aan de overkant van het plein zat een man in militair uniform achter glas een boek te lezen.

Marshall zag dat Ekberg haar neus optrok. 'Let daar maar niet op,' zei hij lachend. 'Ik heb er ook een week over gedaan voor ik aan die stank gewend was. Wie had ooit gedacht dat een poolbasis naar de onderbuik van een slagschip zou stinken? Kom, we gaan je aanmelden.'

Ze liepen het plein over naar het glaspaneel. 'Tad,' zei Marshall bij wijze van begroeting.

De man achter het paneel knikte terug. Hij was lang en jongensachtig, met oranje stekeltjeshaar. Hij droeg de korporaalsstrepen van het geniekorps. 'Dr. Marshall.'

'Dit is Kari Ekberg, ze is de eerste van een documentaireteam dat hierheen op weg is.' Marshall wendde zich tot Ekberg. 'Tad Phillips.'

Phillips bekeek de vrouw met nauw verholen belangstelling. 'We hoorden het vanochtend pas. Als u hier even wilt tekenen, mevrouw Ekberg?' Hij schoof een klembord door een gleuf onder in het glaspaneel.

Ze tekende op het lijntje en schoof het terug. Phillips noteerde datum en tijd, en legde het klembord opzij. 'Doet u de rondleiding en wijst u haar de toegankelijke afdelingen?'

'Ja,' zei Marshall.

Phillips knikte en na nog een blik op Kari Ekberg keerde hij weer naar zijn boek terug. Sully wees de groep op een trap vlakbij en ze liepen naar beneden.

'Hier is het tenminste warm,' zei Ekberg.

'Op de bovenste verdiepingen in elk geval wel,' antwoordde Sully. 'De rest wordt alleen voor onderhoud verwarmd.'

'Wat bedoelde hij met "toegankelijke afdelingen"?' vroeg ze.

'In dit centrale, vijf verdiepingen tellende gedeelte van de basis verbleven de officieren en werd de omgeving in de gaten gehouden,' zei Marshall. 'Hier mogen we overal komen... niet dat een van ons tijd of zin heeft gehad om de boel te verkennen. Tot de zuidelijke vleugel hebben we beperkt toegang, daar stonden de meeste computers en andere apparatuur, en die werden daar ook onderhouden. Daar verblijven de soldaten, wij hebben beperkt toegang tot de bovenverdiepingen. In de noordvleugel mogen we niet komen.'

‘Wat is daar?’

Marshall haalde zijn schouders op. ‘Geen idee.’

Ze kwamen in een andere, langere gang uit die beter verlicht was dan de gang boven. Tegen de muren stond allerlei ouderwetse apparatuur, alsof de plek in grote haast was achtergelaten. Hier stonden meer kasten, samen met officieel ogende whiteboards met pijlen die naar de verschillende installaties wezen: *radar mapping*, RASP-*commandopost*, *recording-monitoring*. Aan weerskanten van de gang waren deuren met daarin draadgazen venstertjes. Er stonden geen namen op, maar reeksen letters en cijfers. ‘We hebben op B-niveau een provisorisch lab ingericht,’ zei Sully, met zijn duim naar de deuren wijzend. ‘Verderop zijn de pantry, de officiersmess en een briefingruimte, die we tot tijdelijke opnameruimte hebben omgebouwd. Na de bocht in de gang bevinden zich de slaapzalen en stapelbedden. Daar hebben we voor jou een bed in orde gemaakt.’

Ekberg mompelde een bedankje. ‘Maar ik begrijp nog steeds niet waarom zo’n basis sowieso nodig is,’ zei ze. ‘Ik bedoel, zo ver in het noorden.’

‘Ze maakte vroeger deel uit van een oud waarschuwingssysteem,’ zei Marshall. ‘Ooit gehoord van de Pinetree Line, of de DEW-Line?’

Ekberg schudde haar hoofd.

‘In 1949 testten de sovjets een operationele atoombom uit. Daar werden we gestoord van: we hadden gedacht dat we nog minstens vijf jaar de tijd hadden om ons daarop voor te bereiden. In plaats daarvan voorspelden onze knappe koppen dat de Russen binnen een paar jaar genoeg bommen zouden hebben om de Verenigde Staten lam te leggen. Dus werd de hoeveelheid troepen, vliegtuigen en wapens enorm opgevoerd, met inbegrip van een rampenplan om een allesomvattend verdedigingssysteem op te zetten. De kustlijn langs de Stille en Atlantische oceaan was goed beschermd en het werd duidelijk dat de grootste dreiging van bommenwerpers via de Noordpool kwam. Maar in die tijd was radar nog erg primitief: die kon geen laagvliegend luchtvaartuig detecteren, en dan ook nog niet verder dan de horizon.’

‘Dus moesten ze hun ogen zo dicht mogelijk bij de dreiging zien te krijgen.’

‘Precies. De generaals staken de koppen bij elkaar en kwamen met de drie meest waarschijnlijke routes waarlangs de Russische bommenwerpers in geval van een aanval zouden komen aanvliegen. Dit is er een van.’ Marshall schudde zijn hoofd. ‘Het ironische is dat toen dit eind jaren vijftig was voltooid, het overbodig was geworden. Bommen werden toen al met raketten en niet meer door vliegtuigen vervoerd. We hadden een snel, centraal netwerk nodig om die dreiging het hoofd te bieden. Dus werd er een nieuw systeem, SAGE, geïnstalleerd en ging dit soort bases in de mottenballen.'

Ze waren een hoek omgeslagen en liepen nu een volgende kazerneachtige passage door. Sully bleef bij een deur staan, draaide de knop om en duwde hem open naar een spartaans uitziende kamer met een smal bed, een tafel, garderobekast en spiegel. Chen de promovendus had die ochtend het ergste stof weggepoetst. 'Dit is jouw onderkomen,' zei Sully.

Ekberg wierp snel een blik naar binnen, knikte een bedankje naar Sully en Marshall en legde haar tassen op het bed.

'Het was een lange reis uit New York,' zei Sully, 'en je zult wellicht net als wij destijds onderweg weinig hebben geslapen. Als je een tukje wilt doen om wat bij te komen, ga dan gerust je gang. De douches en toiletten zijn verderop in de gang.'

'Bedankt voor het aanbod, maar ik begin liever meteen.'

'Beginnen?' Sully keek haar verbaasd aan.

Het begon Marshall te dagen. 'Je bedoelt dat je het wilt zien.'

'Natuurlijk! Daarom ben ik hier.' Ze keek om zich heen. 'Als jullie dat tenminste goedvinden.'

'Ik ben bang van niet,' antwoordde Sully. 'In de afgelopen weken zijn er een paar ijsberen gesignaleerd. En die lavaschachten zijn ongelooflijk gevaarlijk. Maar van een afstandje kun je wel toekijken, natuurlijk.'

Ekberg scheen hierover na te denken. Toen schonk ze hem een traag knikje. 'Dank je wel.'

'Evan wijst je verder wel de weg… toch, Evan? En als je me nu wilt verontschuldigen, ik moet nog een paar tests afmaken.' Er flitste een vaag glimlachje over zijn gezicht, hij knikte naar Marshall, draaide zich om en ging op weg naar de provisorische labs.

5

'Ongelooflijk,' zei Kari Ekberg, haar woorden dampten in de lucht. 'Ik geloof niet dat ik ooit zo'n heldere, intens blauwe lucht heb gezien.'

Ze waren in het schitterende zonlicht door de gletsjervallei op weg naar boven. Ondanks de kribbige zinspelingen dat hij het druk, druk, druk had, had Faraday zich verwaardigd mee te gaan, en hijgend en piepend klom hij naar boven. Hij had deze klim een maand lang minstens één keer per dag gemaakt: het feit dat hij er nog steeds zo veel moeite mee had, verraadde al de jaren die hij zittend in een laboratorium had doorgebracht. Ekberg stapte daarentegen moeiteloos door alsof ze een fervent hardloopster was. Haar ogen schoten alle kanten op, haar ontging niets. Nu en dan prevelde ze iets in een digitale recorder. Over haar leren jas droeg ze Penny Barbours reserveparka.

'Ik begrijp wat je bedoelt,' antwoordde Marshall. 'Ik wilde alleen dat het langer duurde.'

'Sorry?'

'De dagen worden nu snel korter. We hebben nog twee, misschien drie weken waarin we redelijk goed daglicht hebben. Daarna valt hier de witte nacht, vierentwintig uur per dag. En dan zijn wij vertrokken.'

'Geen wonder dat jullie haast hebben. Hoe dan ook, Jimmy gaat met zo'n hemel vast een dag op pad.'

'Jimmy?'

'Jimmy Fortnum, onze FD. Fotografie-director.' Ze keek naar de diepblauwe gletsjer, die door de azuurblauwe hemel werd omlijst. 'Hoe is Mount Fear aan zijn naam gekomen?'

'Genoemd naar Wilberforce Fear, de ontdekkingsreiziger die hem heeft ontdekt.'

'Is hij er beroemd door geworden?'

'Nou, het is zijn dood geworden. Hij is aan de voet van de caldeira doodgevroren.'

'O.' En Ekberg prevelde weer iets in de recorder. 'Caldeira. Dus het is een vulkaan?'

'Een dode vulkaan. Het is eigenlijk heel bizar... het enige geologische element binnen duizenden kilometers permafrost. Ze zijn er nog steeds niet uit hoe hij is ontstaan.'

'Dr. Sully zei dat hij gevaarlijk was. Wat bedoelde hij daarmee?'

'Mount Fear is eigenlijk alleen maar een dode kegel van prehistorisch lava. Door het weer en de gletsjer is hij afgebrokkeld, broos geworden.' Hij wees naar de vlijmscherpe randen van de vallei, en daarna naar een van de grote grotten waarvan het aan de voet van de berg wemelde. 'Die lavaschachten ontstaan wanneer zich een korst op een actieve magmastroom vormt. Door de jaren heen zijn ze heel broos geworden en ze kunnen gemakkelijk instorten. Daardoor is de berg een reusachtig kaartenhuis geworden. Onze ontdekking was achter in zo'n schacht.'

'En de ijsberen waarover hij het had?'

'Leuk om naar te kijken, maar ze zijn extreem agressief jegens de mens, zeker tegenwoordig, nu hun leefomgeving steeds kleiner wordt. Als jouw mensen hier zijn, zorg dan dat ze zich nooit zonder wapens buiten het omheinde terrein begeven. Op de basis is een voorraad geweren beschikbaar.'

Ze klommen weer verder en even later verbrak Ekberg opnieuw de stilte. 'Jij bent paleo-ecoloog, hè?'

'Ja. Quartair paleo-ecoloog, om precies te zijn.'

'En wat doe je hier precies?'

'Paleo-ecologen zoals ik reconstrueren uit fossielen en andere historische monsters verdwenen ecosystemen. We proberen vast te stellen welke schepselen op de aarde hebben rondgelopen, wat ze aten, hoe ze leefden en doodgingen. Ik ben nu bezig te bepalen welk ecosysteem hier voor de komst van de gletsjer heerste.'

'En nu de gletsjer zich terugtrekt, komt het bewijs – komen de monsters – weer aan het licht.'

'Precies.'

Ze keek Marshal met doordringende, onderzoekende ogen aan. 'Wat voor monsters?'

'Plantensporen. Modderlagen. Macro-organische overblijfselen zoals hout.'

‘Modder en hout,’ zei Ekberg.

Marshall lachte. ‘Niet sexy genoeg voor Terra Prime, hè?’

Zij moest op haar beurt lachen. ‘Wat kun je daarmee doen?’

‘Nou, door middel van koolstofdatering van hout en andere organische stoffen kan worden vastgesteld hoe lang ze onder de gletsjer hebben gelegen. Moddermonsters worden onderzocht op pollen, waaruit je weer kunt afleiden welke planten en bomen hier voor de ijstijd dominant waren. Weet je, moderne ecologen zitten vast aan de analyse van de wereld van vandaag de dag, waarop de mensheid in de afgelopen paar honderd jaar een enorm stempel heeft gedrukt. Maar met de monsters, resultaten en observaties die ik hier aantref, kan ik reconstrueren hoe de wereld was vóórdat de mensheid het overheersende element werd.’

‘Je kunt het verleden herscheppen,’ zei Ekberg.

‘In zekere zin wel, ja.’

‘Dat klinkt mij behoorlijk sexy in de oren. En ik neem aan dat een gletsjer de perfecte plek is om dat te doen, want alles heeft in de diepvries opgesloten gezeten en is als in een tijdcapsule bewaard gebleven.’

‘Helemaal goed,’ zei Marshall. Hij was onder de indruk van het feit dat ze zo snel de aard en omvang begreep van een haar onbekend vakgebied. ‘En dan heb ik het nog niet over het feit dat wanneer het ijs smelt, het eenvoudigweg zijn inhoud prijsgeeft. ‘Geen rommel, geen gedoe, en geen gezwoeg met scheppen en beitels om fossielen en subfossielen op te diepen.’

‘Uitermate praktisch. Wat zijn subfossielen? Heel kleine fossielen?’

Marshall schoot weer in de lach. ‘Paleontologen noemen fossielen zo als ze jonger zijn dan tienduizend jaar.’

‘O.’ Ze wendde zich tot de ploeterende Faraday. ‘En, dr. Faraday, u bent evolutionair bioloog, nietwaar?’

Faraday stopte om op adem te komen en de anderen bleven beleefd staan. Hij knikte terwijl hij zijn knapzak van de ene naar de andere schouder verplaatste.

‘En dat betekent...?’

‘Simpel gezegd bestudeer ik hoe species in de tijd veranderen,’ hijgde Faraday.

‘En waarom doet u dat hier, op zo’n onherbergzame plek?’

‘Mijn onderzoek richt zich op het effect dat de opwarming van de aarde heeft op de ontwikkeling van levensvormen.’

Er verscheen een glimlachje op haar gezicht. ‘Dus u onderzoekt daadwerkelijk de opwarming van de aarde, terwijl dr. Marshall daar eenvoudigweg zijn voordeel mee doet.'

Ergens ver weg begonnen in Marshalls hoofd alarmbellen te rinkelen: Terra Prima had hun expeditie gefinancierd in de veronderstelling dat dit over de opwarming van de aarde ging. Maar Kari Ekberg glimlachte vriendelijk, dus glimlachte hij maar terug.

Ze bleven even staan zodat Ekberg nog wat bijzonderheden kon inspreken. Marshall wachtte en keek naar de horizon. Toen bleef hij stokstijf staan. Hij pakte zijn verrekijker en gaf die aan Ekberg. 'Moet je kijken. Daar op de permafrost, naar het zuidwesten toe.'

Ze tuurde even door de kijker. 'Als je het over de duivel hebt. Twee ijsberen.' Ze bleef nog even staan kijken en gaf de verrekijker weer terug. 'Moeten we nu omkeren?'

'Hier op de berg zouden we veilig moeten zijn. Normaal gesproken moet een van ons gewapend zijn.'

'Waarom zijn we dat dan niet?'

'Ik weiger een wapen te dragen. En Wright is nogal verstrooid. Kom, we moeten verder.'

Toen ze dichter bij de gletsjer kwamen, keek Marshall een beetje ongerust naar de ijswand, maar door de kou van de afgelopen tijd was de afbrokkeling tot staan gebracht en het ijsoppervlak leek hetzelfde als drie dagen geleden toen de grot tevoorschijn was gekomen.

'Daar is de grot,' zei hij naar de zwarte muil bijna onder aan de gletsjer wijzend.

Ekberg keek ernaar. Hoewel op haar gezicht niets viel af te lezen, wist Marshall dat ze teleurgesteld was dat ze niet binnen mocht kijken. Hij knikte naar Faraday. De bioloog stak zijn hand in de zak van zijn parka, haalde er een grote, glanzende foto uit en gaf die aan Ekberg.

'Dít hebben we daarbinnen gevonden,' zei Marshall. 'Een afdruk van onze video-opname.'

Ze pakte de foto gretig aan en staarde er met ingehouden adem naar.

'Hij is met open ogen doodgegaan,' zei ze naar adem snakkend.

Niemand zei iets.

'Mijn god. Wat is het?'

'Dat weten we niet zeker,' antwoordde hij. 'Zoals je op de foto kunt zien, is het ijs heel troebel en kunnen we alleen de ogen en de vacht eromheen zien. Maar we denken dat het misschien een *smilodon* is.

'Een wát?'

'Smilodon. Beter bekend als een sabeltandtijger.'

'Wat technisch gesproken onjuist is,' zei Faraday. 'Want de smilodon stamt van een heel andere lijn af dan de tijger.'

Maar Ekberg leek het niet te horen. Ze staarde met grote ogen naar de foto, de digitale recorder was even vergeten.

'Dat denken we vanwege de ogen,' zei Marshall. 'Ze lijken heel erg op die van de grote katten... eigenlijk van alle katten. Je ziet dat het roofdierogen zijn: groot en ze kijken beide naar voren. Ze hebben bovendien een grote iris en verticale pupillen. Ik durf te wedden dat bij een autopsie aan het licht komt dat er achter het netvlies een *tapetum lucidum*, ofwel een lichtreflecterend laagje zit.'

'Hoe lang is hij al bevroren?' vroeg ze.

'De smilodon is zo'n tienduizend jaar geleden uitgestorven,' zei Marshall. 'Door het oprukkende ijs, verlies van zijn leefomgeving of voedsel, of een besmettelijk virus dat van de ene op de andere soort is overgebracht? We weten het niet. Gezien de periode waarin deze ijsgrot door ijs werd bedekt, schat ik dat hij een van de laatste was.'

'We weten nog niet precies waardoor hij zo is ingevroren,' voegde Faraday eraan toe. Hij had de gewoonte om met zijn wijd open, waterige ogen te knipperen, waardoor hij op een geschrokken kind leek. 'Het schepsel is waarschijnlijk in de grot voor een ijsstorm gaan schuilen en is ter plekke bevroren. Misschien was het gewond of uitgehongerd. Of wellicht is het simpelweg van ouderdom gestorven. Daar moet nader onderzoek antwoord op geven.'

Kari Ekberg had snel haar professionele houding hervonden. 'Wat is dat?' zei ze, en ze wees naar een gaaf, verticaal gevormd gat van anderhalve centimeter naast het karkas.

'Zoals je ziet is dat onduidelijk,' zei Marshall. 'Het ijs is vies, dichtgeslibd met prehistorische modder. Dus we hebben onze promovendus, Ang, een beeldsensor laten halen. Die zendt sonarpulsen uit en meet de terugkerende echo's.'

'Zoals een visvinder,' zei Ekberg.

'In zekere zin,' zei Marshall geamuseerd. 'Een heel geavanceerde visvinder. Hoe dan ook, precieze metingen zijn vanwege de conditie van het ijs niet mogelijk, maar het karkas lijkt ongeveer tweeënhalve meter lang te zijn. We schatten dat hij zo'n beetje vijfhonderd kilo weegt.'

'Eerder toe te schrijven aan een *Smilodon populator* dan aan een *Smilodon fatalis*,' dreunde Faraday op.

Ekberg schudde langzaam haar hoofd, haar ogen nog altijd op de foto gericht. 'Ongelooflijk,' zei ze. 'Duizenden jaren begraven onder een gletsjer.'

Er viel een korte stilte over de groep. Ze maakten geen beweging en Marshall voelde de kou via de randen van zijn capuchon naar binnen kruipen, en aan zijn vingertoppen en tenen knabbelen.

'Je hebt een hoop vragen gesteld,' zei hij rustig. 'Heb je er iets op tegen er eentje te beantwoorden?'

Ekberg keek hem aan. 'Vraag maar raak.'

'We weten dat Terra Prime van plan is om een soort documentaire te maken, maar geen van ons heeft enig idee hoe die eruitziet. We nemen aan dat jullie laten zien wat we hier doen en misschien eindigen met deze ongebruikelijke vondst. De ontdekking voor het nageslacht vastleggen. Kun je ons er wat meer over vertellen?'

Een spottend glimlachje trok langs haar lippen. 'Kort en goed, dr. Marshall, is het tv-station niet erg begaan met het nageslacht.'

'Ga door.'

'Ik ben bang dat je de details van onze uitvoerend producer Emilio Conti te horen moet krijgen. Maar ik beloof je één ding, dr. Marshall. Hij beschouwt dit als zijn kroonjuweel, iets waar hij zijn hele professionele carrière naartoe heeft gewerkt.' Haar glimlach werd breder. 'Jullie kleine expeditie staat op het punt heel wat beroemder te worden dan je in je wildste dromen voor mogelijk had gehouden.'

6

De dageraad vlamde met een woeste kleurenexplosie boven de Blue Ridge Mountains op. De boven Mount Marshall opkomende zon beschilderde de herfstlucht met schitterende kleurschakeringen, die normaal gesproken enkel op een schilderspalet voorkomen: naftol en cadmium, magenta en vermiljoen. De slaperige toppen en hellingen waren bekleed met donkere groen- en blauwtinten van eiken, dennen, esdoorns en notenbomen. De bergen zelf leken koude lucht uit te wasemen, hun adem vormde dichte mistdekens, die de donkere valleien omwikkelden en de toppen met heiige kringen, als de tonsuur van een monnik, kroonden.

Jeremy Logan zette de huurauto stil bij het kassahokje van de Front Royal, betaalde het parkeergeld en reed in een rustig gangetje weg. Er waren snellere manieren om op zijn bestemming te komen – Skyline Drive was zo kronkelig als een slang, waar je op zijn hoogst vijftig kilometer per uur kon rijden. Maar hij was vroeg en had sinds zijn jeugd, toen hij met zijn vader ging kamperen, deze weg nooit meer genomen. Verderop ging de snelweg in een fluwelen waas over, een reis vol ontdekkingen en nostalgie belovend.

Op de autoradio was *La Bohème* te horen, een opname uit 1946 onder leiding van dirigent Toscanini en met de sopraan Licia Albanese, en hij zette hem uit om alle aandacht aan het langstrekkende landschap te kunnen schenken. Het uitkijkpunt over de Shenandoah-vallei: hier hadden ze gestopt, wist hij nog, voor pittige hamsandwiches en een paar polaroidkiekjes. Daarna Low Gap, Compton Gap, Jenkins Gap: om de beurt doemden ze voor zijn voorruit op, gaven – bijna aarzelend – hun verbijsterende uitzicht op de Shenandoah-rivier en de bespikkelde heuvels van de Virginia Piedmont prijs. Logan was in de laaglanden van Zuid-Carolina opgegroeid, en hij herinnerde zich nu – toen hij deze vergezichten voor het eerst door jongensogen zag – dat hij zich nooit had kunnen voorstellen dat een uitzicht zo dramatisch mooi kon zijn, samengebald in zo'n relatief kleine ruimte.

Bij kilometerpaal 27 passeerde hij de parkeerplaats voor de trektocht naar Knob Mountain. Ook hier waren zijn vader en hij gestopt en hadden de drie kilometer lange klim gedaan. Het was die dag warm geweest, wist Logan nog, en de koude veldfles die om zijn nek had gehangen had ijskoude druppels op zijn huid gelekt. Zijn vader was historicus geweest en had nooit veel aan lichaamsbeweging gedaan, hij was buiten adem toen ze op de top waren. Daar had hij Logan verteld dat hij kanker had.

Bij Thornton Gap sloeg hij van de Drive af en volgde de snelweg langs de rivier het nationale park uit. Bij Sperryville draaide hij in zuidelijke richting Route 231 op en volgde de borden naar Old Rag Lodge.

Binnen tien minuten reed hij in de schaduw van de berg. Met zijn duizend meter hoogte was Old Rag een relatief lage bergtop, maar de klimtochten naar de kale piek waren een ware uitdaging, dat was algemeen bekend. Toch was de berg niet het bekendst om zijn klimmogelijkheden, maar om het luxehotel in een komvormig dal aan de voet van de berg. Old Rag Lodge was een door Richard Morris Hunt ontworpen, weelderig opgetrokken bouwwerk in Franse renaissancestijl. Het leek niets minder dan een enorm kasteel dat in het woeste gebied van Virginia volkomen uit de toon viel. Toen Logan de privélaan op draaide en een glooiende helling op reed, kwam het hotel in zicht, een onwezenlijke mengeling van kalkstenen muren en schitterend getinte gebrandschilderde ramen in een verticale omlijsting. Boven op de grillige constructie prijkten extravagante koepels en koperen minaretten.

Logan reed langs een weelderige golfbaan van zesendertig holes en daarna over het witte grind van een zorgvuldig aangeharkte oprijlaan die naar de inrijpoort leidde. Hij gaf zijn sleutels aan de wachtende hotelbediende en liep naar binnen.

'Wilt u een kamer, mijnheer?' vroeg de vrouw aan de receptie.

Logan schudde zijn hoofd. 'Ik ben hier voor de rondleiding.'

'De bunkerbezichtiging begint om tien uur.'

'Ik heb een privérondleiding geboekt. Logan is de naam.' En hij schoof een visitekaartje over de marmeren balie.

De vrouw bestudeerde het kaartje, keek op haar computerscherm en toetste iets in. 'Uitstekend, meneer Logan. Wilt u alstublieft in de lobby plaatsnemen?'

'Dank u.' Logan pakte zijn aktetas, liep de weergalmende koepelruimte door en ging tussen twee enorme, met rode zijde beklede, Korinthische zuilen zitten.

Hoewel de Lodge zeventig jaar lang een populaire pleisterplaats voor de golfende en jagende aristocratie van Virginia was geweest, had hij de laatste paar jaar een merkwaardige reputatie verworven. Want vanaf 1952 was hier een grote, supergeheime ondergrondse bunker voor officials van de Amerikaanse regering in stand gehouden. Mocht er een kernoorlog uitbreken, dan konden congresleden, senatoren en andere functionarissen zich in de bunker onder Old Rag Lodge terugtrekken, militaire operaties coördineren, nieuwe wetten uitvaardigen en erop toezien dat Amerika geregeerd bleef worden... aangenomen, uiteraard, dat er nog een Amerika te regeren viel. Logan keek de weelderige lobby rond en glimlachte vaagjes. Het was meer dan logisch dat regeringsleiders zo'n schuilplek hadden gekozen: zo ver uit de buurt van Washington dat ze aan de ergste holocaust konden ontsnappen, maar met alle voorzieningen om het Armageddon comfortabel, luxueus en heelhuids door te komen. Hoewel de bunker sinds midden jaren tachtig niet meer in gebruik was, was hij pas in 1992 vrijgegeven. Nu was het een historisch museum, een magneet voor complotdenkers en een niet-alledaagse bezienswaardigheid.

Logan keek op en zag een kleine, enigszins rondborstige man in een witlinnen pak met panamahoed door de lobby aan komen lopen. Hij droeg een bril met ronde, zwarte glazen en had een nogal roze gezicht. Hij stak een hand uit. 'Dr. Logan?'

Logan stond op. 'Ja.'

'Ik ben Percy Hunt, historicus van de Lodge. Tijdens de rondleiding van vanochtend ben ik uw bezichtigingsbegeleider.'

Bezichtigingsbegeleider, dacht Logan toen hij de uitgestoken hand schudde. Zeker hetzelfde als gids op de Old Rag Lodge. 'Ik voel me vereerd.'

'Klopt het dat u van Yale komt?' Hunt keek op een opgevouwen papiertje. 'Professor in de middeleeuwse geschiedenis aan de universiteit van Regina?'

'Ja, maar momenteel heb ik een sabbatsjaar.'

Hunt stopte het papiertje in zijn zak. 'Uitstekend. Wilt u mij maar volgen?'

Hij ging hem voor naar een gewelf aan de overkant van de lobby, die uitkwam op een hal met pluchetapijt waar op de randen sportafbeeldingen prijkten. 'De bunker heeft twee ingangen,' zei Hunt. 'Een grote buitendeur die achter in de berg is gebouwd – voor trucks en zware voertuigen – en een lift achter de grootste conferentiezaal van het hotel. Wij nemen de laatste ingang.'

Ze kwamen langs een met Griekse nepbeelden opgeluisterd binnenbad, een eetzaal en een balzaal voor ze de grote en goed geoutilleerde conferentiezaal binnengingen. Zonder zijn pas in te houden, beende Hunt naar een dubbele deur achterin, die met hetzelfde behang was bekleed als de rest van de ruimte. 'In deze zaal zou het congres hebben vergaderd, aangenomen dat dit dan nog overeind zou staan,' zei hij. 'Anders zouden ze van de kleinere ruimten beneden gebruikmaken.' Hij wees naar de muur voor hem. 'Die ondersteunt de bomvrije deuren die de bunkerlift beschermen.' Hij maakte de deuren met enige inspanning open en er kwam een kleine ruimte tevoorschijn met daartegenover een volgende deur. Hunt deed die met een sleutel aan een ketting open en leidde Logan de grote lift in. Hij sloot de deur en bediende met dezelfde sleutel de lift. Geen knoppen of lichtjes te zien.

Het duurde lang voor ze beneden waren. Na ongeveer een halve minuut wendde Hunt zich tot zijn gast. 'En, dr. Logan,' zei hij. 'Waar gaat uw belangstelling vooral naar uit? De technische ruimten? De persoonlijke verblijven? De ziekenboeg? Ik vraag dit omdat onderzoekers die zo'n privérondleiding aanvragen, vaak op een bepaald vakgebied voortborduren. Hoe meer u me vertelt, des te beter kan ik u van dienst zijn.'

Logan keek hem aan. 'Eigenlijk, meneer Hunt, ben ik niet echt in de bunker geïnteresseerd.'

Hunt knipperde met zijn ogen. 'O nee? Waarom...'

'Ik ben hier voor het Omega-archief.'

Hunt zette grote ogen op. 'Het archief? Het spijt me, maar dat is onmogelijk.'

'De informatie in die archieven is vanaf...' Logan keek op zijn horloge. 'Acht uur vanochtend vrijgegeven. Dat was zeventig minuten geleden. Het is nu voor het publiek toegankelijk.'

'Ja, ja, maar de juiste afhandelingsprocedures – grondig onderzoek, tegenonderzoek, al dat soort dingen – moeten eerst worden gevolgd. Verzoeken moeten via de geëigende kanalen gaan.'

'Ik ben slechts in een enkel dossier geïnteresseerd. Ik zal dat lezen waar u bij bent. En nu u het over de geëigende kanalen hebt, denk ik dat dit alle bezwaren wegneemt.' Logan opende zijn aktetas, haalde er een opgevouwen vel papier uit met het Amerikaanse zegel als briefhoofd en gaf het aan Hunt.

De kleine man bekeek de brief en zijn ogen werden nog groter. Hij likte langs zijn lippen. 'Uitstekend, dr. Logan. Uitstekend. Ik heb alleen nog een verbale bevestiging nodig...'

Logan wees naar de handtekening onder aan de brief. 'Als u hem werkelijk lastig wilt vallen, gaat u dan gerust uw gang... maar pas nadat we weer in het hotel terug zijn. Als ik mijn onderzoek ongestoord kan uitvoeren, heb ik slechts enkele minuten nodig.'

Hunt zette zijn bril af, veegde hem aan zijn jasje af, zette hem weer op en deed zijn strohoed goed. 'Mag ik vragen...' zijn stem weifelde en hij schraapte zijn keel. 'Mag ik vragen welk belang een professor in de middeleeuwse geschiedenis bij het Omega-archief heeft?'

Logan keek hem vriendelijk aan. 'Zoals ik al eerder heb gezegd, meneer Hunt, heb ik een sabbatsjaar.'

De liftdeuren gingen krakend open en ze bevonden zich in een betonnen tunnel met een halfrond dak en een vloer die door stalen roosters werd onderbroken. 'Komt u maar mee,' zei Hunt en hij liep snel de tunnel door. Het was er heel kil en ruw afgewerkt. De gang werd verlicht door een rij gloeilampen in ronde fitting, die aan dunne stelen aan het plafond hingen. Hoog langs een muur liep een wirwar aan groen geschilderde buizen die dieper de bunker in liepen. Hunt zette er flink de pas in, wist kennelijk weinig meer te zeggen. Ze passeerden een paar zijgangen in de tunnel, kennelijk slaapzalen, een grote ruimte met televisiecamera's met een achterwand die helemaal in beslag werd genomen door een foto van het Capitool met bloeiende kersenbomen, waarna Hunt van de hoofdgang afweek. Hij liep via een ruimte vol elektronische controlepanelen naar een kleine antichambre erachter. Achter in de kamer schoof hij een valse muur weg waarachter een zware stalen, aan robuuste scharnieren hangende deur tevoorschijn kwam. Hij haalde een andere sleutel uit zijn zak en stak die in het centrale slot. 'De archieven liggen hierachter,' zei hij. 'Zoek en bekijk het dossier alstublieft zo snel u kunt. Ik moet dit zo gauw mogelijk geautoriseerd krijgen.'

'Ik zal snel zijn,' beloofde Logan.

Hunt fronste zijn wenkbrauwen en knikte. Toen draaide hij de sleutel om en trok de deur open. Lucht waaide uit de duisternis erachter: verschaald, stoffig. Alleen al door die geur ging Logans hart sneller slaan.

De Omega-archieven waren precies het soort ontdekking waar Jeremy

Logan – voor wie goed beschouwd de titel van wetenschapper middeleeuwen een soort chic rookgordijn was – voor leefde. In de jaren na de Tweede Wereldoorlog had de regering de ingebouwde veiligheid van de congresbunker gebruikt om er geheime en uiterst vertrouwelijke militaire gegevens op te slaan. Hoewel de bunker zelf al een jaar of tien eerder was vrijgegeven, had het nog vele jaren geduurd – en vooral dankzij stevige politieke druk van historici, journalisten en voorvechters van vrije toegang tot informatie – vóór het rode stempel dat op de Omega-archieven gedrukt stond, werd opgeheven. De archieven waren die ochtend weliswaar vrijgegeven, maar het was standaardprocedure dat vertegenwoordigers van de staatsveiligheidsinstellingen de dossiers bestudeerden – en vervolgens veel van de als gevoelig aangemerkte documenten alsnog verwijderden – voordat het voor het algemene publiek werd opengesteld. Logan had her en der aan een paar touwtjes getrokken om kort toegang te krijgen vóór dit laatste grondige onderzoek een aanvang zou nemen.

Hij stapte een pikdonkere ruimte binnen, maar een zesde zintuig vertelde hem dat die groot was, heel groot. Hij tastte de muur af en vond een serie van minstens twintig lichtschakelaars en draaide er willekeurig een paar om.

Met een zacht gebrom kwamen hier en daar een paar rijen tl-buizen flakkerend tot leven, kleine lichtpoelen in een zee van duisternis. Hij deed ook de andere lichten aan en ten slotte kreeg hij een beeld van het hele archief: rijen en rijen drie meter hoge olijfgroene archiefkasten, in pijnlijk precieze, regelmatige colonnes die bijna helemaal uit het zicht marcheerden. Hij bleef in de deuropening staan, knipperde met zijn ogen en liet zichzelf langzaam wennen aan de omvang ervan. De ruimte was breder dan een voetbalveld en minstens zo lang. Zijn ogen zwierven over de talloze dossierkasten. Hij zou met liefde jaren zoet brengen tussen deze hoeveelheid opgeslagen, mogelijk fascinerende informatie: staatsgeheimen, wetenschappelijke patenten, geconfisqueerd cultureel en nationaal erfgoed, en elkaar tegensprekende getuigenissen onder ede die wel eens uitermate verhelderend zouden kunnen zijn.

Door een rusteloze beweging achter hem werd Logan eraan herinnerd dat hij maar weinig tijd had. Met een glimlach en een knikje greep hij zijn aktetas steviger vast en beende naar voren. Het dossier waarin hij met name geïnteresseerd was, ging over een voorval uit 1944 in Italië. Terwijl ze met de Duitsers vochten om Cassino in te nemen, had het Vijfde Leger een oud fort gevorderd: Castello Diavialous. Het al lang verlaten kasteel was ooit de thuisbasis geweest van een berucht alchemist die uitermate onfrisse experimenten had uitgevoerd. Na de Amerikaanse bezetting was het kasteel tot de grond toe afgebrand en het geheime laboratorium in de kelder compleet geplunderd. Logan was erachter gekomen waar de alchemist mee bezig was geweest, evenals het lot van zijn bizarre experimenten. Om er meer van te weten te komen, zo realiseerde hij zich nu, had hij zijn hoop op deze plek gevestigd, midden tussen de vergane dossiers van het Omega-archief.

Hij liep met afgemeten pas langs de hoge stalen rijen, bekeek willekeurig de labels op de kasten. Algauw ontdekte hij dat ze in chronologische volgorde stonden en vervolgens per legeronderdeel waren onderverdeeld. Het kostte hem slechts tien minuten om 1944 te vinden, vijf om de dossiers over het Vijfde Leger te lokaliseren, en nog eens een minuut om de hand te leggen op de dossiers die met de Italiaanse operaties te maken hadden. Hij trok de juiste la helemaal uit. Een slordige meter manilla en lichtgele dossiers betrof de operaties in Cassino. Ze waren stoffig en ernstig verbleekt, maar verder leek het of ze nauwelijks aangeraakt waren. Hij bladerde snel door de titels en vond een dikke map met daarop FORT DIAVILOUS – TACTIEK EN STRATEGIE.

Hij keek naar Hunt, die vlak in de buurt als een afkeurende chaperonne naar hem stond te kijken. 'Gevonden,' zei hij. 'Is er een leestafel waaraan ik het kan bestuderen?'

Hunt knipperde met zijn ogen, snoof. 'De kantine is in de gang, vlak na het elektrisch onderstation,' zei hij. 'Ik breng u er wel heen.'

Logan trok de map eruit en wilde de la weer dichtdoen. Toen stopte hij. Achter het weggehaalde dossier zat nog een map, bijna net zo verbleekt. Op het titelblad was slechts een enkel woord gedrukt: ANGST.

Instinctief trok Logan het naar voren. Het was heel dun. Daarachter bevond zich nog een identieke map, met daarop hetzelfde woord gestempeld.

Twee exemplaren van een geheim document, op dezelfde plek opgeborgen? Hier klopte helemaal niets van.

Hij wierp een steelse blik op Hunt. De man liep door het gangpad tussen de oprijzende kasten naar hem terug. Logan keek weer naar de la, verbrak het zegel van een van de twee identieke mappen en las snel de voorpagina.

STRIKT GEHEIM
Krijgsmacht van de Verenigde Staten
Verslag aan: Interne Onderzoekscommissie
Onderwerp: (1) Onregelmatigheid D-1, nadere analyse
(2) Omstandigheden rondom dood wetenschappelijk team
(3) Aanbevelingen (urgent)
Door: H.N. Rose
Bevelvoerend officier, Fear Base
Datum: 7 mei 1958
REFERENTIE
B2837(a)

Logan was als wetenschapper sowieso al extra gespitst als hij iets abnormaals tegenkwam, maar nu gingen bij hem alle alarmbellen rinkelen. Dit was een kans en hij aarzelde niet. Zo stiekem mogelijk opende hij zijn aktetas en liet een van de twee dunne mappen tussen zijn andere papieren glijden. Daarop sloot hij de tas en legde de Castello Diavilous-map boven op het zwarte leer. Toen schoof hij de la dicht, plakte een onbewogen uitdrukking op zijn gezicht, draaide zich om en liep achter Hunt de bezichtigingsbegeleider aan het weergalmende gewelf uit en de betonnen gang door.

7

Binnen vijf dagen was Fear Base compleet getransformeerd. Het ruim een hectare grote betonnen platform tussen de ingang van de basis en de omheining was een krioelende mierenhoop geworden. Dag en nacht vlogen helikopters en transportvliegtuigjes af en aan, leverden werklui, voorraden, voedsel, brandstof en allerlei soorten wonderlijke apparatuur af. De rustige, gedempt verlichte gangen van de centrale basisvleugel leken nu wel stadsboulevards: vol gebabbel, driftig rammelende toetsenborden en zoemende apparaten. Overal lagen stroomdraden, die verraderlijk lagen te wachten om de onvoorzichtigen te laten struikelen. De elektriciteitscentrale van de basis, die tot nu toe op nagenoeg minimale capaciteit had gedraaid, was tot vijftig procent opgevoerd en vulde de poollucht met zijn gedreun. Sergeant Gonzalez en zijn drie legertechnici waren aanvankelijk geschokt en daarna boos door deze plotselinge invasie die hun ooit zo slaperige basis had veranderd in een bijenkorf van veeleisende, aandacht vragende stadsmensen. Het kleine team soldaten was dag en nacht in touw, ze lasten gebroken draden, repareerden lekken, openden cv-leidingen en maakten bovendien nog eens een stuk of tien kamers – waarvan de meeste in geen vijftig jaar waren gebruikt – weer bewoonbaar.

Evan Marshall liep door de bergvallei met over zijn schouder een voor de helft met monsters gevulde koeler. Halverwege de basis bleef hij even staan uitrusten om de kleine, in de vroege middagzon badende nederzetting onder hem te bekijken. Hoewel de documentaireploeg uiteraard op de warme basis verbleef – op B-niveau waren verschillende verblijven voor de setassistenten, technici, publiciteitsmensen en productieassistenten ingericht, en de mooiere officiersonderkomens op C-niveau waren gereserveerd voor de producer, de fotografie-director en vertegenwoordigers van het tv-station – stonden er her en der nog een hoop extra bijgebouwen op het terrein. Hij zag een hoeveelheid portakabins, voorraadschuren en andere tijdelijke bouwsels. Aan één kant bewaakte een reusachtige Sno-Cat – een allterrainwagen met enorme tankrupsbanden – een brandstofdepot waar een legerdivisie trots op kon zijn. En helemaal apart van alles stond net binnen het hek een metalen kubus: een mysterieuze kluis waar de wetenschappers nog niets over te horen hadden gekregen.

Met de komst van Emilio Conti die ochtend, de uitvoerend producer en creatieve kracht achter dit project, was de halsbrekende vaart alleen nog maar in een grotere stroomversnelling gekomen. Conti had er geen gras over laten groeien. Hij had enorme machines laten aanrukken die de top van de gletsjervallei compleet blokkeerden, waardoor de wetenschappers nog met slechts veel moeite bij hun werkterrein konden komen. Marshall had gehoord dat de producer in de eerste uren na zijn komst met zijn camerateam over de permafrost een wandeling rondom de basis had gemaakt. Hij had de lichtval op de sneeuw, de lava en de gletsjer bestudeerd, alles vanuit een tiental verschillende hoeken nauwlettend bekeken met een groothoeklens die om zijn nek hing. Kari was voortdurend bij hem geweest, praatte hem bij over wat zij tot nu toe had gedaan, zat hem achter de broek en noteerde zijn orders voor de komende dagen.

Je kon wel zeggen dat die dagen interessant beloofden te worden.

Marshall pakte zijn koeler weer op, hees hem op de andere schouder en liep de berg verder af. Hij was moe tot op het bot: zoals altijd had hij de avond tevoren moeite gehad om in slaap komen en de lawaaiige nieuwkomers op Fear Base hadden daar niet in het minst toe bijgedragen.

Hij kon nauwelijks geloven dat hun ontdekking nog maar een week oud was. Inwendig wenste hij bijna dat ze dat ding nooit hadden gevonden. Dat opgewonden gedoe eromheen stond hem niets aan, zo heel anders dan de zorgvuldige, voorzichtige benadering waar wetenschappers zo van hielden. Hij vond het onplezierig dat de documentaireploeg terughoudend, bijna geheimzinnig deed over de details van hun project. Maar wat hem vooral ergerde, was dat het hem afleidde, dat zijn werk onder al die in de weg lopende mensen te lijden had. Hun eigen mogelijkheden op de gletsjer verdampten snel. Het enige voordeel van al die haast, bedacht hij, was dat hoe sneller de filmploeg werkte, die des te sneller weer was opgehoepeld.

Hij liep langs de Sno-Cat het kamp in. Iemand van de filmploeg liep met een lange stalen microfoonhengel langs hem heen, en Marshall moest wegduiken om geen klap tegen zijn hoofd te krijgen. De ingang van de basis werd versperd door een groep Terra Prime-werknemers. Ze stonden met de rug naar hem toe en toen hij de koeler op de grond zette en het deksel opende om de monsters te controleren, hoorde hij ze met luidruchtige stemmen ruzieachtig klagen.

'Dit is de op één na ergste set waar ik ooit heb moeten werken,' zei een van hen. 'En ik heb al in wat shit gewerkt.'

'Mijn tenen vriezen eraf,' zei een ander. 'Letterlijk. Ik bevries zowat helemaal.'

'Wat denkt Conti nou eigenlijk wel? Zitten we alleen maar vanwege een of ander dood dierenvel in dit godverlaten oord.'

'En dan die oenen die hier rondlopen, die een puinhoop van onze set maken en alleen maar in de weg lopen.'

Onze set, dacht Marshall met een vreugdeloos glimlachje.

'Over in de weg lopen gesproken, hebben jullie het van die ijsberen gehoord? Als we niet doodvriezen, worden we wel opgegeten.'

'We zouden gevarengeld moeten vragen.'

'Het deugt hier van geen kant. De waterdruk is afschuwelijk. En de kantine is weerzinwekkend. Ik ben aan vers spul gewend – schijfjes ananas, geroosterd brood, sandwiches, sushi. Hier krijgen we gevangeniskost: bonen, hotdogs, diepvriesspinazie.'

Plotseling brak er aan de overkant van de bijgebouwen gejuich los. En even later weer. Marshall sloot opnieuw de koeler af en ging op onderzoek uit.

Een stuk of tien mensen stonden om de kleine stalen kluis heen. Ze stonden elkaar te feliciteren, schudden elkaar de hand en omhelsden elkaar. Conti de producer stond er vlakbij. Hij was kort van stuk en had donker haar, met een zorgvuldig getrimd sikje. Hij keek met de armen over elkaar naar de elkaar gelukwensende groep. Naast hem stond de 'netwerkliaison', oftewel de vertegenwoordiger van het televisiestation: een man die naar de naam Wolff luisterde. Behalve Wolff waren er twee cameramensen, een met een grote camera op zijn schouder en een ander met een draagbare handcamera. Er stond nog een man bij – degene die hem een paar minuten geleden bijna van de sokken had gelopen – die een hengel met een microfoon vasthield. Van de camera liepen draden naar een aan zijn riem bevestigd apparaatje.

Marshall nam Conti nieuwsgierig op. De reputatie van de man was hem vooruitgesneld: zijn documentaire *From Fatal Seas*, over researchonderzeeërs die de diepste diepten van de oceaan verkenden, had een stuk of vijf prijzen gewonnen en maakte inmiddels vast onderdeel uit van collecties in musea en IMAX-theaters. Hij had nog tal van andere documentaires gemaakt, vooral over de natuur en wereldwijde milieucrises, en die waren allemaal een doorslaand en wijdverbreid succes geweest. Met zijn sikje, overdreven manier van doen en de groothoeklens die als een reusachtig zwart juweel aan zijn nek bungelde, was hij de briljante en excentrieke regisseur ten voeten uit. Het enige wat ontbrak, bespiegelde Marshall, waren de megafoon en witte brede das. Hij bracht zichzelf in herinnering dat zijn uiterlijk misleidend was: de man werd niet alleen overal gerespecteerd, maar hij had ook een hoop invloed.

'En nog een keer,' zei Conti met een afgemeten, licht Italiaans accent. 'Nu met nog meer opwinding. Denk eraan: jullie hebben het voor elkáár. Missie volbracht. Dat wil ik in jullie gezicht terugzien, in jullie stem horen.'

'Draaien maar,' zei de man met de camera op zijn schouder.

'En... áctie,' zei Conti.

En weer barstte de groep in gejuich uit. Ze sprongen in de lucht, riepen en schreeuwden, sloegen elkaar op de rug. Marshall stond er verbaasd naar te kijken, zich er opnieuw pijnlijk van bewust dat hij helemaal niets van het project wist.

Kari Ekberg stond vlak in de buurt en sloeg het tafereel geconcentreerd gade. Ze had het de afgelopen dagen vreselijk druk gehad, maar had in het voorbijgaan altijd beleefd naar hem geglimlacht, in tegenstelling tot de meesten van de ploeg, die duidelijk van mening waren dat de wetenschappers maar nauwelijks te tolereren lastpakken waren.

Hij deed een stap naar Kari toe. 'Wat is er gebeurd?'

'Het is klaar,' zei ze. 'Een gigantisch succes.'

'Klaar?'

'Nou ja, dat filmen we nu.'

'Maar...' begon hij weer. Maar plotseling begreep hij het. Conti filmde de reactie van de ploeg op een succesvolle afsluiting, hoe en wanneer die afsluiting ook zou plaatsvinden. Kennelijk filmde de producer alles wat hij kon filmen, en zo snel mogelijk, of het nu echt of in scène was gezet. Aan een chronologische tijdsvolgorde hielden ze zich hier klaarblijkelijk niet. Marshall realiseerde zich dat hij nog een hoop over documentaires te leren had.

Conti stond te knikken, kennelijk tevreden met deze laatste sessie. Hij wendde zich tot de man met de kleinere camera. 'Heb je de B-plaatjes?'

De man stak glimlachend een duim naar hem op. Conti keek van hem naar Kari Ekberg en kreeg Marshall in het oog. 'U bent Marshall, hè? De ecoloog?'

'Paleo-ecoloog, ja.'

Conti keek op zijn klembord, vinkte iets af met het potlood dat hij met een in een dikke handschoen gestoken hand vasthield. 'Mooi. Dat wordt het volgende op de lijst.' Hij keek weer naar Marshall, deze keer nauwlettender, zijn blik dwaalde van top tot teen over hem heen alsof hij een stuk vlees keurde. 'Wilt u de rest van uw team op de verzamelplaats bijeenbrengen, graag aangekleed voor buiten? Over een kwartier, alstublieft. Als u er allemaal bij bent, komen de beelden realistischer over.'

'Welke beelden?'

'We gaan de berg op.'

Marshall aarzelde. 'Ik wil best de anderen gaan halen. Maar eerst vind ik dat het tijd wordt dat u uitlegt wat u hier precies aan het doen bent. U hebt niets specifieks verteld. Ik wil niet moeilijk doen, maar we zijn nu lang genoeg in het ongewisse gelaten.'

Conti snoof de kille lucht op. 'We maken zo veel mogelijk opnamen voordat Ashleigh hier is.'

'Dat is nog zoiets wat ik niet begrijp. Waarom moet een gastvrouw helemaal hierheen komen? Waarom kan ze haar verhaal niet in New York inspreken nadat de film is gemonteerd en geëdit?'

'Omdat er niet alleen een verhaal wordt verteld,' antwoordde Conti. 'We hebben het over docudrama. Een gigántisch docudrama.'

Marshall fronste zijn voorhoofd. 'Wat heeft een docudrama met ons werk hier te maken? Of met de door ons ontdekte kat?'

Hierop gleed er een zwak glimlachje over Conti's gezicht. 'Het heeft álles te maken met de kat, professor Marshall. Ziet u, we gaan de berg op en hem uit het ijs hakken.'

Kil ongeloof kroop bij Marshall omhoog. 'Uíthakken, zei u?'

'In één enkel blok. Daarna wordt hij in onze speciaal daarvoor geprepareerde kluis overgebracht. De kluis wordt verzegeld, het blok ijs zal onder gecontroleerde omstandigheden smelten.' Conti zweeg theatraal. 'En de verbreking van het zegel van de kluis wordt live uitgezonden, vanaf hier.... voor de ogen van een slordige tien miljoen kijkers.'

8

Even duizelde het Marshall zo hevig dat hij geen woord kon uitbrengen. En toen verdween het gevoel van ongeloof net zo snel als het was opgekomen, werd het weggespoeld door een woede waarvan hij niet eens wist dat hij die in zich had.

'Sorry,' zei hij, verbaasd dat zijn stem zo kalm klonk, 'maar dat gaat niet gebeuren.'

De glimlach verdween niet van Conti's gezicht. 'O nee?'

'Nee, zeker niet.'

'En waarom niet?'

Terwijl de producer deze vraag stelde, zag Marshall dat Sully vanaf de basis naar hen toe kwam lopen. Hij had ongetwijfeld de commotie rond Conti's laatste opname gehoord en kwam poolshoogte nemen. De klimatoloog had Conti wanneer hij maar kon stroop om de mond gesmeerd, dingend naar gunsten of misschien een bijrol in de productie.

'Meneer Conti heeft me net de werkelijke reden van zijn komst hier verteld,' zei Marshall toen Sully zich bij de groep had gevoegd.

'O?' vroeg Sully. 'Wat dan?'

'Ze willen de smilodon uit de ijsgrot hakken en hem er live voor de tv-camera's uit snijden.'

Bij die onthulling knipperde Sully verbaasd met zijn ogen, maar hij zei niets.

Marshall wendde zich weer tot de producer. 'Het is één ding dat u ons basiskamp, ons onderzoek overneemt, dat uw mensen ons behandelen als illegale landbezetters. Maar ik sta niet toe dat u ons werk in gevaar brengt.'

Conti sloeg zijn armen over elkaar. Marshall merkte dat Kari Ekberg hem intens stond aan te staren.

'Het karkas is een belangrijke – misschien zelfs immens belangrijke –

ontdekking,' vervolgde hij. 'Dit is geen goedkope publiciteitsstunt die u voor uw eigen doeleinden kunt gebruiken. Als u daarom hier bent gekomen, dan spijt het me dat u uw tijd en geld hebt verspild. Maar u kunt nu wel uw biezen pakken en vertrekken.'

Sully leek zijn verbazing te boven te zijn gekomen en hoorde Marshall nogmaals aan. 'Ah, Evan, het is echt niet nodig om...'

'En nog iets,' zei Marshall, Sully negerend. 'Ik heb mevrouw Ekberg al gezegd dat de grot onveilig is. Door trillingen van zware apparatuur kan dat hele verdomde ding op ons hoofd instorten. Dus ook al zouden we niet tegen uw krankzinnige idee protesteren, dan moeten we u toch de toegang weigeren.'

Conti tuitte zijn lippen. 'Ik begrijp het. Verder nog iets?'

Marshall staarde hem aan. 'Is dat niet genoeg dan? U kunt de kat niet krijgen. Zo eenvoudig ligt dat.'

Hij wachtte op Conti's antwoord. Maar in plaats daarvan wierp de regisseur een veelbetekenende blik op Wolff, de netwerkliaison.

Wolff schraapte zijn keel en nam voor het eerst het woord. 'Feitelijk, dr. Marshall, hebt u gelijk. Het lígt heel eenvoudig: we kunnen namelijk doen wat we willen.'

Marshall wendde zich tot Wolff, zijn kaken verstrakten zich tot een harde lijn. 'Wat bedoelt u?'

'Als we de kat uit het ijs willen hakken, dan kunnen we dat. Als we hem in stukken willen hakken en op de barbecue willen leggen, kunnen we dat ook.' De man stak zijn hand in zijn parka en haalde er een stapeltje papieren uit dat hij Marshall aanreikte.

Marshall pakte het niet aan. 'Wat is dat?' vroeg hij.

'Dit is het contract dat uw dr. Sully en het hoofd van de universitaire onderzoeksafdeling met Terra Prime hebben ondertekend.'

Toen Marshall geen antwoord gaf, vervolgde Wolff: 'In ruil voor financiële steun voor uw zesweekse expeditie, heeft Terra Prime – en daarmee het moederbedrijf Blackpool Enterprises – de exclusieve rechten op en onbeperkte toegang tot niet alleen uw onderzoeksterrein, maar op alle ontdekkingen die u doet, waarmee wij naar eigen goeddunken kunnen doen wat we willen.'

Met tegenzin pakte Marshall het document aan.

'Artikel zes,' zei Wolff. 'Het sleutelwoord is "onbeperkt".'

Marshall keek het contract snel door. Het was zoals Wolff had gezegd: feitelijk had Terra Prime de controle over alle fysieke en intellectuele eigendommen die uit hun expeditie zouden voortkomen. Hij had zich niet gerealiseerd dat Terra Prime een dochterbedrijf was van Blackpool, en dat stond hem niets aan: Richard Blackpool was berucht om zijn spraakmakende, nietsontziende journalistiek. Kennelijk had Wolff dit moment verwacht: daarom liep hij ook met het contract in zijn zak rond. Hij bekeek de man wat beter. Zelfs in een parka was Wolff mager, skeletachtig bijna, met gemillimeterd, bruin haar en een uitdrukkingsloos gezicht. Hij keek terug, maar de bleke ogen verraadden niets.

Marshall wendde zich tot Sully. 'Heb jij dit getekend?'

Sully haalde zijn schouders op. 'Ja, anders was er geen expeditie geweest. Hoe wisten wij nou dat dit ging gebeuren?'

Marshall reageerde daar niet op. Plotseling was hij vermoeider dan ooit. Zonder nog een woord te zeggen vouwde hij het contract op en gaf het aan Wolff terug.

9

Een kwartier later ging een grote groep over de gletsjervallei op weg naar de ijsgrot. Behalve de wetenschappers, Conti en zijn kleine stoet assistenten waren Kari Ekberg, twee cameramensen en de geluidsman er ook bij. Een stuk of tien stoer ogende werklui in leren jassen kwamen achteraan, zowel te voet als met de Sno-Cat, waarvan de laadbak tjokvol houten pallets lag. Deze mannen maakten officieel geen deel uit van de documentaireploeg: ze kwamen uit de streek en waren voor een paar dagen uit Anchorage overgevlogen om het zware werk te doen. Kari had al uitgelegd dat ze vooral het basiscamerawerk, de liveopnamen, snel wilden afwerken: nu de producer ter plaatse was en de ster onderweg, verdampte het geld snel, en de set en rekwisieten moesten zo snel mogelijk worden opgebouwd.

Normaal gesproken had je twintig minuten nodig om de Fear-gletsjer over te steken, maar vandaag duurde het een paar keer zo lang: Conti bleef voortdurend staan zodat de cameramensen opnamen konden maken van de berg, de vallei eronder en het gezelschap zelf. Eén keer moest de hele ploeg tien minuten blijven staan, enkel om bedachtzaam naar de gletsjer omhoog te kijken. En hij maakte een aantal opnamen van Ekberg – vanuit elke hoek, behalve pal van voren – wat heel merkwaardig was.

'Waar is dat voor?' vroeg Marshall na de vijfde keer.

Kari schoof haar capuchon naar achteren. 'Ik val in voor Ashleigh.'

Marshall knikte begrijpend. Ashleigh Davis, de gastvrouw, werd pas over twee dagen verwacht, maar dat weerhield Conti er niet van haar toch te filmen. 'Ik veronderstel dat het zo is als je hebt gezegd. Bij dit soort opnamesessies draait het alleen maar om de klok.'

'Zo is het maar net.' Ze keek hem aan. 'Moet je horen, ik vind het heel vervelend wat er zopas is gebeurd. Ik wilde dat ik je gewaarschuwd had, maar ik had strikte orders gekregen. Jullie moesten het van Wolff te horen krijgen.'

'Dus hij is de topman. En ik maar denken dat Conti dat was.'

'Emilio heeft de leiding over alle creatieve aspecten: de opnamen, licht, invalshoek, de eindmontage. Maar het tv-station levert het geld, dus dat heeft het laatste woord. En hier, op het dak van de wereld, ís Wolff het tv-station.'

Marshall keek achterom de berg af. Wolff was niet meegegaan, maar je kon hem in de diepte nog wel zien: een nietige figuur, broodmager en spookachtig, die buiten de omheining bewegingloos naar hen stond te kijken.

Marshall draaide zich met een zucht weer om. 'Is dit normaal? Steeds maar weer stoppen, om ons heen kijken, en filmen, filmen en nog eens filmen?'

'Nee, niet echt. Conti schiet driemaal zo veel filmmateriaal als normaal.'

'Waarom?'

'Omdat dit zijn Mona Lisa moet worden. Zijn meesterwerk. Hij heeft een hoop risico genomen om dit voor elkaar te krijgen.'

'En waarom sjokt de Grote Schrijver met de rest van het plebs de berg op? Ik zou toch denken dat hij de Sno-Cat zou nemen.'

'Hij wil "op de grond" gefilmd worden, zoals wij dat uitdrukken. Dat geeft een betere indruk op de "making-of"-video die uiteindelijk samen met de dvd wordt uitgegeven.'

Marshall schudde in stil ongeloof zijn hoofd: wat een circus was dit geworden.

Ze klommen weer verder en Conti draaide zich bijna op afroep naar hen om. 'Moet ik nog iets anders weten?' vroeg hij met zijn afgemeten Italiaanse accent aan Marshall.

'Zoals?'

De producer maakte een weids gebaar met zijn arm. 'Wat dan ook. De plek, het weer, de plaatselijke fauna... alles wat het project kleurrijker kan maken.'

'Er is zo veel dat u zou moeten weten. Dit is een fascinerend geologisch gebied.'

De producer knikte een beetje vertwijfeld. 'Als we terug zijn plan ik wel een interview in.'

Sully, die het gesprek had gehoord, haastte zich naar hen toe. 'Als teamleider wil ik u met alle plezier van dienst zijn.'

Conti knikte nogmaals afwezig, had zijn ogen weer op de gletsjer gericht.

Marshall vroeg zich af of hij de producer op de hoogte moest brengen van de inwoners uit de streek. Zij hadden waarschijnlijk precies de juiste couleur locale waar Conti naar op zoek was. Maar daar zag hij al snel van af. Het laatste wat de Tunits wilden – of verdienden – was een luidruchtige, onverschillige filmploeg die hun dorp onder de voet zou lopen. Hij hoefde er niet naar te raden hoe zij zouden reageren als ze zagen hoe Mount Fear in de afgelopen paar dagen was getransformeerd.

Hij wierp een steelse blik op Conti. Hij wist niet goed wat hij aan de regisseur had. De man deed zich weliswaar als een visionair artiest voor, maar hij gaf ook blijk van een harde, compromisloze façade. Het was een uiterst ongebruikelijke combinatie: half Truman Capote, half David Lean. Geen peil op te trekken.

De ijsgrot was nu in zicht, maar zijn donkere muil werd door zware apparatuur aan het oog onttrokken: een lage, zware kraan op een dieplader met ballonbanden, en een voertuig dat Marshall niet kon plaatsen. Ze waren felgeel gespoten, staken schel af tegen het sneeuwdek en de lichtblauwe gletsjer. Terwijl de camerajongens lenzen verwisselden en de geluidsman zijn heupmixer in gereedheid bracht, verspreidde het bataljon in leer gestoken mannen zich om de machines. Twee hesen zich ieder in een cabine, terwijl de anderen de houten pallets uit de Sno-Cat laadden en de inhoud ervan achter op de verrijdbare kraan stapelden. Marshall bekeek het nauwlettender en zag dat het enorme zakken waren, met zware stalen, hydraulisch verstelbare stutten.

Penny Barbour, de computerexpert, keek met toegeknepen ogen naar de werklui. Ze had een palmtopcomputer in de ene in een dikke handschoen gestoken hand en een digitale recorder in de andere. Zij vertrouwde de documentaireploeg zelfs nog minder dan Marshall. 'Ik kan wel raden waarvoor die enorme dieplader dient,' mompelde ze. 'Maar wat is dat andere ding?'

Marshall tuurde naar het andere voertuig. Dat zat vol met apparatuur die er enigszins middeleeuws uitzag. 'Geen idee.'

'Noteer,' zei Conti tegen Ekberg. 'Ik wil een vierkleurenpalet: het wit van de sneeuw, het hemelsblauw van de lucht, het azuur van de gletsjer, het zwart van de grot. Het moet een compositie in blauw worden. Dat speciale proces moeten we in het lab gebruiken.' Hij keek naar de cameraman. 'Klaar?'

‘Klaar,’ zei Fortnum, de fotografie-director.

‘Hier ook, meneer Conti,’ zei Toussaint, de assistent-FD.

‘Jullie moeten heel, heel voorzichtig zijn,’ zei Marshall. ‘Er ligt een laag ijs op de grond en het is verschrikkelijk glad. Ik heb al gezegd dat die lavaschachten extreem broos zijn. U neemt met deze hele toestand een krankzinnig risico. Eén verkeerde beweging en de hele boel stort in.’

‘Dank u, dr. Marshall.’ Conti wendde zich weer tot de cameraman. ‘Fortnum? Toussaint? Als jullie binnen scherpe, krakende geluiden horen, neem dan de gezichten eromheen op. Pik het angstigste gezicht eruit en zoom daarop in.’

De cameramannen keken elkaar ongemakkelijk aan en knikten.

Conti keek nog een keer rond en knikte toen naar Toussaint. ‘Stilte op de set!’ bulderde de cameraman. Al het gekwebbel verstomde onmiddellijk.

Conti keek naar de grot. ‘Actie!’

Een digitaal klapbord klikte en de camera’s draaiden. Tegelijkertijd werden de zware machines met oorverdovend gebrul gestart, krakend in hun versnelling gezet en reden ze slingerend naar de gletsjerwand. Conti en zijn ploegje assistenten liepen erachter. De cameraman bleef staan, maakte een zorgvuldig panoramashot, nam alles op. Met de grootst mogelijke terughoudendheid liep Marshall achter de stoet aan naar de grot. Hij had een afgrijselijk, misselijkmakend gevoel dat ze allemaal slachtoffer werden van Conti’s gebral.

De voertuigen bleven bij de ingang van de grot staan zodat een paar werklui wat canvas zakken van de dieplader konden halen. Toen floepten boven op de gele cabines bevestigde, krachtige zoeklichten aan, de versnelling kraakte en de machines rolden weer naar voren, nu veel langzamer, en verdwenen onder het lage dak van de grot. Marshall en de rest liepen er in een enkele rij achteraan. Deze keer was de kille droge lucht in de lavaschacht zwaar van de dieselgassen. De wanden trilden als gekken en het geluid van de motoren was oorverdovend. Marshall zag dat op aanwijzingen van een potige opzichter, Creel genaamd, de werklui stalen steunspanners uit de zakken haalden en ze tussen vloer en plafond wurmden. Hij voelde zich slechts een fractie beter nu de boel tijdelijk werd gestut.

Hij liep de tunnel door. Een zaklantaarn was niet nodig: de zoeklichten op de cabines en de cameralichten toverden de grot om in een felblauwe schacht. Boven hen klonk een zwaar schrapend geluid toen een van de voertuigen zich een weg onder het lage plafond baande. Marshall merkte dat zelfs Sully's onwrikbare, uitdagende gezicht even verbleekte.

Toen werd de grot breder, het plafond hoger en het kleine gezelschap vormde snel een kring rond de vrijgemaakte plek op de ijsvloer. De diesels werden een voor een uitgezet en even leek de stilte oorverdovend. Een vaag staccatoachtig gekraak weergalmde door de ruimte toen de ijsvloer zich onder het gewicht van de grote machines aanpaste. De werklui waren klaar met de provisorische steunberen en hielden zich verder op de achtergrond.

Even zei niemand iets. Iedereen keek naar die grote dode ogen die naar hen omhoogstaarden. Marshall bekeek de mensen in het gezelschap stuk voor stuk. Kari Ekberg, die bezorgd haar wenkbrauwen fronste. Penny Barbour, die driftig aantekeningen op haar palmtop maakte. De zelfgenoegzame Conti, die in het troebele ijs staarde, nu duidelijk van zijn stuk gebracht. Faraday die, door de veel te grote bril met zijn ogen knipperend, meetapparatuur uit zijn zakken haalde. Sully, die met iets als vaderlijke trots straalde.

Ten slotte vermande Conti zich. 'Fortnum, Toussaint, hebben jullie dit?'

'Ja,' zei de FD.

'Heb je een panoramashot van de wetenschappers gemaakt?'

'Twee keer.'

'Uitstekend.' De producer wendde zich tot Sully. 'Markeer dat beest, alstublieft.'

Sully schraapte zijn keel. 'Markeren?'

'Het blok ijs dat we uit de grotvloer gaan snijden. Neem het ruim… we willen niet per ongeluk een drumstick afhakken.'

Sully kromp ineen, maar stapte dapper naar voren en maakte een paar berekeningen nadat hij fluisterend met Faraday had overlegd. Toen trok hij met zijn zakmes een ruwe rechthoek in het ijs.

'Diepte?' vroeg Creel, de voorman.

Sully keek naar Penny Barbour, die op haar palmtop keek. 'Twee meter zeven,' zei ze.

Creel wendde zich tot de man die de controlepanelen bediende. 'Maak daar maar twee meter tien van.'

En opnieuw vulde de grot zich met het gebrul van een dieselmotor en dikke wolken uitlaatgassen. Toen de camera's draaiden, bracht een andere werkman door middel van een afstandsbediening een zware mechanische arm, bevestigd aan een merkwaardig uitziende machine, boven het ijs in positie. Langzaam zakte die naar de door Sully aangebrachte belijning.

'Achteruit,' waarschuwde Creel.

Aan het uiteinde van het instrument verscheen nu een straal felrood licht. Onmiddellijk begon het ijs onder de straal te sputteren en te koken. 'Laser van legerkwaliteit,' zei Conti. 'Heel krachtig, en toch nauwkeuriger dan een vijl van een juwelier.'

Iedereen keek toe hoe de laser langzaam langs de markering door het troebele bruine ijs heen sneed. Een van de werklui schakelde een draagbare compressor aan de zijkant van de dieplader aan. Hij ging met een afzuiger over de hele lengte van het gat, zoog het smeltwater met een zware rubberen slang op en voerde dat in de nissen van de ijsgrot af. Marshall keek ernaar en kreeg een beeld voor ogen van een monsterlijke sessie bij de tandarts. Terwijl de wetenschapper in hem tegen deze hele onderneming in opstand kwam – een uniek specimen werd met brute achteloosheid uit zijn matrix gehakt – was hij niettemin opgelucht dat ze er duidelijk voorzichtig mee omgingen.

Binnen twintig minuten was het gebeurd. De rechthoek die Sully in het ijs had gekrast was nu een diepe groef, aan twee kanten tweeënhalve centimeter breed en aan de andere kanten bijna vijftien. Iedereen wachtte even toen Ang met de beeldsensor bevestigde dat de groef diep genoeg was. Toen werd de laser teruggetrokken en schoof er een andere bizar ogende arm uit de machine. Aan het uiteinde was iets bevestigd wat volgens Marshall op een robothand leek, dun maar behoorlijk breed, die met een insectachtig gejank tot leven kwam.

'Wat is dat?' vroeg hij aan Creel, de opzichter.

'Breedteboor,' gromde de man boven het geluid uit. 'Met een kop van diamant-siliconencarbide.'

Langzaam lieten ze het apparaat in een van de bredere ijskanalen zakken. Het janken ging door merg en been toen de boor ruim twee meter lager in het oeroude ijs beet. De afzuiger werd in de geul neergelaten en opnieuw golfde het smeltwater over de bodem van de grot. Er was nog een derde mechanische arm in de buurt, klaar om de stutten onder het ijsblok in positie te brengen.

De laterale boorsessie kostte minder tijd en binnen tien minuten werd de boor teruggetrokken. Op een hoofdknik van de opzichter zwaaiden de werklui twee enterhaken naar voren, lieten die in de geul zakken en bevestigde ze aan de uiteinden van het ijsblok en sjorden ze met dikke canvas spanbanden vast.

Conti keek nogmaals naar de cameramannen, Fortnum en Toussaint. 'Dit moet er in één keer op. We hebben maar één kans.'

Fortnum paste zijn lens aan, controleerde de radio aan zijn riem en knikte dat hij het begreep.

Iedereen stond als aan de grond genageld toen Conti per se op handen en knieën, met zijn neus een paar centimeter boven het ijs, het blok wilde inspecteren. Fortnum filmde de regisseur nogmaals. 'Aan de slag,' zei Conti ten slotte, terwijl hij opstond en de lens onheilspellend om zijn nek zwaaide.

De opzichter gaf zijn team een teken. Onder luid gebrul werd een lier boven op de dieplader in stelling gebracht. Luid rammelend kwamen de zware, aan de enterhaken bevestigde kettingen strak te staan. Iedereen keek toe terwijl de motor gierde en de haken aan het weerbarstige ijs trokken. Toen kwam het reusachtige blok – met een zwaar, schrapend geluid dat de berg op zijn grondvesten deed schudden – langzaam omhoog.

'Rustig aan,' zei de opzichter.

Conti keek naar Fortnum. 'Richt je camera nu op de machine. Je opname moet als een liefkozing zijn. Zíj tilt onze schat uit zijn bevroren gevangenis.'

Langzaam, heel langzaam steeg de bevroren kat op uit het bed waarin hij duizenden jaren had gelegen. De wetenschappers drongen zich naar voren, keken nauwlettend van dichtbij toe en maakten haastig aantekeningen. Marshall was met de rest meegegaan en staarde er intens naar. Het ijsblok was gekmakend ondoorzichtig, een wolk van in de tijd bevroren modder en puin, de kleur van dichte rook onder de meedogenloze gloed van de zoeklichten. Het oppervlak vertoonde kleine, regelmatige groeven waar de laser het had losgesneden. Christus, dacht Marshall, ondanks zichzelf helemaal in de ban van wat zich voor zijn ogen afspeelde. Dat blok moet minstens vier ton wegen.

Het kwam hoger en hoger, tot de kop van de kraan tegen het plafond van de grot stootte. Toen kwam het blok slingerend los, maakte een scherpe hoek, schraapte over de besneeuwde grond en miste op een haar na Faraday die druk met een geluidsspectrometer in de weer was. Mensen stoven uiteen en buitelden over elkaar om een goed heenkomen te zoeken.

'Stabiliseren!' riep Creel.

De lier protesteerde piepend toen de bestuurder er maximale kracht op zette. Het blok trok weer recht, slingerde hevig en kwam toen langzaam op de bodem van de grot tot stilstand. De kraanmachinist nam even gas terug. Toen tilde hij langzaam en voorzichtig het blok weer op en manoeuvreerde het met een zwaai op de dieplader. Er klonk een luid hydraulisch gesis. Onder het toeziend oog van de draaiende camera's sjorden een paar andere werklui het blok op het voertuig vast en gooiden er een zwaar, isolerend zeildoek overheen. Binnen een paar minuten was alles achter de rug, de machines werden door de tunnel teruggereden en de talloze stutten werden losgemaakt en in hun canvas behuizing teruggestopt. En de kat was met ijsblok en al op weg naar de klimaatgecontroleerde kluis, waar hij veilig opgeborgen zou blijven tot hij werd ontdooid en live voor een miljoenenpubliek onthuld zou worden.

Conti keek vorsend de tunnel rond, aan zijn gezicht was duidelijk te zien dat hij tevreden was. 'We gebruiken de vertrekkende machines als overgang,' zei hij tegen Fortnum. 'We maken een serie uitsneden als ze de tunnel uit rijden en dan springen we terug naar het basiskamp. Schiet maar zo veel als je kunt. Daarna kunnen we inpakken.'

Hij wendde zich tot Marshall. 'Zo. Klaar voor dat interview?'

10

Toen ze op het drukkend warme entreeplein van het basiskamp terug waren, knikte Conti naar de geluidsman en Toussaint, de assistent-FD, dat ze moesten meelopen. Toen zei hij tegen Marshall: 'We doen de opnamen in uw lab.'

'Deze kant op.' Marshall ging hun voor de centrale trap af, de brede gang door, bij een kruispunt rechtsaf en bleef bij een halfopen deur staan. 'We zijn er.'

Conti boog zich naar voren en keek snel rond. 'Is dit uw lab?'

'Ja. Hoezo?'

'Te netjes. Waar is alle apparatuur? De monsters? De testbuisjes?'

'Mijn monsters zitten in een koelkast in de gang. De wetenschappelijke apparatuur staat in een aparte ruimte, hoewel we het zware werk in Woburn hebben gelaten. Bij deze expeditie gaat het voornamelijk om observeren en monsters verzamelen, de analyses vinden later plaats.'

'En de testbuisjes?'

Marshall glimlachte zuinigjes. 'Paleo-ecologen hebben niet veel aan testbuisjes.'

Conti dacht daar even over na. 'Ik zag dat we een paar deuren terug langs een echt lab kwamen.'

'Een echt lab?' echode Marshall. Maar Conti liep alweer door de gang terug, met de geluidsman en cameraman in zijn kielzog. Even later haalde Marshall zijn schouders op en liep achter hen aan.

'Hier.' Conti was voor een kamer blijven staan waar elk horizontaal oppervlak bezaaid lag met tijdschriften, uitdraaien, plastic monsterdoosjes en instrumenten.

'Maar dit is Wrights lab,' wierp Marshall tegen. 'Dat kunnen we niet gebruiken.'

Conti had de om zijn nek bungelende lens tegen een oog gezet en richtte die nu bestuderend op Marshall. 'Waarom niet?'

Marshall aarzelde. Hij realiseerde zich dat er eigenlijk geen goede reden was om Faradays lab niet te gebruiken. 'Waarom interviewt u hem dan niet?'

'Omdat, dr. Marshall – hoe kan ik dit tactisch uitdrukken? – de camera niet erg vriendelijk is voor dr. Faraday. U hebt daarentegen een grote academische uitstraling. Kunnen we nu doorgaan?'

Marshall haalde nogmaals zijn schouders op. Hij vond het lastig om met een man te praten die hem door een vuistgrote lens bekeek.

Conti stapte naar binnen en – nog altijd met de lens op zijn oog – gebaarde naar Toussaint waar hij de camera wilde hebben. De cameraman liep naar de overkant van het lab, gevolgd door de geluidsman. 'Dr. Marshall,' vervolgde Conti, 'we filmen u wanneer u binnenkomt en aan het bureau gaat zitten. Klaar?'

'Ja hoor.'

Conti liet de lens vallen. 'Actie.'

Toen de camera draaide, liep Marshall het lab in en bleef staan toen hij de wankele stapel papier op Faradays labstoel zag liggen.

'*Cut.*' Conti veegde de papieren op de grond en wuifde Marshall de gang weer op. 'Nog een keer.'

En opnieuw liep Marshall door de deur het kantoor in.

'Cut!' blafte Conti. Hij keek Marshall met gefronste wenkbrauwen aan. 'U moet niet zomaar binnen komen lopen. Laat wat ópwinding in uw tred zien. U hebt zojuist een grote ontdekking gedaan.'

'Welke ontdekking dan?'

'Die sabeltandtijger, natuurlijk. Laat het publiek zien dat u enthousiast bent. Ze moeten via u belÉven wat een schitterend wonder dit is.'

'Ik begrijp het niet. Ik dacht dat dit hele circus draaide om het laten ontdooien van dat karkas, live.'

Conti sloeg zijn ogen ten hemel. 'Daarmee kun je geen vierenzeventig en een halve minuut primetime vullen. Leef u een beetje in het programma in, dr. Marshall. We moeten het hele achtergrondverhaal laten zien, hoe het allemaal zo gekomen is. Zorg dat het publiek voor honderd procent geboeid blijft. We maken de kluis pas op het allerlaatste moment open.'

Marshall knikte langzaam. Hij deed zijn uiterste best om te doen wat Conti had gevraagd: zich in het programma inleven. Hij slikte zijn ergernis in omdat het hele gebeuren zo gekunsteld was, en probeerde zijn verontwaardiging te vergeten over het feit dat hij de wetenschap op het altaar van het theater moest opofferen. Hij bracht zichzelf in herinnering dat Conti als producer prijzen had gewonnen, dat zijn *From Fatal Seas* een mijlpaal binnen de moderne documentaires was, dat zijn toekomstig onderzoek alleen maar kon profiteren van een optreden voor een miljoenenpubliek.

Hij liep de gang weer op.

'Actie!' riep Conti. Marshall stapte resoluut naar binnen, ging aan het bureau zitten en deed alsof hij druk op Faradays laptop aan het werk ging.

'Cut en opslaan,' zei Conti. 'Veel beter.' Hij liep om het bureau heen. 'Nu ga ik u buiten de camera om een paar vragen stellen. U geeft met draaiende camera antwoord. Bedenk dat in de uiteindelijke film Ashleigh de vragen stelt, niet ik.' Hij keek op zijn klembord. 'Vertelt u eens, hoe bent u hier eigenlijk terechtgekomen?'

'Oké. We zijn hier eigenlijk om drie redenen. Ten eerste wilden we zien welke invloed de opwarming van de aarde op een subarctische omgeving heeft, met name op gletsjers. Ten tweede wilden we een ongerepte locatie waar we onze analyses konden uitvoeren. En ten derde moest het relatief goedkoop. Fear Base voldoet aan alle drie de eisen.'

'Maar waarom deze berg precies?'

'Omdat het een gletsjer is. Door studie van een zich terugtrekkende gletsjer kun je uitstekend meten hoe het met de opwarming van de aarde is gesteld. Ik zal het uitleggen. Het bovenste gedeelte van een gletsjer, waar de sneeuw op terechtkomt, staat bekend als de accumulatiezone. Het onderste deel, de voet van de gletsjer, is de ablatiezone. Daar smelt het ijs weg. Een gezonde gletsjer heeft een grote accumulatiezone. En deze gletsjer – de Fear – is niet gezond. Hij heeft een kleine accumulatiezone. Dr. Sully heeft gemeten hoe snel hij zich terugtrekt. De gletsjer heeft zich in duizend jaar gevormd, het tot zover geschopt. Maar tot onze schrik heeft hij zich alleen al in het afgelopen jaar dertig meter teruggetrokken...'

Hij zweeg. Toussaint had de camera laten zakken en Conti keek weer op zijn klembord. Tijd is geld, bedacht Marshall.

Conti keek op. 'Wat is de wetenschappelijke naam voor de kat ook weer, dr. Marshall?'

'Smilodon.'

'En wat eet de smilodon zoal?'

'Dat is een van de dingen die we nu preciezer hopen te ontdekken. De maaginhoud zou...'

'Dank u wel, doctor, ik begrijp het. Laten we ons beperken tot algemene termen. Was deze kat een vleeseter?'

'Alle katten zijn vleeseters.'

'At hij ook mensen?'

'Dat denk ik wel. Als hij er een te pakken kon krijgen.'

Er gleed een ongeduldige uitdrukking over Conti's gezicht. 'Wilt u dat alstublieft voor de camera verklaren?'

Marshall keek naar de camera en zei een beetje schaapachtig: 'Smilodons aten mensen.'

'Schitterend. Wat ging er door u heen, dr. Marshall, toen u de kat ontdekte?'

Marshall fronste zijn wenkbrauwen. 'Wat ging er door me heen? Schrik. Verbazing.'

Conti schudde zijn hoofd. 'Dat kunt u zo niet zeggen.'

'Waarom niet? Ik was heel verbaasd.'

'Denkt u dat onze sponsors vijfhonderd dollar per minuut betalen om u te horen zeggen dat u "verbaasd" was?' Conti dacht even na. Toen draaide hij het klembord om, haalde een wisbare marker uit zijn borstzakje en krabbelde iets achterop. 'We gaan wat uitproberen. Ik wil dat u dit hardop voorleest. Voor een geluidstest.' En hij hield het klembord omhoog.

Marshall tuurde naar het handschrift. 'Het was alsof ik in het hart der duisternis keek.'

'Graag nog een keer. Langzaam en theatraler. Kijk naar de camera, niet naar het klembord.'

Marshall herhaalde de zin. Conti knikte tevreden en zei tegen de assistent-FD: 'Heb je dat?'

Toussaint knikte. Conti vroeg daarop aan de geluidsman: 'Heb je dat?'

'Ja, chief.'

'Wacht eens even,' zei Marshall. 'Dat heb ik niet gezegd. Dat zijn uw woorden.'

Conti spreidde zijn handen. 'Mooie woorden.'

Marshall verloor zijn geduld. 'Het interesseert u helemaal niet of het wetenschappelijk wel klopt. Het interesseert u niet of iets überhaupt wel klopt, punt. U wilt alleen maar een mooie show.'

'Daar word ik voor betaald, doctor. Oké, laten we het nu over u hebben.' Conti keek weer op zijn klembord. 'Ik heb mijn onderzoekers een beetje spitwerk laten doen naar de leden van uw expeditie. Met name uw verhaal is interessant, dr. Marshall. U was een gelauwerd officier. Onderscheiden met de Silver Star. Maar u bent oneervol uit het leger ontslagen. Is dat waar?'

'Als dat waar is, dan heb ik bepaald geen zin om daar veel over te zeggen, wel?'

'Nog een keer.' Conti drukte zijn handen op elkaar. 'De universiteit van Noord-Massachusetts staat – hoe zal ik het formuleren? – bepaald niet bekend om haar briljante academici. Hoe wordt iemand als u uiteindelijk wetenschapper... en dan nog wel op zo'n plek?'

Marshall gaf geen antwoord.

'U bent een gekwalificeerd scherpschutter. Dus waarom weigert u als enige van uw expeditie zichzelf met een geweer te beschermen?'

Marshall stond abrupt op. 'Weet u wat? Zoek maar een ander uithangbord. Ik beantwoord geen vragen meer.'

Toen Conti iets wilde zeggen, deed Marshall een stap naar hem toe. 'En als u me toch nog een vraag stelt, schop ik u dwars over de tafel, irritante klootzak.'

Er viel een gespannen stilte. Conti keek hem aan, met dezelfde afkeurende blik die hij hem had toegeworpen vlak voor Wolff met het contract op de proppen kwam. Na een hele tijd zei hij: 'Ik zal u iets uitleggen, dr. Marshall. Ik ben een invloedrijk man... en niet alleen in New York en Hollywood. Als u een vijand van me wilt maken, dan begaat u een grote vergissing.' Met zijn handpalm veegde hij de krabbel van het klembord en wendde zich tot Toussaint. 'Ga dr. Sully opzoeken. Iets zegt me dat hij heel wat beter zal meewerken.'

11

Later die avond liep Marshall door de met apparatuur volgepropte gangen op B-niveau. In zijn lab en kamers was hij verstrooid geweest en werd hij afgeleid, en de rauwe gesprekken en het gekletter van langskomende spullen hadden daar bepaald niet aan bijgedragen. In de wetenschap dat hij zoals gebruikelijk moeilijk de slaap zou kunnen vatten, was hij naar boven gegaan om een avondwandelingetje te maken, wat inmiddels een gewoonte van hem was geworden.

Hij beklom de trap en liep naar de hal bij de ingang, zijn voetstappen weerklonken op de metaal-met-linoleum vloer. Zoals hij had verwacht was de militaire post bemand: sinds de komst van de documentaireploeg zorgde sergeant Gonzalez dat er dag en nacht iemand zat, ondanks alle andere verplichtingen die op de soldaten drukten. Maar tot Marshalls verbazing zat Gonzalez er nu zelf.

De sergeant knikte hem toe toen hij aan kwam lopen. Ondanks het feit dat hij ver in de vijftig was, straalde de man een welhaast onuitputtelijke kracht uit. 'Doctor,' zei hij. 'Op weg naar uw avondlijke gezondheidswandelingetje?'

'Inderdaad,' zei Marshall. Hij was vagelijk verbaasd: hij wist niet dat Gonzalez hem in de gaten hield. 'Ik kom moeilijk in slaap.'

'Dat verbaast me niets... met die troep ballen in de buurt.' Gonzalez fronste zijn voorhoofd. Hij schudde afkeurend met zijn ronde hoofd, dat direct op zijn schouders leek te staan, en in zijn nek ontstonden zware plooien.

Marshall lachte. 'Ze zijn wel wat luidruchtig, ja.'

Gonzalez lachte spottend. 'Neem me niet kwalijk, doctor, maar dat lawaai is nog het minste. Ze zijn met veel te veel, verdomme. We hadden nog niet de helft verwacht, en het legt een enorme druk op mijn basis. De elektriciteitscentrale is oud, alleen bedoeld voor de verlichting. Dit gaat wel een stapje verder dan alleen verlichting. We zijn maar met z'n vieren, we kunnen ze niet allemaal pamperen. Vanmiddag trof Marcelin er eentje op verboden terrein aan, in de sector militaire operaties.' De frons werd dieper. 'Ik ben bijna geneigd een officiële klacht in te dienen.'

'Het zal nu wel minder worden. Volgens mij gaan er morgen een stuk of tien weer weg.' Hij had gehoord dat zodra het belangrijkste op de set achter de rug was, de meeste werklui weer naar het zuiden zouden vertrekken.

Gonzalez gromde. 'Mij kan het niet vroeg genoeg zijn.'

Marshall keek hem onderzoekend aan. 'Mijn basis', had Gonzalez het genoemd. De man had alle reden om die als zijn bezit te beschouwen. Hij zat nu tegen zijn pensioen aan, maar naar verluidt had hij ruim twintig jaar op Fear Base gezeten, volkomen afgezonderd, een slordige driehonderd kilometer ten noorden van de poolcirkel. Hij kon het bijna niet geloven... ongetwijfeld popelden de andere drie soldaten om hun dienst hier af te ronden. Misschien, bedacht Marshall, was hij hier al zo lang dat hij zich niet kon voorstellen ergens anders te zijn. Of wellicht – waar Kari Ekberg het over had gehad – was hij erg op zijn privacy gesteld.

Hij stak een hand op naar Gonzalez en liep naar de hoofdingang. De grote buitenthermometer in de klimaatkamer gaf min twintig graden aan. Hij maakte zijn kast open, schoot zijn parka aan, zette zijn bivakmuts op en trok zijn laarzen en handschoenen aan. Toen stak hij de verzamelplaats over, duwde de voordeuren open en stapte naar buiten.

Het betonnen platform naast de basis lag er onder het weidse sterrenfirmament stilletjes bij. Hij bleef even staan om te wennen aan de scherpe kou die in de lucht hing. Toen wandelde hij de nacht in, zijn handen in zijn zakken, voorzichtig, zodat hij niet over de stroomkabels struikelde die over het terrein kronkelden. De wind was bijna helemaal gaan liggen, en een driekwart maan baadde het landschap in een spookachtig blauw licht. Nu de hele documentaireploeg in Fear Base was, was het bij de portakabins en voorraadschuren onnatuurlijk stil. Iedereen leek te slapen. Het enige geluid kwam van het elektriciteitshuisje, dat kreunde onder de spanning om de pas aangekomen, energievretende bewoners van stroom te voorzien.

Hij bleef bij de omheining staan en keek goed naar links en naar rechts. Sinds ze hier waren aangekomen, hadden ze minstens een stuk of vijf ijsberen gezien, maar vanavond zag hij geen donkere gedaanten over de eindeloze permafrost of langs de lelijke, oeroude lavakronkelingen rondsluipen. Hij trok zijn capuchon strakker om zijn gezicht, liep langs het lege wachthuisje en liet zijn voeten hun eigen weg zoeken.

Algauw beklom hij de steile vallei naar de gletsjer, zijn adem sliertte in dikke wolken naar achteren. Naarmate hij warmer werd door het lopen, richtte hij zich verder op en zwaaiden zijn armen moeiteloos langs zijn zijden. Met flink wat lichaamsbeweging zou hij misschien door het lawaai van de filmploeg heen kunnen slapen.

Na een kwartier werd de helling minder steil. De enorme machines waren verplaatst en hij had vrij uitzicht op de gletsjeruitloper: een donkerblauwe ijswand die met een innerlijk vuur in het maanlicht leek op te gloeien. En daar, in zijn schaduw, was de smalle zwarte opening van de ijsgrot...

Hij bleef staan. Bij de mond van de grot stonden een paar gedaanten. Drie stuks, schaduwen in de schaduw.

Hij liep langzamer verder. De drie waren aan het praten: hij hoorde de gedempte geluiden van een gesprek. Toen ze zijn krakende voetstappen hoorden, draaiden ze zich om en tot zijn verbazing zag hij dat het de andere wetenschappers waren: Sully, Faraday en Penny Barbour. Het enige teamlid dat ontbrak was Ang, de promovendus. Het leek alsof ze hier, op de plek van de ontdekking, eensgezind hadden staan overleggen.

Sully knikte toen Marshall zich bij hen voegde. 'Mooie avond voor een wandeling,' zei hij. Een van de expeditiejachtgeweren hing over zijn schouder.

'Ik heb genoeg van die gekte op de basis,' antwoordde Marshall.

Als hij had verwacht dat de immer beleefde Sully hiertegenin zou gaan, vergiste hij zich. De klimatoloog trok een zuur gezicht. 'Ze waren in het strategisch centrum een scène aan het doen, pal naast mijn lab. Deden alsof zij de wetenschappers waren, geloof het of niet. Ze hebben het minstens tien keer overgedaan. Ik kon mezelf niet eens meer horen denken.'

'Over filmen gesproken, hoe ging je interview?' vroeg Marshall.

Het zure gezicht werd nog zuurder. 'Conti stopte midden in de opnamen. De geluidsman klaagde, zei – godbetert – dat ik mijn woorden inslikte.'

Marshall knikte.

Sully vroeg aan Barbour: 'Ik slik mijn woorden toch niet in?'

'Dat stelletje vandalen heeft gisteravond de server laten crashen,' zei ze bij wijze van antwoord. 'Alsof ze zelf niet genoeg laptops bij zich hebben, moesten ze ook nog onze processorsnelheid stelen. Ze probeerden me te paaien dat ze een "speciale weergave" nodig hadden. Het interesseerde ze geen bal.'

'Toen ik ging eten was er nog maar één stoel over,' zei Marshall.

'Jij had tenminste nog een stoel,' zei Barbour. 'Ik heb tien minuten staan wachten en hield het toen voor gezien. Ik heb een appel en een zak chips naar mijn lab meegenomen.'

Marshall keek naar Faraday. De bioloog mengde zich niet in het gesprek. Hij staarde de grot in, klaarblijkelijk in gedachten verzonken.

Hoewel Marshall wel beter wist, hoorde hij zichzelf toch vragen: 'En, Wright, wat vind jij ervan?'

Faraday gaf geen antwoord. Hij bleef maar in die donkere muil voor hem staren.

Marshall gaf hem een zacht duwtje. 'Hé, Faraday. Wakker worden.'

Toen keek Faraday hem aan. De maan scheen met een spookachtige glans op zijn brillenglazen en hij staarde naar ze als een buitenaards wezen met puilogen, als altijd met die eeuwige verbazing op zijn gezicht. 'O. Sorry. Ik dacht na.'

Sully zuchtte. 'Oké, voor de draad ermee. Welke ijzingwekkende theorie heb je nu weer?'

'Geen theorie. Slechts een observatie.' Toen niemand reageerde, vervolgde Faraday: 'Gisteren, toen ze de smilodon uit het ijs aan het hakken waren?'

'We waren erbij,' zei Sully. 'Wat is daarmee?'

'Ik heb met een sonarspectrometer wat metingen verricht. Weet je, aangezien die eerdere top-downmetingen van de beeldsensor nogal onnauwkeurig waren en ik nu de beschikking had over een dwarsdoorsnede, wilde ik...'

'We snappen het,' zei Sully met een hand naar hem gebarend.

'Nou, ik heb bijna de hele middag de metingen zitten analyseren. En ze kloppen niet.'

'Wat klopt niet?' vroeg Marshall.

'Ze kloppen niet met een smilodon.'

'Doe niet zo idioot!' zei Barbour. 'Je hebt hem toch zeker zelf gezien? Net als wij allemaal?!'

'Ik zag maar heel weinig door een extreem troebel medium. De sonaranalysator leverde veel meer onderzoeksgegevens.'

'Wat bedoel je nou eigenlijk te zeggen?' vroeg Marshall.

'Ik wil zeggen dat wat er ook in dat ijsblok zit, dat veel te groot is voor een sabeltandtijger.'

Er viel een stilte over de groep terwijl ze dit tot zich lieten doordringen. Na een poosje schraapte Sully zijn keel. 'Dan moet het beeld misleidend zijn geweest. Je zag vast een wolk puin, misschien dat er een klont zand of grind in de weg zat die bij het karkas leek te horen.'

Wright schudde simpelweg zijn hoofd.

'Hoeveel groter, precies?' vroeg Barbour.

'Precies weet ik het niet. Misschien twee keer zo groot.'

De wetenschappers keken elkaar aan.

'Twee keer?' riep Marshall uit. 'Waar leek het dan wél op? Een mastodont?'

Faraday schudde zijn hoofd.

'Mammoet?'

Faraday haalde zijn schouders op. 'Over de omvang zijn de metingen behoorlijk duidelijk. Maar ze zijn minder duidelijk over de, eh, vorm.'

Opnieuw stilte

'Het waren kattenogen,' zei Barbour zachtjes. 'Daar zou ik een eed op durven doen.'

'Dat vond ik ook,' zei Marshall. Hij keek weer naar Faraday. 'Zeker weten dat die metingen kloppen?'

'Ik heb de analyse twee keer gedraaid en bovendien nog een controleproef gedaan.'

'Ik begrijp er niets van,' zei Barbour. 'Als het geen smilodon is – geen mastodont, geen mammoet – wat is het verdomme dan wel?'

'Daar kunnen we maar op één manier achter komen,' zei Marshall. 'Ik ben het zat om op mijn eigen onderzoeksterrein met me te laten sollen.' En hij beende driftig de helling af in de richting van het basiskamp.

12

Conti had drie verdiepingen lager, op C-niveau, niet alleen de kwartieren van het opperbevel van de basis als privésuite geconfisqueerd, maar ook die van de onderbevelhebber. Hij leek geïrriteerd dat de delegatie wetenschappers hem kwam storen. Toen ze uitlegden waarvoor ze kwamen, ergerde hem dat duidelijk nog meer.

'Geen sprake van,' zei hij vanuit de deuropening. 'Die kluis is klimaatgecontroleerd, hij wordt precies op temperatuur gehouden.'

'We gaan het ijs echt niet laten ontdooien,' zei Sully.

'Bovendien is het buiten ver onder het vriespunt,' voegde Marshall eraan toe. 'Of had u dat nog niet gemerkt?'

'Niemand krijgt dat beest te zien,' kaatste Conti terug. 'Dat zijn de regels.'

'We hébben het al gezien,' zei Barbour. 'Weet u nog?'

'Maakt niet uit. Het gebeurt niet, punt uit.'

Marshall vroeg zich af waarom de producer zich zo territoriaal opstelde. 'We gaan dat ding heus niet stelen, hoor. We willen het alleen beter bekijken.'

Conti sloeg zijn ogen ten hemel. 'Die kluis blijft op slot. Blackpool heeft daarover strikte instructies op papier gezet. Voor de publiciteitscampagne is het van cruciaal belang dat hij pas tijdens de live-uitzending wordt geopend.'

'Publiciteit,' herhaalde Marshall. 'Jullie gaan de special toch *De onthulling van de tijger* noemen? U en uw sponsors slaan een behoorlijk belabberd figuur als u de kluis tijdens primetime openmaakt en er een dode beer op de grond blijkt te liggen.'

Conti gaf daar niet meteen antwoord op. Hij keek de wetenschappers beurtelings aan, zijn voorhoofd vertoonde een diepe frons. Ten slotte slaakte hij een zucht. 'Goed dan. Maar alleen jullie vieren. En geen camera's, geen instrumenten, niets. Voor jullie naar binnen gaan worden jullie gefouilleerd en eenmaal binnen worden jullie nauwlettend in de gaten gehouden. En jullie vertellen niemand wat je hebt gezien: onthoud dat er al geheimhoudingsverklaringen zijn getekend waar zware boetes op staan.'

'Begrepen,' zei Sully.

Conti knikte. 'Vijf minuten.'

Het was nu nog kouder geworden – min zesentwintig graden – en de sterren schitterden fel aan de zwarte hemel. De kluis stond in zijn eentje niet ver van de omheining, omringd door hoge natriumlampen: een logge constructie die een meter boven de grond op zware B2-blokken rustte. Dikke trossen stroomkabels liepen rechtstreeks het elektriciteitshuisje in en aan de achterkant van de kluis stond een noodgenerator, klaar om de koeling onmiddellijk over te nemen, mochten de grote dieselmotoren het begeven. Lijkt me bepaald overbodig, dacht Marshall terwijl hij dieper in zijn parka voor de poolkou wegdook.

Het groepje bleef voor de trap naar de kluisingang staan. Marshall merkte op dat de deur aan de voorkant over de hele linkerkant scharnierde, hij zwaaide in zijn geheel als de deur van een bankkluis open. Aan de rechterkant waren drie zware hangsloten bevestigd – ongetwijfeld meer voor het visuele effect dan voor iets anders – en in het midden was een overmaatse draaischijf gemonteerd. Ernaast bevond zich een paneel met metertjes en knoppen om de temperatuur binnen te regelen, in een dikke stalen kooi met een eigen hangslot.

Een van Conti's technici, een jongen die naar de naam Hulce luisterde, kwam van de wirwar aan portakabins aanlopen, zijn zware laarzen knerpten op de permafrost. Hij controleerde de zakken van de wetenschappers en vond bij Faraday een digitale camera.

'Die heeft hij altijd bij zich,' zei Sully. 'Volgens mij is hij ermee geboren.'

Hulce nam de camera in beslag en knikte toen naar Conti.

'Omdraaien graag,' zei de producer tegen hen.

Marshall deed wat hem werd gevraagd. Hij hoorde dat er aan de schijf van de kluis werd gedraaid en een klik toen een zwaar slot opengìng. Hierna klonken drie lichtere klikken van de hangsloten die werden verwijderd. 'U mag zich weer omdraaien,' zei Conti.

Marshall draaide zich om en zag dat Hulce de voorwand van de kluis op een kier had gezet. Een dikke bundel felgeel licht stroomde eruit. Conti gebaarde dat ze naar binnen mochten.

Marshall liep achter Sully, Faraday en Barbour via de trap de kluis in. Conti en de technicus waren de hekkensluiters en deden de deur achter zich dicht. Er was maar weinig ruimte: het ijsblok nam bijna de hele kluis in beslag. De enige andere voorwerpen waren het paneel met pijnlijk felle plafondlichten en een draagbaar kacheltje dat in de achterwand bevestigd was, dat – zo wist Marshall – zou worden aangezet wanneer het karkas ontdooid moest worden om het aan de wereld te laten zien.

De vloer gaf te veel mee om van staal te kunnen zijn. Marshall keek omlaag en zag tot zijn verbazing dat de vloer van hout was en op twee stalen I-balken met ongeveer een meter twintig tussenruimte rustte, en zilverkleurig was geschilderd zodat hij op staal leek. Overal zaten kleine boorgaatjes die ongetwijfeld het smeltwater zouden afvoeren wanneer het geautomatiseerde ontdooien begon. Hij schudde zijn hoofd: nog zo'n Hollywood-slimmigheidje, net als die overbodige hangsloten. De camera's zouden de vloer nooit zien, dus waren er geen bijkomende kosten voor extra staal, op de twee steunbalken na dan.

Conti knikte naar de technicus dat hij het doek kon weghalen. Toen wendde hij zich tot de wetenschappers. 'Goed onthouden. Vijf minuten.'

Hulce trok met enige moeite het zware zeildoek van het ijsblok weg en liet het achter in de kluis vallen. Marshall hapte onmiddellijk naar adem, viel bijna om van verbijstering.

'Jezus,' mompelde Sully met gespannen stem.

Hoewel het oppervlak aan de zijkanten van het blok ruw en bevroren was, had de voorkant van het ijs tijdens de rit door de berg kennelijk tegen het isolerende doek geschuurd. Dat was nu glasachtig glanzend gepolijst. Deze kant stond naar voren, naar de kluisdeur toe. Vanuit het ijs staarden de reusachtige zwart-met-gele ogen onbewogen naar Marshall. Maar dat was niet de reden waarom hij zo geweldig was geschrokken.

Als kind werd hij gekweld door een steeds terugkerende droom: hij was alleen thuis en werd in zijn bed wakker. Zijn ouders en oudere zus waren er om onverklaarbare reden niet. Het was laat, de stroom was uit, alle ramen stonden open en het was nacht. Er hing een mist in huis. Daarop sloeg hij de dekens terug en stond op, steeds maar weer, zelfs tegen beter weten in. Alles in de droom was pijnlijk, onvergetelijk reëel: de kille mist op zijn gezicht, het hardhouten oppervlak van de plankieren onder zijn voeten. Hij liep zijn slaapkamer uit en ging de trap af. Op de overloop lag een soepige, grijze damp. Halverwege bleef hij staan want een ijzingwekkend beest kwam op de trap naar hem toe gekropen: reusachtig, katachtig, met vuurspuwende ogen, scherpe hoektanden en immense voorpoten met wrede klauwen. Hij bleef staan, staarde er als aan de grond genageld naar. Langzaam, heel langzaam kwam een steeds groter deel van het schepsel uit de mist tevoorschijn: sluike, vettige manen, zware, gespierde schouders. Al verder naar hem toe komend, staarde het schepsel hem zonder met zijn ogen te knipperen aan en diep uit zijn borst kwam een geluid, een geluid dat je eerder gewaar werd en voelde dan hoorde: een onuitsprekelijke oergrom van haat, honger, verlángen... en op dat moment werd de verlamming verbroken, had hij zich omgedraaid en was gillend naar zijn kamer teruggerend. De trap schudde onder het gewicht van het schepsel en het geraas waarmee de kolos steeds dichterbij kwam, en hij voelde de stinkende adem in zijn nek...

Marshall schudde zijn hoofd en veegde even met een hand over zijn ogen. Ondanks het feit dat het ijskoud was in de kluis, schoot er een benauwende warmte door zijn ledematen.

Dat dode ding in het ijs was, qua omvang en vorm, precies het schepsel uit zijn nachtmerrie. Zelfs het enorme, ondoordringbare ijsblok deed hem aan de mist uit zijn droom denken. Hij moest slikken terwijl hij ernaar keek. Alleen de bovenste helft van de kop en de voorpoten van het beest waren zichtbaar – kwamen uit een wolk bevroren modder tevoorschijn – maar het was genoeg om hem er prompt van te overtuigen dat dit geen sabeltandtijger was.

Hij draaide zich naar de anderen om. Ze staarden allemaal naar het blok ijs, op hun gezicht vielen shock, ongeloof, en – dit was het geval bij Hulce de technicus – iets als pure angst af te lezen. Zelfs Conti leek van zijn stuk gebracht en schudde zijn hoofd.

'We hebben een grotere lens nodig,' mompelde hij.

'Het is een akelig stuk vreten, dat is een ding dat zeker is,' zei Barbour.

'Wat ís het?' vroeg Sully.

'Ik kan je vertellen wat het niet is,' zei Faraday. 'Het is geen smilodon. En het is geen mammoet.'

Marshall worstelde om zijn angstdromen uit zijn jeugd opzij te duwen, om het karkas zo klinisch mogelijk te onderzoeken. 'Op de voorpoten zit haar,' zei hij. 'Háár. En ze zijn te gespierd... en de klauwen zijn te lang.'

'Waarvoor te lang?' vroeg Conti.

'Voor wat dan ook.' Marshall schokschouderde toen zijn zogenaamde wetenschappelijke objectiviteit haperde. Hij wisselde een blik met de andere wetenschappers. Hij vroeg zich af of zij er net zo over dachten. Ook al was er maar een relatief klein gedeelte van het schepsel te zien, het leek niettemin op niets uit deze wereld, verleden óf heden.

Een heel lange tijd zei niemand iets. Ten slotte verbrak Sully de stilte. 'Dus wat bedoel je eigenlijk?' vroeg hij. 'Zien we hier een levensvorm die niet op de fossielenlijst voorkomt?'

'Misschien. Maar wat het ook is, ik denk dat het voor de fossielenlijst wel van vitaal belang is,' zei Faraday.

Marshall fronste zijn voorhoofd. 'Wat bedoel je?'

'Ik doel op de theorie van de evolutionaire turbulentie.' Faraday schraapte zijn keel. 'Dat komt in de biologie zo nu en dan voor. Die theorie gaat ervan uit dat, wanneer een dierpopulatie zo uitdijt dat de ecosfeer het niet meer aankan of wanneer een bepaald specimen zich zo gemakkelijk heeft aangepast dat het niets meer aan de evolutie heeft toe te voegen, er een nieuw schepsel ontstaat om de populatiegroei terug te dringen, nieuwe veranderingen af te dwingen.'

'Een moordmachine,' zei Penny Barbour met een blik op het ijsblok.

'Precies. Behalve dat wanneer de moordmachine te succesvol wordt, hij zijn omgeving ontvolkt, zijn voedselbron kwijtraakt en zich uiteindelijk weer tot zijn eigen soort beperkt.'

'Je hebt het over het Callisto-effect,' zei Marshall. 'De alternatieve theorie over de reden waarom de dinosaurussen zijn uitgestorven.'

Faraday knikte, het felle licht flitste in zijn brillenglazen.

'Frock van het New York Museum of Natural History was daar een voorvechter van,' zei Marshall. 'Maar aangezien hij van het toneel verdwenen is, dacht ik niet dat iemand die theorie nog zou aanhangen.'

'Misschien is Wright wel onze nieuwe voorvechter,' zei Barbour met een grimmige glimlach.

'Klinkt mij behoorlijk dubieus in de oren,' zei Sully. 'Hoe dan ook, zelfs als je gelijk hebt, vormt dit karkas voor niemand meer een bedreiging, laat staan voor een hele soort.'

Conti roerde zich. De ergste schrik was van zijn gezicht verdwenen en zijn afstandelijke, enigszins neerbuigende uitdrukking was weer teruggekeerd. 'Ik begrijp niet waar jullie je zo druk over maken,' zei hij. 'Je ziet alleen maar zijn kop en schouders... en een poot.'

'*Ecce signum*, ziehier het bewijs,' antwoordde Marshall terwijl hij met een duim naar het ijs wees.

'Nou, we komen er gauw genoeg achter,' antwoordde Conti. 'Voorlopig blijft het een tijger. Intussen zijn de vijf minuten voorbij.' Hij draaide zich naar de technicus om. 'Meneer Hulce, geef dr. Faraday zijn camera terug. Dek dit dan weer af en zorg dat je alle sloten goed vastzet. Ik begeleid onze vrienden weer naar buiten.'

13

Marshall werd wakker door een roffel op de deur van het compartiment – vroeger het verblijf van een hogere onderofficier – dat als zijn slaapkamer fungeerde. Hij draaide zich gedesoriënteerd om, deed dat nog een keer en viel prompt uit het smalle bed.

'Wat?' wist hij krakend uit te brengen.

'Kleed je aan, snoes.' Het was de stem van Penny Barbour. 'En schiet op. Dit wil je niet missen.'

Marshall ging zitten, wreef in zijn ogen en keek met wazige blik op zijn horloge. Bijna zes uur. Zoals altijd had hij een rusteloze nacht gehad en was hij pas twee uur eerder in slaap gevallen. Hij stond op, kleedde zich snel in de warme, droge lucht van de basis aan en stapte de gang in. Barbour stond ongeduldig op hem te wachten. 'Kom mee,' zei ze.

'Wat is er?'

'Kijk zelf maar.' En ze leidde hem door de galmende gangen, de centrale trap op naar de ingang van de basis. In de klimaatkamer trokken ze buitenkleren aan – Marshall merkte dat de temperatuur sinds hij naar bed was gegaan een stuk was gestegen – staken de verzamelplaats over en liepen naar buiten.

Marshall bleef staan en knipperde vermoeid met zijn ogen tegen de schemerende dageraad. Ondanks het vroege uur was de werkdag al behoorlijk op gang gekomen: hij hoorde hameren, schreeuwen, het janken van een draadloze boor. En op de achtergrond klonk er nog een geluid: iets vertrouwds, waar hij toch moeilijk de vinger op kon leggen. Barbour wees hem de weg tussen de wirwar aan portakabins door en bleef niet ver van de kluis staan, waar een groepje toeschouwers zich had verzameld. Met een vaag glimlachje wees ze voorbij de omheining.

Marshall tuurde door de schemering. Eerst zag hij niets. Toen werden in de verte twee speldenprikjes licht zichtbaar. Hij bleef kijken en ze werden groter: boos kijkende gele spots die hem onbehaaglijk deden denken aan de ogen die hem vanuit het ijs hadden aangestaard. Ze kwamen steeds dichterbij en andere, kleinere lichten werden eveneens zichtbaar. Het achtergrondlawaai dat hij had gehoord werd ook luider. En nu herkende hij het: een diesel, en een grote ook.

'In hemelsnaam, wat...?' stamelde hij.

Een reusachtige achttienwieler kwam over de sneeuw naar hen toe gereden. Hij werd groter en groter, tot hij ten slotte bij de lichtpoel achter de omheining met stationair draaiende motor bleef staan. Om de banden zaten zware kettingen en de cabine zat onder de ijskristallen. Op de voorruit lag een laag ijs van de mist, de koplampen en met canvas afgedekte gril gingen bijna helemaal schuil onder een dik pak sneeuw en rijp.

Barbour prikte met een elleboog in zijn ribben en giechelde. 'Een vrachtwagen met oplegger. Die zie je niet elke dag in de Zone.'

Marshall keek er verwonderd naar. 'Hoe is die hier gekomen? We zitten meer dan tweehonderd kilometer van de dichtstbijzijnde weg.'

'Hij heeft zijn eigen weg gebaand,' zei Barbour.

Marshall keek haar aan.

'Ik stelde dezelfde vraag. De groep daar – degenen die me vertelden dat hij in aantocht was – hebben het aan me uitgelegd.' Ze wees naar de omstanders. 'De chauffeur schijnt bekend te staan als een ijstrucker. Mensen als hij berijden de "winterweg", die er alleen in de koudste maanden is, linea recta over bevroren meren en tijdelijke snelwegen van ijs, om goederen en apparatuur naar afgelegen kampen en nederzettingen te brengen die niet altijd bereikbaar zijn.'

'Over bevroren méren?'

'Geen klusje voor de lafbekken onder ons, hè?'

'Krijg nou wat,' zei Marshall. Het leek wel of ze in een andere tijd beland waren – een gigantische oplegger, hier, in de Federale Wilderniszone – hij kon het nauwelijks geloven.

'Normaal reizen ze tussen Yellowknife en Port Radium,' zei Barbour. 'Dit was een speciale trip.'

'Waarom? Wat is zo belangrijk dat het niet per vliegtuig vervoerd kan worden?'

'Dat.' En Barber wees naar de trailer achter op de oplegger.

Marshall was met zijn aandacht bij de cabine van de truck. Maar nu hij naar de lading keek, zag hij dat het niet zo'n typische doosachtige container was, eerder iets als een Airstream-trailer, maar dan een paar keer groter. De zon piepte nu net boven de horizon uit en de trailer glom in het prille ochtendlicht. Op een perverse manier leek hij op de onderzeeërs die hij soms in de Theems zag liggen als hij door New London reed, op weg naar zijn ouders in Danbury. Gladde stalen zijkanten ondersteunden een iets gebogen dak, dat op zijn beurt weer steun gaf aan een klein woud antennes en satellietschotels. Voor de grote ramen hingen duur uitziende gordijnen, allemaal zorgvuldig dichtgetrokken. Aan de achterkant was een klein balkon met ligstoelen, zonder meer een bizar detail in deze barre omstandigheden.

De truck zette het weer op een brullen en de wagen reed met rinkelende kettingen naar voren. Twee potige, in leren jas gestoken werkmannen maakten zich uit de groep toeschouwers los, liepen naar de veiligheidshekken en gooiden ze wijd open. De truck schakelde in zijn achteruit en met een oorverdovend geknars reed hij zijn last achterwaarts het terrein op. Op aanwijzingen van de werklui kroop hij achteruit tot de trailer ruimschoots binnen de omheining was. Toen bedaarde de dieselmotor wat. De chauffeur zette hem in de parkeerstand en schakelde de motor uit, met sissende luchtremmen viel het voertuig sidderend stil. De cabinedeur ging open en de ijstrucker – een jonge, tenger gebouwde man, diep gebruind en gekleed in een bontgekleurd hawaïshirt – sprong eruit en ontkoppelde de trailer. Toen ging de passagiersdeur open en kwam er een andere figuur tevoorschijn. Deze stapte voorzichtiger uit. Hij had blond haar, was lang, misschien vijfenveertig jaar oud, met een kortgeknipte baard. Hij zette met zichtbare opluchting zijn voeten op de permafrost. Hij pakte een grote knapzak en een laptoptas uit de cabine, sjorde die over zijn schouder en ging met stijve pas op weg naar de basis. In het voorbijgaan knikte hij Marshall en Barbour toe.

'Wat pips om de mond,' zei Barbour giechelend.

Een andere werkman wikkelde zware oranje stroomkabels van een reusachtige haspel en maakte die aan een paneel in de zijkant van de trailer vast.

Marshall knikte ernaar. 'Waar is dat voor, denk je?'

'Hare hoogheid,' antwoordde Barbour.

'Wie?'

Maar op datzelfde moment werd Marshall zich van een nieuw geluid bewust: het gejank van een naderende helikopter. Naarmate dat luider werd, merkte hij op dat het niet dat holle, magere gesnor was van de zwoegende choppers die in de afgelopen dagen apparatuur hadden vervoerd. Dit klonk soepeler, lager, krachtiger.

Toen kwam de vogel in zicht, bewoog zich laag tegen de oplichtende horizon en hij snapte het. Dit was geen sprinkhaan, dit was een Sikorsky S-76C++, crème de la crème onder de helikopters. En hij wist onmiddellijk wie 'hare hoogheid' was.

De Sikorsky kwam snel naderbij, bleef even boven de basis hangen en landde toen alarmerend dicht bij de omheining op de permafrost, terwijl scherpe ijswolken en brokken sneeuw de lucht in schoten. De toeschouwers stoven uiteen, bedekten hun gezicht en trokken zich naar de omliggende gebouwen terug. Toen het gejank van de turboas ophield en de ijsstorm ging liggen, werd er in de buik van de chopper een luik geopend en kwam er een flinterdunne vrouw in een Burberry-trenchcoat tevoorschijn. Ze daalde de trap af, bleef staan en keek met een onbewogen gezicht om zich heen naar de verspreid staande gebouwen. Toen opende ze een paraplu – die door de wind van de propeller alle kanten op werd gesmeten – en klom de trap weer op. Een andere gedaante dook op – volgens Marshall droeg die iets wat op hermelijn leek – en de twee daalden de paar treden af. Marshall rekte zijn hals om het gezicht van de vrouw te kunnen zien, maar de vrouw in de trenchcoat schermde haar zo handig voor de luchtstroom af, dat je onmogelijk iets kon zien, behalve de onderkant van de bontjas, een flits van een paar welgevormde benen en glimmende hoge hakken waarmee ze over de permafrost stapte.

Het trapje werd weer naar binnen geklapt en het luik ging dicht, het jankende geluid van de turbopropellers zwol opnieuw aan en de Sikorsky koos met rondslaande rotorbladen het luchtruim. Terwijl hij wegvloog, snel opsteeg en aan vaart won, lachte Barbour spottend.

Nu pas merkte Marshall dat Kari Ekberg vlak in de buurt de landing had gadegeslagen. Ze stapte naar voren en onderschepte de nieuw aangekomenen. 'Mevrouw Davis,' hoorde Marshall haar zeggen. 'Ik ben Kari Ekberg, de veldproducer. We hebben elkaar in New York gesproken en ik wilde alleen maar zeggen dat ik dolgraag alles in het werk zal stellen om het u meer…'

Maar als een van de vrouwen – die in de trenchcoat of die in de bontjas – het al had gehoord, dan liet ze dat niet merken. In plaats daarvan liepen ze verder, de stalen traptreden van de glimmende trailer op, glipten naar binnen en deden de deur stevig achter zich dicht.

14

Gedurende de dag kroop de temperatuur langzaam omhoog, van min twaalf naar min zes graden, reden voor Conti om zijn filmploeg een heel nieuwe serie sneeuwlandschappen te laten schieten, voor je wist maar nooit. In het schitterende zonlicht steeg de stemming binnen het documentaireteam voelbaar toen de militair ogende parka's werden verruild voor wollen sweaters en windjacks. De doordringende krakende en dreunende geluiden vanaf Mount Fear keerden terug toen de gletsjerwand opnieuw begon af te brokkelen. Gonzalez zette zijn team geniesoldaten aan het werk om een paar slechte lagers te vervangen waardoor een van de generatoren was vastgelopen. Na de lunch werd het grootste deel van de plaatselijke werklui die klaar waren met de eerste bouwwerkzaamheden, met twee helikopters naar Anchorage in het zuiden gebracht. Die zouden pas terugkomen wanneer de opnamen achter de rug waren. Alleen Creel, de potige opzichter die eruitzag alsof hij stalen slotbouten als ontbijt at, bleef op de basis. Rond drie uur 's middags kwam Ashleigh Davis uit haar übertrailer tevoorschijn, keek met weerzin naar de werkzaamheden om haar heen en ging toen op weg naar de basis – vergezeld van haar persoonlijk assistente in de trenchcoat – kennelijk om door Conti te worden gebrieft.

Na de maaltijd ging Marshall weer naar zijn lab, waar hij de hele dag hard doorwerkte en niemand zag. Nu het merendeel van de documentaireploeg buiten de deur was en zich voorbereidde op de uitzending van de volgende dag, was het relatief rustig op de basis en werd hij nauwelijks afgeleid. Hij stond nu over zijn onderzoekstafel gebogen, zo opgaand in zijn werk dat hij niet hoorde dat de labdeur zachtjes openging. Hij wist niet dat hij gezelschap had, sterker nog, dat merkte hij pas toen een vrouwenstem over zijn schouder begon te declameren:

En zacht dansten ze aan de Arctische hemel, zwierden in een lichtgeel floers
En voort huppelden ze met zilv'ren voeten, priemden door de verblindende, schitterende gloed
Een quadrille dansten ze in de lucht, in roze en zilver geschoeid
Voor mensenogen was dit niet geschikt, het was een schouwspel bedoeld voor God.

Hij ging rechtop staan en draaide zich om. Kari Ekberg stond tegen een tafel geleund, gekleed in een spijkerbroek en een witte coltrui. Een glimlachje speelde om haar mondhoeken.

Hij reciteerde op zijn beurt:

Ze kronkelden als woedend slangengebroed, sisten en waren zwavelvaal.
Al rap werden ze een onmetelijke draak, zwiepten met hun gekloofde staart.

'Zo,' zei hij. 'Zijn ze weer op pad?'

'En hoe.'

'Weet je, al sinds ik hier ben en dat licht voor het eerst zag, zat ik erop te wachten tot iemand Robert W. Service zou citeren. Ik had niet gedacht dat jij diegene zou zijn.'

'Sinds mijn broer me de stuipen op het lijf joeg door bij het licht van een zaklamp hardop *De crematie van Sam McGee* voor te lezen, ben ik er dol op.'

'Zo is het mij ook min of meer vergaan.' Hij keek op zijn horloge. 'Jezus, tien uur al.' Hij rekte zich uit en keek haar aan. 'Ik had gedacht dat je nog druk met allerlei laatste klusjes in de weer zou zijn.'

Ze schudde haar hoofd. 'Ik ben de veldproducer, weet je nog? Ik doe het voorbereidende werk, zorg dat iedereen zijn danspassen kent. Zodra de coryfee is geland, kan ik net zo goed achteroverleunen en kijken wat er verder gebeurt.'

De coryfee, dacht Marshall, en hij moest terugdenken aan de non-ontmoeting tussen Ekberg en Ashleigh Davis die ochtend.

'En jij?' zei ze. 'Ik heb jou de hele dag niet gezien. Heb je grote ontdekkingen gedaan?'

'Wij paleo-ecologen gaan niet voor grote ontdekkingen. We proberen alleen antwoorden op vragen te vinden, de donkere gaatjes in te vullen.'

'Waarom werk je dan nog zo lang door? Dit verdwijnt heus niet, hoor.' En ze gebaarde grofweg in de richting van de gletsjer.

'Nou, hij verdwijnt een heel stuk sneller dan je denkt.' Hij pakte een geel bloemetje van de tafel. 'Dit heb ik vanochtend vlak buiten de omheining uit de sneeuw opgediept. Tien jaar geleden kwam dit bloemetje niet verder dan honderdvijftig kilometer ten zuiden van hier voor. Zo veel heeft de opwarming van de aarde in tien jaar tijd veranderd.'

'Maar ik dacht dat de opwarming van de aarde je juist bij je werk hielp.'

'Doordat gletsjers smelten kan ik meer monsters verzamelen, en sneller. Ik kan alles van een smeltende gletsjerwand vergaren: pollen, insecten, pijnboomzaden, zelfs atmosferische bellen om de hoeveelheid CO_2 in oeroude lucht te meten. Een heel stuk beter dan door ijskernen heen te moeten boren. Maar dat betekent niet dat ik de opwarming van de aarde toejuich. Wetenschappers horen objectief te zijn.'

Ze keek hem aan en haar ironische glimlachje werd breder. 'En ben je dat? Objectief?'

Hij aarzelde. Toen zuchtte hij. 'Om je eerlijk de waarheid te zeggen... nee. Ik ben doodsbang voor de opwarming van de aarde. Maar ik ben geen activist. Ik begrijp de consequenties alleen beter dan de meeste mensen. We hebben de situatie nu al niet meer in de hand. De aarde is opmerkelijk veerkrachtig, heeft een reusachtig zelfherstellend vermogen. Maar de opwarming is in een stroomversnelling geraakt, met honderd kettingreacties als gevolg...'

Hij zweeg en lachte zachtjes. 'Ik hoor hier neutraal in te staan. Als Sully me zo zou horen praten, hing ik.'

'Ik zal het niet verklappen. Ik vind het fijn dat je je hart laat spreken.'

Hij haalde zijn schouders op. 'Eigenlijk is het behoorlijk ironisch. Op de korte termijn profiteer ik ervan dat de gletsjer smelt. Maar als de gletsjer eenmaal verdwenen is, is al het bewijs dat ik voor mijn onderzoek nodig heb ook verdwenen. Alles wordt de oceaan in gespoeld. Dit is mijn grote kans om de gletsjer te bestuderen en monsters te verzamelen.'

'En dus heb je er nachtwerk aan. Sorry dat ik zo kwam binnenvallen.'

'Grapje zeker? Ik vind het leuk dat je langskomt. Hoe dan ook, ik ben niet de enige die het druk heeft. Kijk eens naar jezelf: vragen stellen, al dat loopwerk, zorgen dat de ster er goed uitziet. Een ster die je trouwens al dat werk niet echt in dank afneemt.'

Ze trok een gezicht maar liet zich niet tot een dergelijk gesprek verleiden. 'Wij veldproducers hebben ons kruis te dragen, net als jij.' Ze keek om zich heen. 'Speel je?' Ze wees naar een MIDI-keyboard dat tegen de verste muur stond.

Marshall knikte. 'Vooral blues en jazz.'

'Ben je goed?'

Hij lachte. 'Niet goed genoeg, vermoed ik. Kon er niet van leven, maar ik speel in de huisband van een club in Woburn. Ik ben vooral dol op tweaking synthesizers. Die heb je tegenwoordig natuurlijk niet meer, nu is het geluid allemaal voorgeprogrammeerd, je zoekt gewoon een waveform uit een computermenu, maar toen ik opgroeide vond ik tweaking oscillators en filters geweldig. Ik heb er zelf een van allerlei onderdelen in elkaar gezet.'

'Je moet een keer voor ons spelen.' Ze stond op. 'Ik moet weer naar buiten. Ik heb een tijdje geleden een onderdeel ingepland voor het noorderlicht en Emilio is dat nu waarschijnlijk aan het filmen.'

Marshall stond ook op. 'Ik ga met je mee, als je dat niet erg vindt.'

In de klimaatkamer zag Marshall dat de thermometer al op min twee graden stond. Hij schoot zijn lichtgewicht parka aan, liep met Kari Ekberg door de verzamelplaats de basis uit en belandde in een tafereel dat je kon omschrijven als een gecontroleerd pandemonium. Ondanks het late uur was het platform vol licht en geluid. Ter voorbereiding van de opnamen van de volgende dag waren setknechten camerastatieven aan het neerzetten en verplaatsten ze grote balken rondom de kluis. Niet ver van Ashleigh Davis' trailer was een technicus een zonnereflector aan het opzetten om meer licht toe te voegen aan de ophanden zijnde gebeurtenis. De geluidsman was in een geanimeerd gesprek verwikkeld met Fortnum, de fotografie-director. Wolff, de netwerkliaison, stond als een spook in de schaduw van de Sno-Cat met zijn handen in de zakken naar de nachtelijke hemel te kijken.

Marshall keek omhoog en volgde zijn blik. Het was adembenemend. Hij had gedacht dat al die schitterende verlichting kunstmatig was, maar hij zag dat het 't bizarste en spectaculairste noorderlicht was dat hij ooit had aanschouwd. De hele lucht stond in vuur en vlam door uitwaaierende lichtlagen. Het leek haast een tastbare vorm te hebben, een vloeibare, kwikzilverachtige gloed die bijna langs de hemel kroop. Het hing zo laag boven hem, dat Marshall de krankzinnige neiging voelde weg te duiken. De kleur kon hij moeilijk omschrijven: een ongelooflijk verzadigd, donker karmozijnrood, omgeven door een vagelijk radioactieve gloed.

'Jezus,' mompelde hij.

Ekberg keek naar hem. 'Ik dacht dat je dit nu wel afgezaagd zou vinden.'

'Dit is geen normaal noorderlicht. Normaal gesproken zie je een rand in allerlei kleuren. Maar vanavond bestaat die enkel uit één kleur. Moet je kijken wat een intens licht dat is.'

'Ja. Bijna wijnkleurig. Of bloedrood misschien. Griezelig.' Ze keek hem aan, haar gezicht lichtte spookachtig op in de weerspiegelende gloed. 'Heb je nooit eerder zulk noorderlicht gezien?'

'Eén keer eerder, de avond voordat we de kat ontdekten.' Hij zweeg even. 'Maar vanavond is het effect wel twee keer zo groot. En het hangt zo laag in de lucht dat je het bijna kunt aanraken.'

'Verbeeld ik het me of maakt het geluid?' Ekberg hield haar hoofd luisterend naar één kant schuin. Marshall deed hetzelfde. Hij wist dat dat absoluut niet kon. En toch, boven het gekletter van de apparatuur en de dreunende generatoren uit hoorde hij iets. Het ene moment leek het op een verre donderslag, het volgende moment was het net kreunen, als een vrouw die pijn heeft... en steeds op de bewegingen van het licht. Hij moest denken aan de woorden van de oude sjamaan: *De ouden zijn furieus, erger dan mijn volk zich ooit heeft kunnen heugen. Hun toorn beschildert de hemel met bloed. De hemelen schreeuwen het uit van pijn, als een vrouw in barensnood...*

Marshall schudde zijn hoofd. Hij had verhalen gehoord dat het noorderlicht kermde en huilde, maar die had hij altijd als fabeltjes afgedaan. Maar omdat het licht vanavond zo veel dichter boven de aarde hing dan anders, was er misschien ook sprake van een geluidsfenomeen. Hij wilde net weer naar binnen gaan om zijn collega's te waarschuwen, toen hij Faraday in het oog kreeg. De bioloog stond tussen twee portakabins in, een magnetometer in de ene en zijn digitale camera in de andere hand, beide naar de lucht gericht. Hij had het duidelijk ook gezien.

Marshall ontwaarde beweging naast zich en draaide zich om. Hij zag dat de ijstrucker met zijn passagier kwam aanlopen. Ondanks de kou droeg de trucker nog steeds het bonte bloemetjesshirt. 'Wat een schouwspel, hè?' zei hij.

Marshall schudde slechts zijn hoofd.

'Ik heb mijn portie noorderlicht wel gehad,' vervolgde de man, 'maar dit slaat alles.'

'De Inuit geloven dat het de geesten van de doden zijn,' antwoordde Marshall.

'Inderdaad,' zei de passagier met het ringbaardje. 'En niet noodzakelijkerwijs vriendelijke geesten, sterker nog: de lucht is hun speelterrein waar ze met mensenschedels een partijtje voetbal spelen. De legende vertelt dat wanneer je tijdens het noorderlicht fluit, de geesten naar beneden komen en jouw hoofd ook kunnen meenemen.'

Ekberg rilde. 'Fluit dan alsjeblieft niet. Ik ben nogal verknocht aan mijn hoofd.'

Marshall keek nieuwsgierig naar de nieuwkomer. 'Dat wist ik niet.'

'Ik ook niet, tot ik in Yellowknife mijn reis kort moest onderbreken.' Hij knikte naar de trucker. 'En deze meneer hier me een lift aanbood.'

Marshall moest lachen. 'Je stapte bepaald niet gelukkig uit de truck.'

De bebaarde man glimlachte zuinigjes. Na de duidelijk schokkende reis had hij zich weer hersteld. 'Op dat moment leek het een goed idee.' Hij stak zijn hand uit. 'De naam is Logan.'

De trucker volgde zijn voorbeeld. 'En ik ben Carradine.'

Marshall stelde zichzelf en Kari Ekberg voor. 'Iets zegt me dat je niet uit deze buurt komt,' zei hij tegen de trucker.

'Iets zegt je dat je gelijk hebt. Vero Beach, Florida. De beloning is riant, maar verder kan ik het grootste deel van Alaska missen als kiespijn.'

'En wat je zou dan kunnen missen?' vroeg Ekberg.

'Sneeuw. IJs. En mannen. Vooral mannen in roodflanellen shirts.'

'Mannen,' herhaalde Ekberg.

'Ja. Er is een overschot. Hier is de verhouding tien mannen op één vrouw. Ze zeggen dat als vrouwen belangstelling hebben, ze een goede kans maken, maar dat de goederen kansloos zijn.'

Ze moesten allemaal lachen.

'Ik moet terug naar de basis,' zei Logan. 'Mijn aanbevelingsbrieven schijnen niet op tijd te zijn aangekomen, en de brave sergeant Gonzalez wil weten waarom ik hier ben. Leuk kennisgemaakt te hebben.' Hij knikte hun beiden toe en liep toen naar de hoofdingang.

Ze keken hem na. 'Ik ken hem niet,' zei Ekberg tegen de trucker. 'Hoort hij bij Ashleigh Davis' hofhouding?'

'Hij is hier in zijn eentje,' antwoordde Carradine.

'Wat doet hij hier dan?'

Carradine haalde zijn schouders op. 'Hij zei tegen me dat hij professor is… noemde zichzelf een enigmaloog.'

'Een wat?' vroeg Marshall.

'Een enigmaloog.'

'Hoort hij dan bij jou?' vroeg Ekberg hem.

'Nee,' antwoordde Marshall. 'Hij is een mysterie voor mij.'

Hij keek weer om zich heen. Er hing een tastbare opwinding in de lucht die zelfs niet kon worden verklaard door het bizarre lichttafereel. Ondanks de koortsachtige drukte van een mierenhoop leek alles op schema te lopen. De zorgvuldig berekende ontdooiing van het ijsblok was al in gang gezet: hij zag zo nu en dan een druppel smeltwater door de kluisvloer druppelen. De volgende ochtend om vier uur 's middags – dan was het aan de oostkust primetime – zouden de camera's gaan draaien en zou de live-uitzending van de documentaire een aanvang nemen. Het hoogtepunt was de opening van de kluis. En daarna – realiseerde Marshall zich plotseling – zou de ploeg de boel inpakken en de rust weer over Mount Fear neerdalen, en zouden ze de laatste twee weken van hun verblijf als vanouds hun gang kunnen gaan.

Marshall kon niet wachten tot die rust zou weerkeren. Maar hij kon ook niet ontkennen dat dit een speciale avond was, het was uniek en opwindend, en absurd genoeg was hij blij dat hij er deel van uitmaakte.

Op dat moment stapte Ashleigh Davis uit haar trailer, vergezeld van Conti, de persoonlijk assistente en een pr-functionaris. Ze liepen naar een kleine open plek naast de vroegere controlepost, waar Fortnum, Toussaint, de technicus en de setknecht stonden te wachten. 'Weet je zeker dat je het warm genoeg hebt?' hoorde Marshall Conti kruiperig vragen toen ze langsliepen.

'Het gaat prima met me, liefje,' zei Davis op de theatraal berustende toon van een martelaar. Ze had haar dure bontjas verruild voor een stijlvol jack van marmottenbont.

'De opnamen duren niet langer dan tien minuten, op zijn hoogst,' zei Conti. 'We hebben de lopende en achtergrondbeelden al gemaakt.' Ze keurden Marshall geen blik waardig toen ze langs hem zeilden.

'Nou, ik kan me maar beter nuttig gaan maken,' zei Ekberg. 'Ik zie jullie later wel.' En ze voegde zich bij de functionaris achter aan de kleine stoet.

Carradine schudde grijnzend zijn hoofd. Hij kauwde op een groot stuk kauwgum, waardoor zijn wang als die van een hamster opbolde. 'Wat zeg je ervan? Zullen we blijven en het circus eens gaan bekijken?'

'Als je tegen de kou kunt,' antwoordde Marshall naar het dunne shirt van de trucker knikkend.

'Welnee, het is niet koud. Kom op, laten we op de voorste rij gaan zitten.' De man pakte twee houten kratten, zette ze in de sneeuw, ging op een ervan zitten en gebaarde zwierig naar Marshall dat hij de andere moest nemen.

Bij de controlepost ontstond wat opwinding, de lichten knipten aan, Kari liet de teleprompter proefdraaien, de geluidstest was klaar, Ashleigh Davis' neus kreeg nog een laatste dot poeder voor ze het make-upmeisje snauwend wegstuurde. Toen klonk de klik van het klapbord, Conti riep 'Actie!' en de camera's draaiden. Onmiddellijk verdween de gemelijke uitdrukking van Davis' gezicht en kwam er een duizelingwekkende glimlach voor in de plaats, en ze wist tegelijkertijd opgewonden, theatraal en verleidelijk over te komen.

'Het is bijna zover,' zei ze ademloos in de camera's, alsof ze de hele week met hen in de loopgraven had gezeten. 'Binnen vierentwintig uur gaat de kluis open en zal het oeroude mysterie worden onthuld. En alsof de natuur zelf snapt hoe zwaarwichtig dit moment is, worden we getrakteerd op een heel bijzonder noorderlicht dat qua allure en grandeur zijn weerga niet kent...'

15

Hoewel er op Fear Base een relatieve rust was weergekeerd – iedereen was naar bed gegaan in afwachting van de drukke dag van morgen – had Marshall zoals gewoonlijk een rusteloze nacht, hij gooide zich om en om op zijn spartaanse brits. Wat hij ook probeerde, hij kon zijn draai niet vinden: te warm als hij onder de dekens kroop, te koud als hij ze afgooide. Zo nu en dan begonnen de spieren in armen en benen gespannen te stuiptrekken, alsof ze zich niet konden ontspannen. Hij kon het gevoel dat er iets helemaal mis was maar niet van zich afzetten, hoewel alles op het tegendeel wees.

Ten slotte zonk hij half doezelend weg, een reeks verwarrende beelden trok langzaam aan zijn geestesoog voorbij. Hij wandelde in zijn eentje onder het vreemde en boze noorderlicht over de permafrost. In zijn beleving hing het licht lager dan ooit aan de hemel, zo laag dat het op zijn schouders leek te drukken. Onder het lopen staarde hij er met een mengeling van ontzag en onbehagen naar. Hij bleef staan en fronste verbaasd zijn wenkbrauwen. Verderop, op de verscheurde en bevroren grond, raakten de lichten letterlijk het land, stroperige slierten vloeiden als was uit een omgevallen kandelaar. Terwijl hij ernaar staarde, werden de gedaanten groter, namen een vorm aan, materialiseerden. Benen en armen kwamen tevoorschijn. Even stond hij van angst als aan de grond genageld. Toen kwamen ze op hem af, eerst langzaam, daarna sneller en sneller. Er ging een huiveringwekkende dreiging van uit, dan weer zwollen hun lijven op, dan zakten ze weer in. Het was afschrikwekkend om te zien hoe ze het overduidelijk uitgehongerd met hun brede handen uitgespreid op hem gemunt hadden. Hij draaide zich om, maar merkte, net als die afschuwelijke, langzaam opkomende verlamming uit zijn nachtmerrie, dat hij bijna geen beweging kreeg in zijn loden voeten…

Marshall schoot geschrokken overeind. Hij zweette en de dekens zaten als een lijkwade om hem heen gewikkeld. Met wijd opengesperde ogen keek hij om zich heen de duisternis in, wachtte tot zijn ademhaling tot bedaren kwam, tot de laatste restjes van zijn droom vervlogen.

Even later keek hij op zijn horloge: kwart voor vijf. 'Shit,' mompelde hij terwijl hij zich op het vochtige kussen liet terugvallen.

Van slapen was geen sprake meer, vannacht in elk geval niet. Hij stapte uit bed, kleedde zich snel in zijn schemerige slaapkamertje aan en glipte de gang in.

Het was zo stil op de basis dat het hem deed denken aan de eerste nachten die hij hier had doorgebracht, toen de halfdonkere, doolhofachtige gangen en de lang verlaten ruimten de kleine groep wetenschappers wel leken te overweldigen. Zijn voetstappen weerklonken op de stalen vloer en hij kreeg de belachelijke neiging op zijn tenen te gaan lopen. Hij liep de slaapafdeling af, langs de labs, de kantine, de keuken en nam toen een gang naar een gedeelte van de basis dat ze nooit hadden gebruikt: een wirwar aan technische ruimten en uitkijkposten. Hij bleef staan. In de verte kon hij nog net heel vage muziek opvangen: een cd-speler van iemand, veronderstelde hij. Binnen een straal van zevenhonderdvijftig kilometer was er geen radiostation te bekennen, en zelfs die hielden zich slechts bezig met de prijs van dieselolie en hoe het met de bronsttijd van de elanden gesteld was.

Met de handen in zijn zakken zwierf hij verder de doolhof van afluisterposten in. Hij probeerde tevergeefs uit alle macht een somber voorgevoel van zich af te schudden. Sterker nog, het leek erger te worden: hij had de perverse overtuiging dat er in de opwinding van de volgende dag iets vreselijks zou gaan gebeuren.

Hij bleef weer staan. De in waakzame stilte gehulde, claustrofobische basis versterkte zijn sombere stemming alleen maar. Impulsief draaide hij zich om, zocht zich moeizaam een weg terug en nam een trap naar de bovenste verdieping. Hij liep naar het platform voor de ingang, langs het verduisterde wachthuis, stak de verzamelplaats over en schoot tegelijk zijn parka aan. Hij was nog geen acht uur geleden buiten geweest, maar in zijn huidige gemoedstoestand hield niets hem nog een minuut langer in die door schaduwen achtervolgde basis. Hij greep een zaklamp en ritste zijn parka dicht, opende de buitendeur en stapte naar buiten.

Tot zijn verbazing zag hij dat het noorderlicht nog intenser was geworden: het klopte en pulseerde met een donker, zalvend rood. Het transformeerde het hele platform – met de tijdelijke onderkomens en portakabins, tenten en opslagplaatsen – in een monochroom, onaards landschap. Hij stopte de zaklamp in zijn zak. Er waaide een straffe bries, die aan losse zeildoeken en achteloos vastgemaakte touwen rukte, maar zelfs dat kon het griezelige kraken en kreunen niet verklaren die door het licht zelf werden veroorzaakt, daar durfde hij een eed op te doen.

Er was nog iets anders wat hem vreemd voorkwam, maar het duurde even voor hij zich realiseerde wat het was. De wind voelde bijna warm aan op zijn wang. Het leek wel alsof de Zone abrupt in een valse lente was ondergedompeld. Hij ritste zijn parka langzaam open, hij had op weg naar buiten op de thermometer moeten kijken.

Hij bewoog zich tussen de lage bouwsels door, de helft in bloedrood licht, de andere helft in schaduwen verzonken. Intussen hoorde hij uit de richting van de kleine verzameling portakabins verderop zacht gekraak.

Hij bleef in het bloedrode halflicht staan. Was er nog iemand buiten?

Iedereen – wetenschappers, documentaireploeg en de mysterieuze nieuwkomer Logan – was in zijn slaapverblijf op de basis. De enige uitzonderingen waren Ashleigh Davis in haar gigatrailer en Carradine de trucker. Hij keek naar Davis' trailer: donker, alle lichten waren uit.

'Carradine?' riep hij zachtjes.

En weer klonk dat krakende geluid.

Marshall deed een stap naar voren, kwam tussen twee opslagtenten tevoorschijn. Nu kwam de kolos van Carradines oplegger in zicht. Hij keek naar de achterkant van de cabine, waar de couchette was. Die ramen waren ook allemaal donker.

Hij bleef doodstil staan luisteren. Hij hoorde de jammerklachten van de wind, de diepe dreun van de diesels in het elektriciteitshuisje, het zoemen van de hulpgenerator die op Ashleigh Davis' trailer was aangesloten, en... zo nu en dan... het griezelige mompelen en kreunen dat van het noorderlicht zelf leek te komen. Maar meer was er niet.

Hij schudde zijn hoofd, glimlachte ondanks zichzelf. Hier was hij dan, aan de vooravond van wat een van de gedenkwaardigste dagen van zijn leven zou worden... en het zweet brak hem uit vanwege een nare droom. Hij zou naar de omheining moeten wandelen, twee afslagen langs de lange kant nemen en dan naar zijn lab terugkeren. Ook al kon hij niet veel doen, hij kon het op zijn minst proberen. Hij rechtte zijn schouders en deed nog een stap naar voren.

Opnieuw dat kraken. En ter plekke kreeg Marshall een ingeving. Het kwam uit de richting van de kluis.

Hij liep er langzaam naartoe. De kluis stond volkomen apart, de noordkant in een halo van kunstlicht, de rest was in duisternis gehuld. Maar zelfs zonder zaklamp kon Marshall het glinsterende water eronder zien: het automatische ontdooiingspoces was duidelijk al een eind op streek. Morgen zou deze stalen container – en zijn inhoud – de ster van de show zijn. Hij haalde zijn zaklamp uit zijn zak en richtte de lichtbundel op het imposante zilverkleurige bouwwerk. Er leek niets te zijn veranderd. Er was niemand in de buurt.

Toen hoorde hij het kraken weer, luider nu. Gewapend met zijn zaklamp ontdekte Marshall waar het vandaan kwam: een los houten paneel in de één meter hoge kruipruimte onder de kluis.

Marshall fronste zijn voorhoofd. Prutswerk, dacht hij, daar moet iets aan gedaan worden voordat Conti en zijn circus live de lucht in gaan. Of misschien was er gewoon iets van de constructie afgebroken. Het zwaaide in de wind heen en weer, net boven de smerige plas smeltwater...

Maar er klopte nog iets niet. Hij zag niet zozeer een plas liggen, het was een heel meertje. Een meertje vol smerige ijsblokken. Waarom was er zo snel al zo veel water?

Hij kwam dichterbij, ging op zijn hurken zitten en scheen met zijn licht op de poel smeltwater. Met gefronste wenkbrauwen liet hij het licht over de loshangende lat schijnen. Die kraakte opnieuw toen de wind er vat op kreeg en hij zag dat het uiteinde helemaal versplinterd was. Langzaam liet hij het licht langs de lat omhoog zwerven naar de onderkant van de kluis.

In de houten vloer zat een groot, rond, ruw gat. En nog voor hij de lichtbundel erop richtte, zag Marshall duidelijk dat de kluis leeg was.

16

Binnen een half uur was de slapende Fear Base in rep en roer. Nu zat Marshall – samen met alle anderen die er nog waren – op een oude klapstoel in de commandopost op B-niveau. Het was de enige ruimte die groot genoeg was voor zo veel mensen. Hij keek naar de gezichten om hem heen. Sommige, zoals die van Sully en Kari Ekberg, keken verbijsterd. Andere staken hun rode ogen niet onder stoelen of banken. Fortnum, de FD, zat met gebogen hoofd en kneep voortdurend zijn handen samen.

Ze waren op verzoek van Wolff, de netwerkliaison, bij elkaar gekomen. Eigenlijk, peinsde Marshall, had het niet als een verzoek geklonken. Het was eerder een bevel geweest.

Toen hij Emilio Conti met het nieuws confronteerde, was hij verdwaasd, bijna verlamd geweest omdat zijn geluk zo plotseling was omgeslagen. Maar terwijl Marshall toekeek hoe de regisseur langs de slordige halve cirkel stoelen ijsbeerde, zag hij een andere emotie op het gezicht van de kleine man: wanhopige woede.

'Om te beginnen,' snauwde Conti heen en weer lopend, 'de feiten. Ergens tussen middernacht en vijf uur vanochtend is er in de kluis ingebroken en is de ínhoud – hij sprak het woord afgemeten uit – verwijderd. Gestolen. Dr. Marshall heeft dat ontdekt.' Conti keek hem even aan en zijn donkere ogen glinsterden wantrouwig. 'Ik heb met de directie van Terra Prime en Blackpool overlegd. Onder deze omstandigheden blijft hun niets anders over dan de live-uitzending te schrappen. In plaats daarvan zal nogmaals *From Fatal Seas* worden uitgezonden.' Hij spuugde de woorden er bijna uit. 'Ze zullen twaalf miljoen dollar aan reclamegaranties aan hun sponsors terugstorten. Dat is bóven op de acht miljoen die al is gespendeerd om dit allemaal mogelijk te maken.'

Hij bleef even staan, keek het gezelschap rond en ijsbeerde weer verder. 'Dit zijn de feiten. Dan: speculatie. We hebben een mol in ons midden. Iemand die door de concurrent wordt betaald. Of misschien iemand die voor een "ritselaar" werkt: een handelaar in exotische goederen die connecties met musea of rijke buitenlandse verzamelaars heeft.'

Naast Marshall moest Penny Barbour zachtjes spottend lachen. 'Krankzinnig,' mompelde ze.

'Krankzinnig?' Conti draaide zich naar haar toe. 'Het is vaker voorgekomen. Dit is niet zomaar een artefact, dit is een commodity.'

'Een commodity?' zei Barbour. 'Waar heb je het over?'

'We hebben het hier over een commodity.' Wolff gaf antwoord. De netwerkliaison stond achter in het vertrek naast sergeant Gonzalez, de armen over elkaar, een plastic roerstokje in de mond. 'Dit is meer dan een enkele avond amusement. Dit is een eindeloos te exploiteren bron voor uitzendingen. Iets wat vele malen voor nieuwe doeleinden kan worden gebruikt: het kan in musea tentoongesteld worden, uitgeleend aan universiteiten en onderzoeksinstituten, gebruikt voor vervolgprogramma's. In de toekomst kan het misschien zelfs een icoon van het televisiestation worden. Of – wellicht – zijn mascotte.'

Mascotte, dacht Marshall bij zichzelf. Tot nu toe had hij er geen idee van gehad hoe ambitieus Blackpools plannen voor hun bevroren kat waren geweest.

Wolff stapte naar voren, Conti hield op met ijsberen en ging naast hem staan. 'Als televisiestation is Terra Prime onderdeel van een heel kleine gemeenschap,' vervolgde Wolff. 'Ondanks alle moeite die we ons hebben getroost om het stil te houden, wisten we dat het project was uitgelekt. Maar we hadden er het volste vertrouwen in dat we iedereen zo grondig hadden nagetrokken, dat we degenen die niet voor honderd procent betrouwbaar waren, eruit gepikt hadden.' Hij plukte het roerstokje uit zijn mond. 'Kennelijk was ons vertrouwen ongegrond.'

Marshall merkte op dat het grootste deel van het personeel met gebogen hoofd zat te luisteren. Alleen zijn medewetenschappers leken verbaasd over dit spionagegewauwel.

'Wat bedoelt u precies?' vroeg Sully.

'Een ogenblikje.' Wolff wendde zich tot de sergeant. 'Zijn alle hoofden geteld?'

Gonzalez knikte.

'Ontbreekt er iemand?'

‘Eentje. Die nieuwkomer, dr. Logan. Mijn mannen zijn nu naar hem op zoek.’

‘Verder nog iemand? De tv-ploeg of expeditieleden?’

‘Ze zijn er allemaal.’

Toen pas keek Wolff Sully aan. ‘Ik bedoel dat we reden hebben om aan te nemen dat iemand op deze basis is betaald om zich voor een derde partij het specimen toe te eigenen. Dat was ofwel al geregeld voor onze komst hier, of het contact is in een later stadium tot stand gekomen. We trekken alle communicatie van en naar Fear Base van de afgelopen tweeënzeventig uur na om meer te weten te komen.’

‘Ik dacht dat u alles volkomen onder controle had,’ zei Marshall. ‘Het ontdooiingsproces, de beveiliging, alles. Hoe kon dit dan gebeuren?’

‘Dat weten we nog niet,’ antwoordde Wolff. ‘Het lijkt erop dat het ontdooien is versneld door degene die het karkas heeft gestolen. Het was een volautomatisch proces, er was een back-upgenerator, niets kon misgaan zonder extern ingrijpen. We hebben het terrein buiten de omheining onderzocht. Geen spoor van een binnenkomend of vertrekkend vliegtuig. Dat betekent dat het gestolen goed nog steeds hier moet zijn.’

‘Hoe zit het met voetafdrukken?’ bracht iemand te berde. ‘Kunt u die achterhalen?’

‘Rond de kluis, waar het ijs is gesmolten, is de grond door zo veel voetafdrukken omgewoeld, dat dat onmogelijk is,’ zei Wolff. ‘Daaromheen is de permafrost zo hard dat er geen afdruk achterblijft.’

‘Als iemand het heeft gestolen, waarom zijn ze ’m dan niet met de Sno-Cat gesmeerd?’ vroeg Marshall. ‘De sleutels hangen in de klimaatkamer, iedereen had erbij gekund.’

‘Dat zou te veel achterdocht wekken en hij is te traag. De dief zou een vliegtuig gebruiken.’ Conti keek om zich heen. ‘We controleren ieders bezittingen. Alle verblijven. Alles.’

Wolff liet zijn merkwaardig uitdrukkingsloze ogen op Gonzalez rusten. ‘Hebt u een plattegrond van Fear Base, sergeant?’

‘Wel van de centrale en zuidelijke vleugel.’

‘En de derde, de noordelijke vleugel dan?’

‘Dat is verboden terrein en stevig afgesloten.’

‘Kan niemand daar naar binnen?’

‘Absoluut niet.’

Wolff zweeg even, staarde de sergeant aan alsof hem plotseling iets te binnen schoot. ‘Breng me dan maar wat u hebt.’ Hij keek de kamer rond.

'Ik wil dat iedereen na deze bijeenkomst naar haar of zijn verblijf teruggaat. Als jullie iets verdachts zien – elke activiteit, gesprek, uitwisseling, wát dan ook – kom je naar me toe.'

Marshall keek van Wolff naar Conti en weer terug. Hij wist niet wat hem meer verbaasde: de impliciete veronderstelling dat het om verraad ging of het feit dat Wolff daar zo snel op aanstuurde.

Ashleigh Davis had naargeestig op de voorste rij gezeten, een knie in een scherpe hoek over de andere geslagen. Onder de bontjas droeg ze een luxe zijden nachtjapon en haar lange blonde haar zat in de war. 'Veel plezier met politiemannetje spelen,' zei ze. 'Kun jij, Emilio, intussen *pronto* een vlucht naar New York voor me regelen? Als dit tijgergedoe in het water valt, kan ik misschien nog die special over koraalbleken op het Great Barnacle Reef doen.'

'Barrier,' zei Marshall.

Davis keek hem aan.

'Great Barrier Reef.'

'Iemand is al met transport bezig,' zei Wolff met een waarschuwende blik op Marshall. 'Trouwens, mevrouw Davis, u en meneer – eh, Carradine – waren gisteravond het dichtst bij de kluis. Hebt u iets gehoord of gezien, iets abnormaals?'

'Niets,' antwoordde Davis, duidelijk geërgerd dat ze in één adem met de trucker werd genoemd.

'En u?' Wolff keek Carradine aan. De trucker, die met zijn stoel vervaarlijk naar achteren helde, haalde alleen maar zijn schouders op.

'Voor het einde van deze bijeenkomst wil ik graag met u beiden spreken.' Wolff keek naar Marshall. 'En ook met u.'

'Waarom met mij?' vroeg Marshall.

'U bent degene die de diefstal hebt gemeld,' antwoordde Wolff, alsof Marshall alleen al daardoor de hoofdverdachte was.

'Wacht eens even,' kwam Sully tussenbeide. 'Hoe zit het met die nieuwkomer, die dr. Logan? Waarom is hij hier niet?'

'Dat onderzoeken we nog.'

'Het is één ding om met bevelen te strooien en iedereen in hun slaapverblijf op te sluiten. Maar het is wat anders als u mijn personeel zonder mijn toestemming gaat ondervragen.'

'Uw personéél...' kaatste Wolff terug, 'zal als eerste worden ondervraagd. Uw mensen zijn als enigen niet door de televisiemaatschappij gescreend voor deze hele tv-operatie begon.'

'Logan is toch ook niet gescreend? Wat heeft een screening hier trouwens mee te maken?' Kennelijk had het feit dat zijn kans op televisieonsterfelijkheid abrupt verkeken was – in combinatie met deze bureaucraat die zich op zijn terrein begaf – Sully's professionele territoriumdrift weer aangewakkerd.

'Dat heeft met van alles en nog wat te maken,' antwoordde Wolff. 'Dit is een reusachtig lot uit de loterij, niet in wetenschappelijke termen alleen, maar ook in termen van wetenschappelijke carrières.'

Sully opende zijn mond maar sloot die weer. Zijn gezicht werd zo rood als een biet.

'Dat was het wel zo'n beetje.' Wolff keek naar Conti. 'Nog iets aan toe te voegen?'

'Alleen dit nog,' zei de producer. 'Twintig minuten geleden had ik een telefoongesprek met de president-directeur van de Blackpool Entertainment Group. Het was een van de onplezierigste gesprekken van mijn leven.' Hij keek scherp de kamer rond. 'Ik spreek nu tegen degene of degenen die dit heeft of hebben gedaan. Jullie weten wie je bent. Blackpool acht deze vondst van onschatbare waarde en beschouwt de verdwijning ervan dan ook als een ernstige misdaad.'

Hij zweeg weer even. 'Deze diefstal zal niet, en ik herhaal: níét tot een mislukking leiden, zal geen smet op mijn blazoen achterlaten. De ontdekking is nog steeds hier, en jullie hebben geen enkele kans ermee weg te komen. We zúllen hem vinden, we zúllen onze documentaire hervatten en er zal zelfs een nóg groter kunstwerk uit tevoorschijn komen.'

17

Marshall beklom uiterst langzaam de stalen trap. Het was een smal en donker trappenhuis, slechts verlicht door een enkele tl-buis. Gloeilampen waren een schaars goed: zelfs met de filmploeg in de buurt bleef de basis in volslagen duisternis gehuld.

Hij voelde zich vermoeider dan ooit tevoren. En als het al geen lichamelijke vermoeidheid was, dan was het wel een totale emotionele uitputting. Hij had het ook in de vertrokken gezichten van de anderen bespeurd. Na al die inspanningen en al dat opbouwen was iedereen door die plotselinge, onverklaarbare verdwijning compleet verdoofd. En door de hele basis waarde de vraag rond: wie heeft het gedaan?

Boven aan de trap bleef hij voor een dichte, raamloze deur staan. Hij keek op zijn horloge: vijf over acht 's avonds. Vijftien uur sinds hij had ontdekt dat de kat vermist was. Vijftien eindeloze, afschuwelijke uren, vol wantrouwen, achterdocht en onzekerheid. En nu, vlak na het eten, per e-mail een oproep van Faraday. 'RASP-kamer, nu.'

Marshall pakte de kruk beet en duwde de deur open naar een lang, laag vertrek dat op de controlekamer van een vliegveld leek. Het was er net zo donker als in het trappenhuis en het gedempte licht reflecteerde op de schotels van de stuk of tien verouderde radarstations, die in een regelmatige rij stonden opgesteld. Ouderwetse projectieschermen, per stuk een meter twintig hoog, waren diagonaal in de hoeken van de ruimte geschoven. Voor elk scherm was een projector geplaatst, stoffig en bijna een halve eeuw niet gebruikt.

Dit was de Radar Mapping en Air Surveillance Commando Post, beter bekend als de RASP-ruimte, het zenuwcentrum van Fear Base en het hoogste gebouw binnen de omheining. Toen hij om zich heen keek, ontwaarde hij drie schimmige gedaanten aan de vergadertafel: Sully, Penny

Barbour en de promovendus Ang Chen. Chen zwaaide lusteloos naar hem. Sully, ellebogen op zijn knieën en kin in zijn handen, keek op bij het geluid van de deur en sloeg toen zijn ogen weer neer.

Zonder mankeren had het team hier drie keer per week over de stand van zaken vergaderd. Niemand wist meer wie de RASP-ruimte had voorgesteld, maar de bizarre plek was binnen een paar dagen na hun komst een vast ritueel geworden. Behalve dat dit geen pro-formabijeenkomst was: Faraday wilde hen dringend spreken.

Alsof het was afgesproken, ging de deur weer open en Wright Faraday kwam binnen, een dunne map onder zijn arm. De gebruikelijke verstrooide blik was van het gezicht van de bioloog verdwenen. Hij liep snel langs de radarstations, zijn brillenglazen glansden in het licht, en ging tussen Sully en Chen in zitten.

Even zei niemand iets. Toen schraapte Penny Barbour haar keel. 'Zo. Moeten we het voor gezien houden?'

Niemand reageerde.

'Dat zeiden ze tegen me, weet je. Die flapdrol van een Conti. Hij en die marinier van hem.'

'We hebben nog maar twee weken voor het project,' zei Marshall. 'Zelfs als ze ons de pas af willen snijden, dan draaien de bureaucratische raderen erg traag. We kunnen ons werk op tijd afkrijgen.'

Barbour leek hem niet te horen. 'Ze hebben met hun vingers aan al mijn laden gezeten. Zei dat wij het hebben gedaan. Zei dat we het samen hebben gedaan. Zei dat we het specimen voor onszelf wilden, voor de universiteit.'

'Laat toch zitten, Penny,' snauwde Sully. 'Hij reageert het gewoon op iemand af die in zijn buurt is.'

'Hij bleef me maar achtervolgen... en achtervolgen... o, gód.' Barbour begroef haar gezicht in haar handen, haar schouders schokten plotseling van een hevige huilbui.

Marshall boog zich snel naar haar toe en legde een arm om de schouders van de programmeur.

'Klootzak,' mompelde Sully.

'Misschien kunnen wíj het wel vinden,' zei Chen. 'Of de dieven wellicht. Ze kunnen niet ver weg zijn. Sterker nog, ze moeten nog hier zijn. Dan zijn wij vrijgepleit en kunnen zij de documentaire nog redden.'

Barbour snoof en maakte zich zachtjes los uit Marshalls omhelzing.

'We kunnen niets doen wat Wolff niet al aan het doen is,' zei Sully. 'Bovendien zal hij niet al te zeer geneigd zijn ons te vertrouwen. Dat heeft hij vandaag volkomen duidelijk gemaakt. Ik weet niet waarom hij zo op ons gefixeerd is... dr. Logan lijk me eerder zo schuldig als de pest. Denken jullie dat zijn komst gisteren toeval was? En waarom was hij niet bij de bijeenkomst?'

'Inderdaad, waarom niet?' antwoordde Marshall. Heimelijk had hij zich hetzelfde afgevraagd.

'Terwijl ik in mijn kamer mijn voeten wat liet afkoelen, ben ik het internet op gegaan en heb wat spitwerk naar Jeremy Logan gedaan. Kennelijk is hij professor in de middeleeuwse geschiedenis aan Yale. Vorig jaar heeft hij een monografie geschreven over een genetische afwijking binnen het oude Egyptische koningshuis. Het jaar daarvoor een monografie over een spookachtig fenomeen in Salem, Massachusetts. "Spookachtig fenomeen".' Hij spuugde de woorden uit. 'Klinkt jullie dat als een geschiedenisprofessor in de oren?'

Toen niemand antwoord gaf, keek Sully zuchtend rond. 'Nou ja, met speculeren schieten we geen steek op. Wright, waarover wilde je ons spreken? Wat is je nieuwste theorie du jour?'

Faraday keek hem aan. 'Geen theorie,' zei hij. 'Alleen een paar plaatjes.'

Sully kreunde. 'Alwéér die foto's? Zijn we daarom hier? Je hebt het verkeerde beroep gekozen, weet je dat?'

Faraday sloeg er geen acht op. 'Nadat Evan ons over de diefstal had ingeseind – en nadat de eerste commotie wat was weggeëbd – ben ik naar de kluis gegaan. De deur stond wijd open, het leek niemand meer iets te kunnen schelen. Dus heb ik een paar plaatjes geschoten.'

Sully fronste zijn wenkbrauwen. 'Waarom?'

'Waarom schiet iemand plaatjes? Om iets vast te leggen.' Hij zweeg even. 'Conti gaf ons meteen al de schuld. Ik dacht... nou ja, misschien kon ik bewijs vinden dat ons zou vrijpleiten. Pas een uur geleden kreeg ik de kans een print uit te draaien.' Hij maakte de map voor zich open en haalde er een stuk of zes foto's van twintig bij vijfentwintig centimeter uit en gaf ze aan Sully.

De klimatoloog bladerde ze snel door en gaf ze toen duidelijk weinig onder de indruk door aan Marshall. De eerste foto liet een wazig interieur van de kluis zien. Stukken en brokken ijs lagen over de vloer verspreid, maar verder was die leeg, op de kachel achterin en een groot gat tussen de I-balken na. Hij bekeek de tweede foto. Die was duidelijker: een close-up van het gat.

'En?' drong Sully aan.

'Iedereen zei dat de dief via de onderkant van de kluis naar binnen moest zijn gegaan,' zei Faraday. Hij zette zijn bril af en poetste de glazen met de boord van zijn shirt. 'Dat ze het blok ijs er met een zaag uit hebben gehaald.'

'Ja, dat hebben we allemaal gehoord. En?'

'Zie je de foto van het gat? Kijk eens naar de zaagsnede.'

'De wat?' vroeg Sully.

'Zaagsnede. Zaagsporen. Als iemand van onderaf in de kluis had willen inbreken, zouden de sporen van onder naar boven gemaakt moeten zijn. Maar toen ik de randen van het gat van dichtbij bestudeerde, leken de sporen andersom te zijn gemaakt. Van bóven naar benéden.'

'Laat me eens kijken,' Sully plukte de foto's uit Marshalls hand en bekeek ze zorgvuldig. 'Ik zie niets.'

'Mag ik even?' Marshall pakte de foto's terug en keek weer naar de close-up. Hoewel de zilverkleurige verf op de vloer het felle licht uit de kluis reflecteerde, zag hij onmiddellijk dat Faraday gelijk had: de houtsplinters stonden niet omhoog. In plaats daarvan liep de hoek duidelijk omlaag.

'Wie het ook is geweest, hij heeft niet van onderaf ingebroken,' zei hij. 'Ze hebben van boven naar beneden gezaagd.'

Sully wuifde dat met een ongeduldig handgebaar weg. 'Wolff is jullie naar het hoofd gestegen. Jullie verbeelden je dingen.'

'Nee. Het klopt.' Marshall keek naar Faraday. 'Weet je wat dit betekent?'

Faraday knikte. 'Het betekent dat degene die de kat heeft gestolen, de combinatie van de kluis kende.'

18

Tot nu toe was Marshall in Conti's ruim bemeten suite niet verder dan de drempel geweest. Maar toen de regisseur hem naar binnen gebaarde, begreep Marshall meteen waarom Conti niet alleen het verblijf van de bevelhebber had geconfisqueerd, maar ook dat van de onderbevelhebber. De grillige maar spartaanse kamers op C-niveau waren omgetoverd tot een omvangrijke, weelderige salon. Leren sofa's, fluwelen muurbanken en pluche ottomanes stonden harmonieus gerangschikt op dure Perzische tapijten. Wandkleden en postmoderne schilderijen in bescheiden lijst camoufleerden de kleurloze stalen wanden. Het middelpunt van de ruimte was een reusachtig lcd-scherm van tweeënhalve meter tegen de achterwand waarvan de voet achter een rij stoelen schuilging: een privécinema om hoogtepunten, speelfilms en – dat wist Marshall zeker – de grootste hits van Emilio Conti te bekijken.

De regisseur was beleefd, opgewekt zelfs, en het enige teken dat hij waarschijnlijk in geen zesendertig uur een oog dicht had gedaan waren de blauwzwarte schaduwen onder zijn ogen. 'Goedemorgen, dr. Marshall,' zei hij glimlachend. 'Goedemorgen. Kom binnen, kom binnen. Half acht, uitstekend. Fijn dat u zo stipt bent.' Hij had op het grote scherm naar iets zitten kijken – zwart-wit, een beetje korrelig – en met een druk op de afstandsbediening schakelde hij het uit. 'Ga zitten, alstublieft.'

Hij liep voor hem uit de kamer door. Marshall zag door een deuropening een kleine vergadertafel met daaromheen ergonomisch verantwoorde kantoorstoelen. In een verre hoek stond een Moviola-filmmontageprojector, stroken films staken uit de spoelen. Marshall staarde ernaar, vroeg zich af of dit anachronisme deel uitmaakte van Conti's dagelijks werk of simpelweg aanstellerij van de regisseur was.

Conti ging voor het scherm zitten en gebaarde Marshall hetzelfde te doen. 'Wat vindt u van mijn bioscoopje?' vroeg hij nog altijd glimlachend.

'Ik heb gezien hoe dit door de lucht werd aangeleverd,' zei Marshall naar het lcd-scherm knikkend. 'Ik nam aan dat het om een cruciaal stuk documentairetechnologie ging.'

'Het ís cruciaal,' antwoordde Conti. 'Niet alleen om mijn film te monteren, maar dit voorkomt bovendien dat ik gek word.' Hij wuifde naar twee boekenkasten vol dvd's die het scherm omlijstten. 'Ziet u dat? Dat is mijn referentiebibliotheek. De grootste films ooit gemaakt: de mooiste, baanbrekendste en provocerendste. *The Battleship Potemkin, Intolerance, Rashomon, Double Indemnity, L'avventura, The Seventh Seal*... ze zijn er allemaal. Ik ga nooit ergens naartoe zonder die mee te nemen. En toch bieden ze me niet alleen troost, dr. Marshall, ze vormen mijn orakel, mijn Delphi. Sommigen laten zich door de Bijbel leiden, anderen door de I Ching. Ik heb deze. En ze laten me nooit in de steek. Neem deze bijvoorbeeld.' En met een druk op de afstandsbediening startte Conti de film nogmaals. Het eindeloos zorgelijk kijkende gezicht van Victor Mature vulde het scherm. '*Kiss of Death*. Kent u die?'

Marshall schudde zijn hoofd.

Conti zette het geluid zacht. 'Een vergeten meesterwerk uit 1947. Henry Hathaways doorbraak. U kent Hathaways *House on 92nd Street, 13 Rue Madeleine* toch wel? Hoe dan ook, de held, Nick Bianco...' en hij wees naar Mature, zijn overdreven gezicht nu omlijst door gevangenistralies, 'wordt voor een klein vergrijp naar de Sing Sing-gevangenis gestuurd. Daar wordt hij door zijn gewetenloze advocaat in de luren gelegd. Om voorwaardelijk vrij te komen, sluit hij een deal met de officier van justitie: hij is bereid die psychopaat van een moordenaar, Tommy Udo, erbij te lappen.'

'Klinkt intrigerend.'

'Dat is nog zacht uitgedrukt. Het is niet alleen een briljante film, maar ook nog eens precies de oplossing van mijn probleem.'

Marshall fronste zijn wenkbrauwen. 'Ik begrijp het niet.'

'Toen we ontdekten dat de kat weg was, raakte ik bijna in paniek. Ik was bang dat mijn documentaire – mijn hele carrière zelfs – in gevaar kwam. U kunt zich wel voorstellen hoe ik me voelde. Dit zou mijn neusje van de zalm worden. Ik plaatste mezelf al naast Eisenstein.'

Met een primetime documentaire? dacht Marshall. Hij besloot dat hij maar beter zijn mond kon houden.

'Ik heb de halve nacht lopen ijsberen, bedenkend wat ik zou doen. Toen zocht ik daar raad...' hij gebaarde naar de boekenkasten, 'en opnieuw vond ik daar het antwoord dat ik nodig had.'

Marshall wachtte, luisterde, terwijl Conti nogmaals naar het scherm knikte. 'Ziet u, *Kiss of Death* staat bekend als een *docu-noir*: een kruising tussen een documentaire en film noir. Een uitermate interessant concept. Heel revolutionair.'

Hij draaide zich naar Marshall om, en het oplichtende scherm veranderde zijn gezichtscontouren in een zwart-wit clair-obscur. 'Gisteren was ik er tijdens het heetst van de strijd zeker van dat het om diefstal ging. Maar nu ik erover heb kunnen nadenken, zie ik het anders. Ik ben ervan overtuigd dat het om sabotage gaat.'

'Sabotage?' herhaalde Marshall.

Conti knikte. 'Hoe waardevol de kat ook is, het is zo'n heisa om hem van de basis weg te krijgen – hem in rook op te laten gaan – dat dat eenvoudigweg niet werkt.' Hij tikte de punten met zijn vingers af. 'De dieven – er moeten er minstens twee zijn, want het object is eenvoudigweg te zwaar voor één persoon – zouden transport nodig hebben. Dat zouden ze onmogelijk voor ons kunnen verbergen. En als iemand eerder zou vertrekken, zouden we dat weten.'

'Hoe zit het met Carradine, de trucker? Hij heeft niet alleen de transportmiddelen, hij is ook als laatste aangekomen.'

'Zijn cabine is grondig doorzocht en hij kon al zijn bewegingen verantwoorden. Maar als iemand er slechts op uit was om de opnamen te stoppen, opdat onze show zou verdwijnen...' Hij schokschouderde. 'Dan hoefden ze het karkas alleen maar ergens in een spleet te gooien. Daar zou niemand wijzer van worden.'

'Wie doet nou zoiets?' vroeg Marshall.

Conti keek hem aan. 'U.'

Marshall keek hem verbaasd aan. 'Ik?'

'Nou ja... jullie wetenschappers. Misschien was u het zelf wel. Maar bij nader inzien vind ik dr. Sully meer voor de hand liggen. Hij had er kennelijk behoorlijk de smoor in dat hij geen sterrol kreeg in *De onthulling van de tijger*.'

Marshall schudde zijn hoofd. 'Dat is belachelijk. De documentaire zou gisteren live de lucht in gaan... u zou vandaag zijn vertrokken. Waarom dan saboteren?'

'Dat is waar, ik zou vandaag vertrokken zijn. Maar na een succesvolle opname zou postproductie nog een paar dagen langer duren. En dan heb ik het niet over het ontmantelen van de sets en het weghalen van de apparatuur. Toen ik Sully vertelde hoe lang het zou kunnen duren, was hij daar niet bepaald blij mee.' Conti keek hem onderzoekend aan. De glimlach was nu verdwenen. 'Sully lijkt me een impulsief type. U niet. Daarom ben ik naar u toe gekomen. Ondanks onze kleine aanvaring van laatst denk ik dat u een redelijk man bent. Misschien realiseert u zich meer dan uw collega's wat er op het spel staat. Dus: wáár is verdomme die kat?'

Marshall beantwoordde zijn blik. Ondanks de zorgvuldig bestudeerde gezichtsuitdrukking van de regisseur, was het duidelijk dat Conti een wanhopige dans uitvoerde, op zoek naar een manier, wélke manier ook, om deze situatie te redden.

'Hoe zit het met Logan?' vroeg Marshall, zich het gesprek in de RASP-ruimte van de vorige avond herinnerend. 'Hij dook uit het niets op. Niemand weet wat hij wil. Mij werd verteld dat hij een Yale-professor is, professor in de geschiedenis. Vindt u dat niet vreemd... en heel verdacht?'

'Het is vreemd, ja. Zelfs zo vreemd dat ik hem als verdachte heb uitgesloten. Hij ligt te zeer voor de hand. Bovendien heb ik al gezegd dat ik het op sabotage houd, niet op diefstal. En dr. Logan heeft geen reden om mijn documentaire te saboteren. Dus: waar is de kat? Sully heeft het u vast verteld. Is hij weer terug te halen?'

'Sully heeft me niets verteld. U hebt het tegen de verkeerde. U zou het binnen uw eigen team moeten zoeken.'

Conti bekeek hem nauwlettend, de uitdrukking op zijn gezicht loste langzaam op tot iets wat heel erg op spijt leek. 'Dat is Wolffs taak.' Hij zuchtte. 'Luister. Ik heb er heel veel over nagedacht, en het is van tweeën één. Als we de kat terugvinden, kan ik de film maken die mij voor ogen stond. Ik ben zo goed dat ik dit oponthoud zelfs in mijn voordeel kan laten werken: het wordt er alleen maar opwindender door, en dan kijken er meer mensen. Dat is een win-winsituatie. Of... ik kan er een misdaadverhaal van maken.'

Hij wees met zijn duim naar het scherm. 'Ik heb altijd al een film noir willen maken. En nu kan dat ook... behalve dat ik een wáárgebeurd verhaal ga vertellen. Een gigantisch verhaal, door mijzelf vastgelegd zoals het echt heeft plaatsgevonden: het onderzoek, het ultiem triomferen van gerechtigheid. Zo'n verhaal zal nooit uitsterven, dr. Marshall. Stelt u zich de publiciteit eens voor – positief of negatief – voor degenen die erin voorkomen. Ik hoef alleen de rollen nog maar in te vullen. De held te vinden... én de schurk.'

Op het grote scherm stak Victor Mature een drukke straat over, de skyline van de stad rees als een rij tanden achter hem op. 'Kijk hem nou eens,' zei Conti. 'Een doorsneeman, gevangen in iets groters dan hijzelf. Doet dat u aan iemand denken?'

Marshall gaf geen antwoord.

Conti verschoof weer op zijn stoel. 'Zo, wat gaat het worden, dr. Marshall: doet u het juiste, kiest u de kant van de politie, lapt u de schurk erbij? Of wordt het iets anders… doet u een stomme zet?'

Terwijl Mature uit beeld liep, pande de camera naar een andere figuur, die zich in een donker steegje verschool: bleek, mager, helemaal in het zwart met een witte das, de ogen merkwaardig leeg. Tommy Udo. Hij kwam uit zijn schuilplaats tevoorschijn, keek zorgvuldig om zich heen en verdween in een deuropening.

'Ik vind Richard Widmark geweldig in deze rol,' zei Conti. 'Hij speelt zo'n fantastische psycho. Die gekunstelde manier van doen, die zenuwachtige hyenalach… subliem.'

Nu sloop de moordenaar steels een smalle trap op.

'Ik hoopte u voor de rol van Mature te casten,' zei Conti. 'Maar nu weet ik het niet meer zo zeker. U begint een beetje meer op Widmark te lijken.'

De moordenaar was een appartement binnengegaan en ging op een doodsbange oude dame in een rolstoel af.

'Dat is de moeder van Nick Bianco,' zei Conti.

De camera bleef monochroom objectief toekijken terwijl de vrouw werd ondervraagd en door elkaar werd geschud. Widmark glimlachte nu, een vreemd scheef glimlachje, terwijl hij de rolstoel bij de handgrepen vastpakte en hem uit het morsige appartement naar de overloop reed.

'Moet u kijken,' zei Conti. 'Een onverwoestbaar shot.'

Widmark – nog altijd glimlachend, een grijnzend doodshoofd in een zwart pak – zette de rolstoel boven aan de trap. De spanning bouwde zich op. Toen gaf hij hem een plotselinge, heftige duw en de worstelende vrouw tuimelde met rolstoel en al omlaag op een enkele reis naar de verdoemenis.

Conti zette het beeld stil op Widmarks vertrokken gezicht. 'Het tv-station belt me over zes uur. U hebt er vier om een keuze te maken.'

Zwijgend stond Marshall op.

'En denk eraan, dr. Marshall… linksom of rechtsom, u krijg een rol in die film.'

19

In de afgelopen dagen was de officiersmess vol lawaai en gedoe geweest, het had er van het soort onstuitbare vrolijkheid gezinderd dat eerder op een studentenfeest thuishoorde dan op een afgelegen legerbasis. Vanochtend had hij meer weg van een mortuarium. Mensen zaten in groepjes van twee en drie, prikten futloos in hun ontbijt en zeiden bijna geen woord. Heimelijke, wantrouwige blikken werden gewisseld alsof iedereen de schuldige zou kunnen zijn. Marshall stond in de deuropening en realiseerde zich dat dit eigenlijk ook zo was: iedereen in de mess kon de boosdoener zijn.

Zijn blik viel op een afgelegen tafeltje waar een man in z'n eentje een boek zat te lezen. Hij was blond en mager, en had een zorgvuldig geknipte baard. Logan, de geschiedenisprofessor.

Marshall pakte een snee volkorenbrood en een kop thee, en ging in een opwelling tegenover Logan zitten. 'Goedemorgen,' zei hij.

Logan legde het boek – *Illuminations* van Walter Benjamin – neer en keek de tafel over. 'Dat valt nog te bezien.'

'Wat u zegt.' Marshall trok een kuipje marmelade open en smeerde de inhoud op zijn toast.

'Voor hen is het vast erger dan voor ons.' Logan knikte naar de tafel naast hen, waar de twee cameramannen – Fortnum en Toussaint – wezenloos en in shock hun roereieren op hun bord rondschoven. Een groot deel van de documentaireploeg was aan het werk gezet om op de basis en in de directe omgeving naar de verdwenen kat te zoeken.

'Dat zal wel, ja. Maar ik verdien er geen cent minder om.' Marshall zorgde er wel voor de toon luchtig te houden. 'U?'

Logan roerde in zijn koffie. 'Mij maakt het ook niet zo veel uit.'

'Gelukkig maar. Professor, hè? Middeleeuwse geschiedenis?'

Hij roerde wat langzamer. 'Inderdaad.'

'Interessant onderwerp. Sterker nog, ik heb een verhandeling over de contrareformatie gelezen.' Dat was maar half waar: Marshall had tijdens zijn avondlijke leesuurtje weliswaar een boek over de contrareformatie ter hand genomen, maar met een radeloze hoop dat de ongelooflijk droge kost hem zou helpen in slaap te komen.

Logan trok zijn wenkbrauwen op. Hij had blauwe ogen, waarin – hoewel op het eerste gezicht bijna slaperig – een subtiele en doordringende uitdrukking lag. 'Mmm.'

'Ik heb net een hoofdstuk over het Concilie van Trent gelezen. Verbazingwekkend dat dat zo'n invloed heeft gehad op de katholieke liturgie.'

Logan knikte.

'En sinds de vierde vergadering – die was toch in 1572? – heeft geen enkel concilie meer zo'n invloed gehad.'

Logan stopte met roeren. Hij nam een slok koffie en trok een gezicht. 'Wat een smerige koffie.'

'U zou op thee moeten overstappen, heb ik ook gedaan.'

'Misschien doe ik dat wel.' Logan zette het kopje neer. 'Er waren drie Concilies van Trent, geen vier.'

Marshall gaf geen antwoord.

'En de laatste was in 1563, niet in 1572.'

Marshall schudde zijn hoofd. 'Dan was ik zeker zo moe dat het helemaal verkeerd is aangekomen.'

Logan glimlachte een beetje. 'Volgens mij is het prima bij u aangekomen.'

Er viel een korte, gespannen stilte. Toen lachte Marshall meesmuilend. 'U hebt gelijk. Het spijt me. Dat was echt klunzig van me.'

'Ik kan het u bepaald niet kwalijk nemen. Ik duik uit het niets op met een bizarre taakomschrijving en geen goede reden om hier te zijn, en prompt breekt de pleuris uit.'

'Maar ik had evengoed geen spelletje met u mogen spelen.' Marshall aarzelde. 'Niet dat dat een goed excuus is, maar ik kom net terug van een uiterst onplezierige ontmoeting met Conti.'

'De regisseur? Hij en die pitbull van dat televisiestation, Wolff, hebben me gistermiddag behoorlijk doorgezaagd. Ik heb nog nooit zo'n paranoia meegemaakt.'

'Ja, en het ergste is dat het besmettelijk is. Ik heb er een flinke dosis van meegekregen.' En het zong nog steeds rond: met name sommige dingen die Conti over Sully had gezegd waren aannemelijker dan Marshall wilde toegeven. Hij keek op zijn horloge: hij had nog drieënhalf uur om zijn besluit te nemen.

Hij nam een hapje toast. 'Dus waarom bent u hier, als ik vragen mag?'

Logan schoof zijn kopje opzij. 'Doktersvoorschrift. Het klimaat, weet u wel.'

Marshall schudde zijn hoofd. 'Die had ik verdiend.'

Er viel weer een stilte aan tafel, maar deze keer was die onhandig noch gespannen. Marshall at zijn toast op. Hij merkte dat zijn wantrouwen jegens Logan wegebde. Daar was uiteraard geen logische verklaring voor, behalve dan dat de professor bijna zeker degene was die hij beweerde te zijn. Sterker nog, de man had iets – een soort oprechtheid – waardoor je hem moeilijk als verdachte kon beschouwen.

Logan zuchtte. 'Oké, laten we opnieuw beginnen. Jeremy Logan.' Hij stak vriendelijk zijn hand over tafel uit.

Marshall schudde hem de hand. 'Evan Marshall.'

Logan ging achteroverzitten en sprak op zachte toon. 'Mijn onderzoek houd ik liever onder mijn pet. Op die manier schiet het sneller op. Maar ik veronderstel dat ik het jou wel kan vertellen. Sterker nog, misschien kun je me wel helpen... als je tegen de anderen je mond maar houdt.'

'Afgesproken.'

'Ach, je moet het ook zelf maar weten of je al of niet uit de school wilt klappen.'

'Iemand vertelde me dat je een enigmaloog was. Van dat, eh, vakgebied heb ik nog nooit gehoord.'

'Niemand heeft ervan gehoord. Mijn vrouw heeft me op een speels moment ooit zo betiteld.' Logan haalde zijn schouders op. 'Het doet me aan haar denken.'

'Wat heeft het met middeleeuwse geschiedenis te maken?'

'Bar weinig. Maar het is heel handig om geschiedenisprofessor te zijn. Dat opent deuren, voorkomt vragen... althans, meestal. Ik los mysteries op, verklaar het onverklaarbare: hoe vreemder en bizarder, hoe beter. Soms werk ik professioneel voor anderen. Andere keren, zoals nu, werk ik er in mijn eigen tijd aan.'

Marshall nam een slokje van zijn thee. 'Krijg je in het onderwijs je salaris niet regelmatiger gestort?'

'Geld speelt niet echt een rol. En trouwens, de klussen die ik voor derden doe, betalen meestal meer dan uitstekend, zeker als ik ze niet in een vaktijdschrift mag opschrijven.' Hij stond op. 'Ik geloof dat ik toch de thee ga proberen.'

Marshall wachtte terwijl Logan voor zichzelf een kop thee haalde en naar de tafel terugkeerde. Hij bewoog zich met gemakkelijke, elegante bewegingen die eerder bij een atleet dan bij een professor pasten. 'Wat weet je van Fear Base?' vroeg de man toen hij weer was gaan zitten.

'Net zo veel als iedereen, neem ik aan. Een oud radarstation, gebouwd om een Russische aanval te signaleren. Eind jaren vijftig ontmanteld toen het SAGE-systeem in werking trad.'

'Wist je dat er, toen het nog operationeel was, korte tijd een team wetenschappers is geweest?'

Marshall fronste zijn wenkbrauwen. 'Nee.'

Logan nipte van zijn thee. 'Vorige week was ik in een archief met overheidsdocumenten dat onlangs voor het publiek is opengesteld. Ik was op zoek naar iets anders – middeleeuwse geschiedenis, toevallig – en zocht naar dossiers over het leger in de Tweede Wereldoorlog. Die heb ik inderdaad gevonden. Maar ik vond ook wat anders.'

Hij nam nog een slokje. 'Om precies te zijn een rapport van kolonel Rose, gericht aan een onderzoekscommissie van het leger. Rose was destijds opperbevelhebber op Fear Base. Het was een kort verslag, eerder een samenvatting. Een week later zou hij naar Washington vliegen om daar persoonlijk meer gedetailleerd verslag te doen.'

'Ga door.'

'Het verslag was verkeerd opgeborgen. Het zat achter het dossier waarnaar ik op zoek was, ongelezen en duidelijk al sinds een halve eeuw in het vergeetboek geraakt. Zoals ik al zei, was het heel kort. Maar er stond wel in dat het wetenschappelijk team op Fear Base heel plotseling de dood vond, binnen een paar dagen, in april 1958.'

'Het héle team?'

Logan maakte een temperend gebaar met zijn hand. 'Nee, dat klopt niet helemaal. Er waren acht teamleden. Zeven zijn gestorven.'

'En nummer acht?' vroeg Marshall nu zachter.

'In Rose' rapport staat niet wat er met hem, of haar, is gebeurd.'

'Wat deden ze hier?'

'De bijzonderheden ken ik niet. Het enige wat Rose vermeldde was dat ze een soort anomalie analyseerden.'

'Anomalie?'

'Zo stond het er. En volgens zijn aanbeveling moest het onderzoek onmiddellijk worden opgeschort en mocht er geen tweede team worden gestuurd om het voort te zetten.'

Marshall staarde bedachtzaam in zijn lege kop. 'Verder nog iets te weten gekomen? De naam van de wetenschapper die het heeft overleefd, bijvoorbeeld?'

'Niets. Er is, officieel noch onofficieel, geen ander verslag van welk wetenschappelijk team op Fear Base dan ook. Ik heb grondig gezocht... en geloof me, Evan, inmiddels ben ik heel goed in het boven tafel krijgen van verloren gegane of verborgen informatie. Maar er waren een paar zaken die me bijzonder interesseerden.' Hij boog zich dichter naar Marshall toe. 'Ten eerste lagen er twéé exemplaren van dat rapport achter het genoemde dossier... ik neem aan dat het ene voor het archief en het andere voor het Pentagon bestemd was, dat kan bijna niet anders. Ten tweede: de toon van het rapport van kolonel Rose. Ook al was het niet meer dan een beknopt overheidsmemo, de hysterie droop ervan af. Hij deed de dringende aanbeveling geen wetenschappers meer te sturen: een urgénte oproep.'

'En hoe zit het dan met het gedetailleerde verslag dat hij later in Washington uitbracht? Daar moeten toch verslagen van zijn.'

'Daar is hij nooit aan toegekomen. Hij stierf tien dagen later, tijdens een vliegtuigongeluk op weg naar Fort Richardson.'

'De tweede kopie van dat rapport...' begon Marshall. Toen zweeg hij. 'Dus die hele zaak is eenvoudigweg vergeten.'

'Het geheim stierf met de wetenschappers. En met kolonel Rose.'

'Weet je dat zeker? Dat niemand ervanaf weet, bedoel ik?'

'Als dat zo was, dan heeft iedereen zijn mond stijf dichtgehouden, en inmiddels is iedereen al lang dood. Zou het leger jou en je team anders op Fear Base hebben toegelaten?'

Marshall schudde zijn hoofd. 'Daar had ik nog niet aan gedacht.'

Logan glimlachte vaag. 'Begrijp je nu dat ik het aan jou overlaat of je wel of niet je mond houdt?'

Marshall wachtte even met een antwoord. Toen keek hij Logan aan. 'Dus, Jeremy, waarom bén je dan hier?'

'Doen waar ik het beste in ben. Het mysterie oplossen. Uitzoeken wat er met die wetenschappers is gebeurd.' Hij dronk zijn kop leeg. 'Je hebt gelijk, die thee gaat wel. Nog een kop?'

Maar Marshall gaf geen antwoord. Hij dacht na.

20

De dreun van een dichtslaande deur, een ruk aan het matras, schouders die ruw door elkaar werden geschud. Josh Peters rekte zich uit en haalde de oordoppen uit zijn oren. Terwijl zijn droom en de pianodromerijen van McCoy Tyner allebei in zijn herinnering wegebden, keerden de geluiden van de realiteit – en Fear Base – terug: geratel in de verte, het onophoudelijk getik van de verwarmingsbuizen en de ongeduldige stem van zijn kamergenoot Blaine.

'Josh. Hé, Josh. Opstaan, verdomme.'

Peters zetten zijn muziekspeler af en knipperde met zijn ogen. Blaines rode en door de wind gegroefde gezicht dreef zijn gezichtsveld in.

'Wat?' mompelde Peters.

'Wat "wat"? Het is jouw beurt, man. Ik heb een uur in die shit buiten gezeten.'

Peters worstelde zich overeind en viel toen weer op zijn brits terug.

'Schiet nou maar op. Het is over negenen en je wilt niet dat Wolff je betrapt terwijl je nog ligt te pitten.'

Dat deed het 'm. Peters stapte uit bed en wreef driftig met zijn handen over zijn gezicht.

'Het is zo'n belachelijke toestand,' zei Blaine kregelig. 'We hebben al een hele dag gezocht. In die storm vindt niemand iets. Doe gewoon wat ik heb gedaan: loop rondjes, doe alsof je druk bezig bent en zorg dat je reet er niet af vriest.'

Peters gaf geen antwoord. Hij trok een shirt aan en stapte in zijn schoenen. Misschien kon hij hier half slapend door komen, weer naar zijn brits terugkeren en verdergaan waar hij gebleven was: een verrukkelijk dromerig muziekstuk terwijl Ashleigh Davis hem over zijn hele lichaam met hazelnootolie masseerde, de eetbare variant…

‘Als we terug zijn, schakel ik de vakbond in. Ik bedoel, ik ben ingehuurd om de digitale bibliotheek bij te houden en opnamen te rubriceren, niet om de verschrikkelijke sneeuwman te zoeken. En dan nog wat. Waarom moeten wíj buiten rondkijken. Waarom mogen wij niet wat Fortnum en Toussaint doen: de kasten doorzoeken?’

‘Omdat wij productieassistenten zijn. Je hoeft geen genie te zijn om dat te bedenken.’ Peters schuifelde met losse veters naar buiten en liet de deur wijd openstaan.

Als een slaapwandelaar zocht hij een weg door de lange gangen, de weergalmende trap op naar het plein bij de ingang. Dat was verlaten op een geniesoldaat in de wachtpost na. Peters zwaaide achteloos naar hem toen hij de klimaatkamer in schuifelde, zijn kast opende en zijn parka aantrok. Blaine had gelijk: wat een gelul was dit, zeg. De helft van de basis was toch al verboden terrein voor ze. Als híj het karkas zou willen verstoppen, zou hij dat wel ergens doen waar de anderen niet mochten komen. Of misschien in de soldatenkwartieren... die zouden het bepaald niet fijn vinden als een troep filmflikkers met hun poten aan hun spullen zaten. Maar waar het werkelijk om ging, was dat alleen een idioot dat schepsel ín de basis zou verstoppen. Niet alleen waren daar veel te veel pottenkijkers, maar het was er zo warm en vochtig dat je er een orchideeënkwekerij kon beginnen. Als daar ergens een karkas zou zijn – en dan nog wel eentje van tienduizend jaar oud – ging dat binnen de kortste keren stinken. Nee, zelfs iemand met maar één hersenhelft zou dat ding buiten verbergen.

En daar ging hij dan ook naartoe.

Peters bleef staan om zijn naam en de tijd in het logboek op te schrijven dat Wolff daar had neergelegd. Toen stak hij de verzamelplaats over, maakte de hoofdingang open en stapte naar buiten. Bij de eerste bijtende windvlagen werden de laatste zich nog vastklampende restjes slaap bruut weggerukt. Elke hoop dat hij na deze dienst van een uur weer kon gaan slapen, werd de bodem ingeslagen. Hij had gehoord dat het zulk slecht weer was geworden, dat ze niet weg konden, vliegtuigen konden niet landen of opstijgen. Erover horen was één ding, er zelf middenin zitten was iets anders. Hij wankelde naar de buitendeuren terug, boog zijn hoofd en zette zich schrap tegen de windvlagen. Scherpe koude naaldjes prikten in zijn wangen en hij dook nog verder in zijn met bont afgezette capuchon. Door de neertuimelende ijzel en sneeuw onderscheidde hij de vage omtrek van de portakabins. Hij zette voorzichtig een stap naar voren, toen nog een. Het was zo donker dat het eerder nacht leek dan dag. Het touwwerk en de stellages van de setknechten zwaaiden als reusachtige meccanoconstructies heen en weer, protesteerden krakend onder de hevige windstoten.

Om de beurt zoeken: een uur op, elf uur af. Zes zoekers binnen, zes buiten... het laatste aantal was tot drie teruggebracht vanwege de storm. Maar evengoed was het nauwelijks te geloven dat er twee andere arme drommels met hem daarbuiten voor niets die shit moesten doorzoeken. Dit was te gek voor woorden. Wat waren Wolff en Conti trouwens van plan?

Met zijn gezicht van de wind afgekeerd ploeterde hij een stuk of tien stappen naar voren naar een opslagschuur, de deur rammelde kribbig in de sponning . Hij bleef even staan en sloeg toen links af naar de portakabin die fungeerde als tijdelijke werkplaats voor de setknechten. Hij gluurde door het raam: leeg, natuurlijk. Was het echt nog maar twee dagen geleden dat hij hier had rondgehangen, op een pittig stuk gedroogd vlees had staan kauwen en de spot had gedreven met die legerjongens en lamlullen van een wetenschappers die op deze godvergeten plek vastzaten? Nu zaten diezelfde soldaten en wetenschappers hoog en droog binnen... en stond hij hier te bevriezen.

Vloekend liep hij weer verder, telde de stappen: tien, twintig, dertig, tot hij bij de cabine van de ijstrucker kwam. Hij schuilde achter een van de reusachtige banden, gedeeltelijk van de wind en sneeuw afgeschermd. Hij was nog geen vijf minuten buiten en nu al verdoofd.

Opnieuw moest hij aan de twee anderen denken die ook buiten moesten zijn, ook aan het zoeken waren. Stom dat hij bij het tekenen van het logboek daar niet op had gelet. Met z'n allen ging de tijd sneller. Hij opende zijn mond om ze te roepen, maar toen hij voelde dat de wind hem onmiddellijk de adem benam, bedacht hij zich. Waarom zou hij energie verspillen als toch niemand hem kon horen?

Hij schuifelde weer naar voren tot het gaashek van de omheining plotseling uit de grijze soep voor hem opdoemde. Hij bleef staan en streek met een hand langs het hek. Hij was gewaarschuwd om met dit weer niet te ver van de basis af te dwalen, en met rondzwervende ijsberen die de toendra afstroopten was hij ook van plan die raad tot op de letter ter harte te nemen. Hij deed nog een paar stappen naar de stalen vouwwanden van de verlaten veiligheidspost en liep erlangs. Hij zou één rondje om het hek maken, op een armlengte afstand. Meer konden ze niet van hem verwachten. Dan zou hij de rest van het uur in een portakabin gaan schuilen om een beetje warm te worden.

Voorbij de veiligheidspost stapte hij van het omliggende platform op de permafrost. De wind leek wel dubbel zo woedend. Hij ploeterde nu sneller door, een stap, een volgende, en nog een... Hij wankelde als een blinde man vooruit, een hand langs het hek en zijn ogen bijna stijf dicht tegen de ijzel. De wind jankte om zijn hoofd waardoor zijn oren merkwaardig gingen suizen. Voor zijn gevoel was hij daar al een eeuwigheid. Jezus, dit was verschrikkelijk. Blaine had gelijk: hij zou een klacht indienen, niet alleen bij de vakbond, maar ook bij het tv-station. Zodra hij online was, zou hij dat doen, hij zou zelfs niet wachten tot hij in New York terug was. Het maakte niet uit dat hij slechts productieassistent was, hierover stond niets in zijn taakomschrijving en Wolffs gelul over 'noodmaatregelen' was niets anders dan...

Hij bleef staan. Zijn hand viel van het hek af en hij keek om zich heen, even de venijnige kou en stekende wind vergetend.

Waarom was hij blijven staan? Hij had niets gezien. En toch stonden al zijn zintuigen op scherp en bonsde zijn hart. Hij had ten oosten van Tompkins Square Park gewoond en daar een krachtig overlevingsinstinct ontwikkeld, maar dit was geen New York City, hij was nu in een godvergeten verlaten uithoek.

Hij schudde zijn hoofd, liep door en bleef weer staan. Wat was dat voor geluid, dat van overal en nergens vandaan leek te komen, waardoor zijn hoofd vol zoemende insecten leek te zitten? En wat was die donkere en onwezenlijke schim, daar verderop in de wervelende sneeuwstorm?

'Wie is daar?' riep hij, maar hij had de woorden nog niet uitgesproken of de wind rukte ze alweer weg.

Met knipperende ogen stond hij ingespannen te turen, en met een bloedstollende kreet van angst wankelde hij naar achteren, draaide zich om en vluchtte half vallend, half strompelend in de richting van de veiligheidspost. Gillend en brabbelend van plotselinge redeloze angst deed Peters nog twee stappen voor een vernietigende klap van achteren hem op de knieën sloeg... Hij piepte, zijn ogen puilden uit en toen voelde hij plotseling een heftige, onvoorstelbare pijn tussen zijn schouderbladen. En een gapende duisternis eiste hem voor zichzelf op.

21

Het natuurkundig en biowetenschappelijk laboratorium was een omgebouwde plaatmetalen werkplaats op B-niveau. Het was eigenlijk geen echt lab, bedacht Marshall toen hij net binnen de deuropening stond en naar de laptops, microscopen en andere instrumenten keek die verspreid lagen over een stuk of vijf werktafels: in wezen voldeed het nauwelijks om de dagelijkse analyses en observaties uit te voeren, voordat ze hun gegevens en monsters mee terug konden nemen naar Massachusetts.

Achter in het lab zaten Faraday en de promovendus Ang Chen over iets gebogen, de rug naar hem toe, met hun hoofd bijna tegen elkaar aan. Marshall zocht zich tussen de tafels door een weg naar hen toe. Toen hij dichterbij kwam, zag hij wat ze zo geconcentreerd aan het bestuderen waren: een rekje met een stuk of tien kleine testbuisjes.

'Dus hier hebben jullie je verstopt,' zei hij.

De twee gingen rechtop zitten en draaiden zich met de snelle, schuldige bewegingen van een betrapt kind naar hem om. Marshall fronste zijn wenkbrauwen.

'Wat zijn jullie aan het doen?' vroeg hij.

Faraday en Chen keken elkaar even aan.

'We zijn iets aan het analyseren,' zei Faraday na een ogenblik.

'O.' Marshall keek naar de testbuisjes. Er zaten verschillende kleuren vloeistof in: rood, blauw, lichtgeel. 'Jullie gaan er kennelijk helemaal in op.'

Faraday zei niets. Chen haalde zijn schouders op.

'Wat is het?' vroeg Marshall plompverloren.

In de stilte die daarop volgde, keek hij naar de tafels ernaast, nu nauwlettender. Verspreid over een tafel lagen Faradays foto's van de binnenkant van de kluis en er waren nu met viltstift cirkels en pijlen op getekend. Op een andere tafel stond naast een stereomicroscoop een plastic doos vol met iets wat op houtsnippers leek.

Faraday schraapte zijn keel. 'We onderzoeken het ijs.'

Marshall keek naar hem terug. 'Welk ijs?'

'Het ijs waarin de kat – dat schepsel – bevroren zat.'

'Hoe dan? Dat ijs is al eeuwen geleden gesmolten. En het smeltwater zou besmet zijn en dus waardeloos als wetenschappelijk monster.'

'Dat weet ik. Daarom heb ik de monsters bij de bron genomen.'

'De bron?' Marshall fronste zijn voorhoofd. 'Bedoel je... uit de ijsgrot?'

Faraday duwde zijn bril verder op zijn neus en knikte.

'Ben je in deze storm naar de grot teruggegaan? Je bent gek.'

'Nee, ik ben er gisternacht geweest. Na onze bijeenkomst in de RASP-ruimte.'

Marshall sloeg zijn armen over elkaar. 'Dat is net zo krankzinnig. Midden in de nacht? Die grot is onder de beste omstandigheden nog gevaarlijk.'

'Je lijkt Gerard wel,' zei Faraday.

'Er hadden ijsberen kunnen rondzwerven.'

'Ik ben mee geweest,' zei Chen. 'Ik had een geweer bij me.'

Marshall zuchtte en leunde tegen een tafel achterover. 'Oké. Wil je me vertellen waarom je dat hebt gedaan?'

Faraday keek hem aan en knipperde met zijn ogen. 'Waar we het eigenlijk op die bijeenkomst al over hebben gehad. Er klopt gewoon iets niet.'

'Vertel mij wat. Er is een dief in ons midden.'

'Dat bedoel ik niet. Dingen stapelen zich op. Het plotselinge ontdooien, het verdwenen schepsel, de inkepingen...' Hij wees naar de plastic doos naast de microscoop. 'Ik heb een paar monsters rondom de randen van het gat genomen en ze veertig keer uitvergroot bekeken. Er is geen twijfel mogelijk: die sporen zijn van bínnenuit gemaakt, niemand heeft van buitenaf de vloer opengezaagd.'

Marshall knikte. 'Daarstraks zei je dat ik op Sully leek. Wat bedoelde je daarmee?'

'Toen hij hoorde dat ik naar de grot was geweest, ging hij uit zijn dak. Hij zei dat het tijdverspilling was en dat we die monsters net zo goed konden weggooien.'

Marshall gaf niet meteen antwoord. Hij herinnerde zich hoe afwijzend Sully tegenover deze theorie had gestaan... en over de foto's in het algemeen. Hoewel het misschien roekeloos van Faraday was geweest dat hij überhaupt de monsters had genomen, was het een wetenschappelijk gegeven dat als ze eenmaal genomen waren, ze geanalyseerd moesten worden. Hij dacht opnieuw na over wat Conti over Sully had gezegd.

Chen keek naar Faraday en knikte toen naar de houtmonsters. 'Vertel hem van dat andere.'

Faraday streek de voorkant van zijn labjas glad. 'Toen ik de snippers onder de microscoop bestudeerde, vonden we ook monsters haarklitten en wat opgedroogde, donkere vloeistof die rondom de scherpere randen zat gekoekt.'

'Gekoekt?' herhaalde Marshall. 'Was het bloed?'

'Ik heb het nog niet geanalyseerd,' zei Faraday. Hij opende zijn mond, maar sloot hem weer alsof hij zich bedacht.

'Voor de draad ermee,' zei Marshall. 'Kom nu ook maar met de rest.'

Faraday slikte. 'Die inkepingen...' begon hij. 'Ik weet het niet. Onder de scoop leken ze niet van een zaag te komen.'

'Waar dan wel van?'

'Ze leken eerder een... natuurlijke oorzaak te hebben.'

Marshall keek beurtelings van Faraday naar Chen. 'Natuurlijk? Ik begrijp het niet.'

Deze keer nam Chen het woord. 'Niet doorgezaagd. Eerder doorgekáúwd.'

De stilte die daarop volgde duurde heel wat langer.

'En denk je dat ik dat geloof, Wright?' zei Marshall ten slotte, terwijl hij zijn best deed niet te laten merken hoe sceptisch hij was.

Faraday schraapte nogmaals zijn keel. 'Luister,' zei hij, met zachtere stem nu. 'Wanneer ik iets zeker weet – áls ik iets weet – dan vertel ik het je. Dat houd ik niet voor me. Ik heb alleen geen zin meer in Sully's kritiek.'

'Sully,' herhaalde Marshall bedachtzaam. 'Weet je waar hij is?'

'Ik heb hem in geen uren gezien.'

'Oké.' Marshall trok een zorgelijk gezicht. Hij liep langzaam bij de tafel vandaan. 'Als je meer weet, laat je me dat dan weten?'

Faraday knikte. Met nog een laatste, onderzoekende blik op de beide mannen draaide Marshall zich om en liep op zijn gemak het lab uit.

22

Jeremy Logan waagde zich behoedzaam door de smalle gangen op E-niveau. Hij was anderhalf uur op onderzoek uit geweest voor hij hier was beland, de laagste etage van de centrale sectie van Fear Base. Hij was dieper in de basis doorgedrongen, had gangen aangetroffen met toenemende hoeveelheden ondefinieerbare rommel: op elkaar gestapelde bureaus, werktuigen, stukken ouderwets elektrisch gereedschap, uit elkaar vallende dozen vol vacuümbuisjes. Het was alsof door de jaren heen alle niet gebruikte rotzooi van de basis letterlijk naar de bodem was gezonken.

C-niveau was voornamelijk bedoeld geweest voor de ondersteunende diensten die vroeger op de basis waren: keukens, wasruimten, een verstelwerkplaats. Op D-niveau bevonden zich het kantoor van de kwartiermeester en talloze opslagruimten, evenals een aantal reparatiewerkplaatsen. Op elke verdieping waren er steeds minder brandende gloeilampen. In tegenstelling tot de verstikkend warme bovenverdiepingen, was het hier ronduit koud. De stank van de basis – zelfs op de hogere niveaus onontkoombaar – was hier een stuk erger. Logan trok zijn neus op voor de muskusachtige lucht.

E-niveau bestond uit een wirwar van allerlei nevenruimten en mechanische systemen. De plafonds waren hier nog lager dan elders en overal liepen buizen en kabels. De meeste gloeilampen waren uit hun fitting gedraaid, en de exemplaren die er nog wel in zaten, deden het niet. Logan bewoog zich langzaam van ruimte naar ruimte, flitste met zijn zaklamp heen en weer. Veel voorwerpen waren bedekt met oude zeildoeken, goed geconserveerd in de koude, droge lucht. Hij vroeg zich af wanneer iemand voor het laatst zo diep in de basis was doorgedrongen. Het leek wel of hij in een tijdcapsule was gestapt.

Hij bleef staan in wat op een reservecontrolekamer leek, een back-up voor het geval de hoofdsystemen boven uitvielen. De zwarte beeldschermen en oscilloscopen knipoogden naar hem toen hij er licht over liet schijnen. Het was hier volkomen stil. In een ingeving deed hij de zaklamp uit. Onmiddellijk werd hij overspoeld door een intense duisternis. Hij deed de lamp snel weer aan, liep de controlekamer uit en de gang door, wenste dat hij een paar reservebatterijen had meegenomen, of liever nog: een reservelamp. Hij had er niets aan als deze zou uitvallen.

Hij liep langs nog een paar volgepropte ruimten, hun deuropeningen waren zwarte, vierkante gaten, tot de gang bij een T-kruising eindigde. Hij bleef staan, probeerde zich in dit verwarrende legerlabyrint te oriënteren. Als hij zich niet vergiste, ging de gang links min of meer naar het zuiden. Hij sloeg rechts af en liep door.

Binnen twintig meter eindigde de gang bij een zware stalen deur – eigenlijk een luik – zonder raam en met stevige klampen gebarricadeerd. Aan het plafond erboven hing een rood peertje in een smalle kooi – uit, net als de rest op E-niveau – en op de muur ernaast schreeuwde een bord: WAARSCHUWING, ALLEEN MET TOESTEMMING BETREDEN. F29-VERKLARING VERPLICHT.

Logan las het bord nogmaals, en toen weer. Hij liet zijn licht over het stalen luik spelen. Hij deed een stap naar voren, legde een hand op de dichtstbijzijnde klamp en rukte eraan. Die zat vast. Hij keek er beter naar en zag dat zelfs als hij de klampen zou los krijgen dat niet veel zou uitmaken: aan één kant van het sluitijzer zat een zwaar hangslot.

Plotseling draaide Logan zich om. Met zijn rug naar het luik doorboorde hij met zijn licht de gang. Het was doodstil op de basis. Hij had al bijna anderhalf uur niemand gezien. En toch wist hij zeker – geheel en al en volslagen zeker – dat hij zojuist iets had gehoord.

'Wie is daar?' riep hij.

Geen antwoord.

Hij bleef stokstijf staan, alleen zijn hand met de priemende zaklamp bewoog. Was het iemand van de filmploeg op zoek naar het verdwenen karkas? Niemand was toch zeker zo stom om het helemaal hierheen te slepen... of zover te gaan zoeken?

'Wie is daar?' riep hij. Opnieuw stilte.

Hij kon net zo goed teruggaan. Hij had gevonden waar hij naar zocht en kon toch niet verder. Het luik was verzegeld. Hij haalde diep adem en liep naar voren, bleef toen weer staan, zich er ongemakkelijk van bewust dat hij in een doodlopende gang stond. Hij kon op geen enkele andere manier naar boven dan door deze gang. Waar het geluid vandaan was gekomen.

Toen hoorde hij het opnieuw: een tred, het geluid van een voetstap. Toen weer een. En toen kwam er uit de richting van het kruispunt een gedaante tevoorschijn. Logans lichtbundel zwaaide er als een magneet naartoe. Het was sergeant Gonzalez, de commandant van het basisdetachement.

Logan slikte, voelde dat zijn inmiddels strakgespannen spieren zich nu wat ontspanden. Hij plakte een neutrale uitdrukking op zijn gezicht.

Gonzalez kwam langzaam naar hem toe lopen, zijn eigen Maglite hield hij losjes in zijn potige hand vast. 'Mooie ochtend voor een wandeling,' zei hij terwijl hij verder liep.

Logan glimlachte.

Gonzalez liet zijn licht over Logans gezicht dwalen. 'U bent dr. Logan, hè?'

'Inderdaad.'

'Wat doet u hier, doctor? Bent u ook op zoek naar het schepsel?'

'Nee. Bent u me gevolgd?'

'Laten we het erop houden dat ik nieuwsgierig was naar wat iemand hier uitspookte.'

Logan stond op het punt hem te vragen hoe hij daarachter was gekomen. Hij bedacht dat de sergeant hem dat waarschijnlijk niet zou vertellen.

'Dus wat spookt u hier uit?' vroeg Gonzalez.

Logan wees met een duim naar de kluis achter hem.

Gonzalez fronste zijn voorhoofd. 'Hoezo?'

'Dit is toch de noordvleugel? De wetenschappelijke sectie?'

Gonzalez keek hem behoedzaam aan. 'Wat weet u daar precies van?'

'Niet veel. Daarom ben ik hier.' Logan deed een stap naar voren. 'U hebt niet toevallig de sleutel, hè?'

'En als ik hem had, zou ik hem niet gebruiken. Dat is verboden, niet toegestaan. Zelfs voor mij.'

'Maar hier is wetenschappelijk werk verricht, toch?'

'Ik ben bang dat ik die vraag niet kan beantwoorden.'

'Luister, sergeant. Ik heb een eind gereisd om erachter te komen wat zich achter die deur bevindt. Ik heb erover gehoord toen ik onlangs vrijgegeven papieren onder ogen kreeg. Het wekte mijn belangstelling. Ik ben geen spion en geen journalist. Kunt u me dan helemaal niets vertellen?'

Gonzalez gaf geen antwoord.

Logan zuchtte. 'Oké. Ik zal u vertellen wat ik weet. In de jaren vijftig was deze basis niet alleen een radarstation. Er werd ook wetenschappelijk werk uitgevoerd. Of het om onderzoek, experimenten of wat ook ging, dat weet ik niet. Maar er is iets misgegaan... iets waardoor het werk voortijdig is stilgelegd. Klopt dat een beetje met wat u is verteld?'

Gonzalez keek hem van achter zijn zaklamp aan... een lange, taxerende blik. 'Ik heb alleen maar geruchten gehoord,' zei hij. 'Van de jongens die hier voor mij gestationeerd waren.'

Logan knikte.

'De noordvleugel is hier in de natuurlijke berghelling gebouwd en is in wezen een steunconstructie voor de rest van de basis. Dat luik leidt naar een hoger niveau.'

'Een hóger niveau?'

'Inderdaad. De noordvleugel is helemaal ondergronds. Ik weet niet wat ze daar verstopten, maar het was supergeheim.' Gonzalez aarzelde, toen ging hij ondanks het feit dat ze zich op zo'n afgelegen plek bevonden zachter praten. 'Maar er werd gezegd dat er vreemde dingen gebeurden.'

'Wat voor vreemde dingen?'

'Geen idee. De mannen die er toen zaten wisten het ook niet. Een van hen hoorde dat een paar wetenschappers door een ijsbeer zijn gemold.'

'Gemold?' herhaalde Logan. 'In de noordvleugel?'

'Dat zei hij.'

'Hoe komt een ijsbeer hier beneden?'

'Dat bedoel ik nou.'

Logan tuitte zijn lippen. 'U weet niet of iemand met die wetenschappers heeft gepraat?'

'Geen idee.'

'Waar sliepen ze?'

Gonzalez schokschouderde. 'Op C-niveau denk ik. Hoe dan ook, daar zijn extra britsen die het leger nooit gebruikt.'

Er viel een korte stilte voor Logan sprak. 'Uit het achtergrondspeurwerk dat ik heb gedaan, blijkt dat er op geen van de andere twee radarstations wetenschappers gedetacheerd zijn geweest.'

In plaats van te antwoorden, wees Gonzalez naar het waarschuwingsbord op de muur.

'Wat is een F29-verklaring?' vroeg Logan.

'Nooit van gehoord. Wel, doctor, zullen we weer naar boven gaan?'
'Nog een laatste vraag. Hoe vaak komt u hier beneden?'
'Zo weinig mogelijk. Het is er koud, donker en het stinkt er.'
'Dan spijt het me dat ik u tot last ben geweest.'
'En het spijt mij dat u hier helemaal voor niets naartoe bent gekomen.'
'Dat valt nog te bezien.' Logan maakte een handgebaar. 'Na u, sergeant.'

23

Marshall beende met Penny Barbour door de gang naar Conti's verblijven. Hij had gewild dat meer collega-wetenschappers met hem mee waren gegaan, al was het maar om te laten zien dat ze met meer waren – om te bewijzen dat ze solidair met elkaar waren, wat feitelijk niet het geval was – maar dat was onmogelijk gebleken. Niemand wist waar Sully was. En Marshall had Faraday en Chen niet tijdens hun analyses willen storen. En dus was het uiteindelijk op hem en de computergeleerde neergekomen.

Toen ze voor de deur bleven staan, hoorde Marshall gemompel van een gesprek in de kamer erachter. Hij keek Barbour aan. 'Ben je hier klaar voor?'

Ze keek terug. 'Jij doet het woord, snoes. Niet ik.'

'Maar je steunt me wel, ja?'

Ze knikte. 'Natuurlijk.'

'Oké.' Marshall stak zijn hand op om aan te kloppen.

Op datzelfde moment klonken de stemmen aan de andere kant van de deur plotseling luider. 'Dat gaat alle fatsoen te buiten!' hoorde Marshall Wolff zeggen. 'Dat verbíéd ik ten enenmale!'

Marshall roffelde op de deur.

Er viel onmiddellijk een stilte. Tien seconden verstreken voor Wolff zei, nu op kalme toon: 'Binnen.'

Marshall opende de deur voor Barbour en liep achter haar aan. Er stonden drie mensen in het midden van het elegante vertrek: Conti, Wolff en Kari Ekberg. Marshall bleef staan en keek naar ze. Conti zag heel bleek en Kari's ogen waren rood en opgezwollen. Beiden hadden hun ogen neergeslagen. Alleen Wolff keek met een ondoorgrondelijk gezicht naar Marshall.

Marshall haalde diep adem. 'Meneer Conti, de deadline die u had gesteld is pas over een uur. Maar ik heb niet meer tijd nodig.'

Conti keek hem even aan en keek toen een andere kant op.

'Ik heb er met mijn collega's over gesproken en ik ben ervan overtuigd dat geen van hen iets te maken heeft met de verdwenen kat.' Dit was voor het grootste deel waar: Barbour had bijna zijn hoofd eraf gebeten toen hij haar had gevraagd of zij wist wat er met het beest was gebeurd en als Faraday er verantwoordelijk voor was, zou hij nu niet in zijn lab de verdwijning aan het onderzoeken zijn. Marshall had Sully nog altijd niet gevonden... en ook al hád de klimatoloog zich wat merkwaardig gedragen, hij had het vast niet in zijn eentje gedaan.

Conti gaf geen antwoord en Marshall vervolgde: 'Bovendien vind ik uw dwingende en intimiderende manier van doen beledigend. En het feit dat u het er zo duimendik bovenop legt dat iemand uw show heeft gesaboteerd – dat er een complot gaande is om u van de basis weg te krijgen – grenst aan paranoia. Maak gerust uw aangepaste documentaire, als dat uw ijdelheid streelt. Maar als u iets zegt of suggereert over mij of mijn collega's, of ons beschuldigt van iets wat op wélke manier ook in strijd is met de feiten, dan kunnen u en Terra Prime erop rekenen dat u onmiddellijk een grote en heel boze groep advocaten op uw nek krijgt.'

'Oké,' zei Wolff. 'Dat is duidelijk.'

Marshall reageerde daar niet op. Hij keek van Wolff naar Conti en weer terug. Hij merkte dat zijn hart bonsde en dat hij moeilijk ademde.

Wolff bleef hem aankijken. 'Als u verder niets te melden hebt, wilt u dan zo vriendelijk zijn te vertrekken?'

Marshall keek weer naar Conti. Eindelijk keek de regisseur naar hem op en knikte bijna onmerkbaar. Het was zelfs niet duidelijk of hij ook maar iets van de woordenwisseling had gehoord.

Kennelijk viel er niets meer te zeggen. Marshall keek naar Barbour en maakte een gebaar naar de deur.

'Ga je het ze niet vertellen?' vroeg Kari heel zachtjes.

Marshall keek haar aan. De veldproducer keek met een opgejaagde uitdrukking op haar gezicht van Conti naar Wolff.

'Ons wat vertellen?' vroeg Marshall.

Wolff fronste zijn wenkbrauwen en maakte een afwerend gebaar.

'Je kúnt dit niet geheimhouden,' zei Kari, nu met luidere stem, zelfverzekerder. 'Als jullie het niet vertellen, doe ik het.'

'Ons wat vertellen?' herhaalde Marshall.

Er viel een korte stilte. Toen wendde Kari zich tot hem. 'Het gaat om Josh Peters, een van onze productieassistenten en assistent van de *supervising editor*. Hij is tien minuten geleden buiten de omheining gevonden. Dood.'

Marshall voelde een schok door zich heen gaan. 'Bevroren?'

Hierop ontwaakte Conti. 'Aan stukken gescheurd,' zei hij.

24

De ziekenboeg van Fear Base, een verwarrend claustrofobische wirwar van grijze kamertjes, bevond zich naast de legerverblijven diep in de zuidvleugel. Marshall was daar slechts één keer eerder geweest, voor een zwaluwstaartje en een tetanusprik nadat hij zijn arm aan een roestige spijker had opengehaald. Net als het grootste deel van de basis leek de plek zo uit een oude filmset te zijn weggelopen. Oude intentingsschema's en posters met waarschuwingen tegen luis en voetschimmel hingen aan de muur. Een stuk of vijf nieuwe flessen betadine en waterstofperoxide waren haastig naast oude, bijna versteende bekerglazen met jodium en ontsmettingsalcohol weggeborgen in kasten met glasdeuren ervoor. Over alles lag een grauwsluier die zich haast als een stoflaag aan het sanitair en de meubels vastklampte.

Marshall keek om zich heen. De ruimte, die ooit had gediend als kantoor annex wachtkamer, zat vol mensen – Wolff, Conti, Kari Ekberg, Gonzalez en de soldaat met het peenhaar die Phillips heette – waardoor hij zich in de krappe ruimte nog meer opgesloten voelde. Sully was eindelijk komen opdagen – hij had, zei hij, weertabellen in een afgelegen lab bestudeerd – met de sombere verwachting dat de sneeuwstorm de komende achtenveertig uur zou aanhouden. Nu stond hij in een hoek en zijn verhitte gezicht stond boos. Niemand, zo leek het, wilde door de deuropening naar de aangrenzende ruimte kijken, de vroegere onderzoekskamer. Nu was die een provisorisch lijkenhuis.

Sergeant Gonzalez had de ongelukkige productieassistent die het lijk had gevonden ondervraagd: een slungelige knul van begin twintig met een spichtig sikje. Marshall wist niets van hem, behalve dat hij Nieman heette.

'Heb je verder nog iemand in de buurt gezien?' vroeg Gonzalez.

Nieman schudde zijn hoofd. Hij had een verdwaasde, glazige blik in zijn ogen, alsof hij zojuist tegen een vleermuis was gebotst.

'Wat deed je buiten?'

Lange stilte. 'Ik had dienst.'

'Wat voor dienst?'

'Naar de verdwenen kat zoeken.'

Gonzalez sloeg zijn ogen ten hemel en wendde zich woedend tot Wolff. 'Is dat nog steeds aan de gang?'

Wolff schudde zijn hoofd.

'Mooi zo, anders was het op mijn bevel nu wel afgelopen geweest. Als u uw mensen niet op zo'n hopeloze onderneming had gestuurd, zou Peters nu nog leven.'

'Dat weet u niet,' antwoordde Wolff.

'Natuurlijk weet ik dat wel. Als Peters niet buiten was geweest, zou hij niet tegen een ijsbeer aan zijn gelopen.'

'U slaat er maar een slag naar,' zei Wolff.

Gonzalez keek hem nors aan.

'U zegt dat het een ijsbeer is geweest. Deze man kan ook vermoord zijn.'

Gonzalez zuchtte afkerig en – zonder zich een antwoord te verwaardigen – richtte hij zijn aandacht weer op Nieman. 'Heb je iets gehoord? Iets gezien?'

Nieman schudde zijn hoofd. 'Niets. Alleen maar bloed. Overal bloed.' Hij zag eruit alsof hij moest overgeven.

'Oké. Voorlopig laten we het hierbij.'

'Wie heeft het lichaam hier gebracht?' vroeg Marshall aan Gonzalez.

'Ik. Samen met soldaat Fluke.'

'Waar is Fluke?'

'In zijn slaapkamer. Hij voelt zich momenteel niet helemaal joppietof.' De sergeant knikte naar Phillips. 'Breng jij meneer Nieman even naar zijn kamer?'

Kari stapte naar voren. 'Ik ga met je mee.'

'Praat er niet met de anderen over,' zei Wolff. 'Nog niet.'

Kari keek hem aan. 'Dat zal wel moeten.'

'Dat veroorzaakt alleen maar onnodige angst,' zei Wolff tegen haar.

'Angst wordt juist veroorzaakt door geruchten en achterklap,' antwoordde ze. 'En dat is nu al aan de gang.'

'Ze heeft gelijk,' zei Gonzalez. 'Het is beter als de mensen het te horen krijgen.'

Wolff keek hen beurtelings aan. 'Goed dan. Maar je hoeft niet over de verwondingen uit te weiden.'

'En waarschuw iedereen dat ze binnen moeten blijven,' voegde Gonzalez eraan toe.

Kari liep naar buiten, gevolgd door Nieman en soldaat Phillips. Marshall keek ze na en merkte dat Kari veranderd was. Tot nu toe was ze Conti en Wolff steeds heel respectvol tegemoet getreden. Maar in de nasleep van Peters' dood leek ze anders te zijn. Niet alleen had ze de eenheid met haar bazen doorbroken en de wetenschappers van de moord op de hoogte gesteld, maar nu tartte ze openlijk hun bevelen.

Hij merkte dat Wolff hem aanstaarde. 'Wat is er?' vroeg hij.

'Nu u hier toch bent, kunt u niet even naar hem kijken?'

'Naar hem kijken?' herhaalde Marshall.

'U bent toch bioloog?'

Marshall aarzelde. 'Paleo-ecoloog.'

'Dat komt in de buurt. Tot de storm gaat liggen en we met een vliegtuig weg kunnen, moeten we het lijk op een koele plek leggen. Maar wilt u niet even kijken en zeggen wat u ervan denkt?'

'Ik ben geen patholoog. Ook geen arts. U moet Faraday erbij halen... hij is tenminste nog bioloog.'

Wolff verschoof wat. 'Ik vraag u niet een autopsie te doen. Ik wil alleen dat u de wonden onderzoekt en ons vertelt wat u ervan vindt.'

'Waarvan vindt?' kwam Sully tussenbeide, die nu voor het eerst iets zei.

'Of dit door een mens gedaan kan zijn.'

Gonzalez fronste geërgerd zijn voorhoofd. 'Wat een tijdverspilling. We weten dat het een ijsbeer was.'

'Dat weten we helemaal niet. Hoe dan ook, Peters was een werknemer van Terra Prime, hij valt onder onze verantwoordelijkheid.' Wolff keek Marshall onderzoekend aan. 'We zitten hier allemaal nog minstens een paar dagen in de val. Als er een psychopaat rondloopt, dan moeten we dat weten... al was het maar voor onze eigen veiligheid.'

Marshall keek naar de open deur. Hij had totaal geen zin om te gaan kijken wat daarbinnen lag. Maar hij was zich ook bewust van vier paar ogen die op hem gericht waren.

Hij knikte zakelijk. 'Goed dan.'

Wolff bracht hem door de deuropening naar de onderzoekskamer. Er stond een eenvoudige houten stoel, er waren een wasbak, een bank met handdoeken en twee legerverbanddozen, en een paar kasten vol zowel oude als nieuwe voorraden. De ruimte werd gedomineerd door een onderzoekstafel, nu helemaal horizontaal, waarop een figuur onder een laken lag. Het laken zat onder het bloed en er waren opgerolde handdoeken omheen gelegd, als zandzakken langs een oeverwal, om meer bloedvloeien tegen te gaan.

Marshall moest slikken. In zijn afstudeerjaar had hij voor fysiologie wel lijken moeten ontleden. Maar die lijken waren schoongemaakt: afgelegd, gereinigd, ze waren anoniem en eerder kunstmatig dan menselijk. Bij Josh Peters was dat bepaald niet het geval.

Hij keek naar de anderen, die zich stilletjes om de tafel hadden verzameld. Wolffs gezicht stond bestudeerd neutraal. Gonzalez staarde naar het bloederige laken, de kaken op elkaar. Sully voelde zich slechter op zijn gemak dan ooit. En Conti, wiens ogen naar het lijk schoten, toen weer weg en nogmaals terug, had een merkwaardige mengeling van ergernis, verlangen en ongeduld op zijn gezicht.

'Ik heb een paar emmers en een spons nodig,' zei Marshall.

Gonzalez verdween in een voorraadkast en kwam met twee witte plastic tonnen terug. Marshall zette de ene op de vloer naast de tafel en vulde de andere voor de helft met water uit de kraan boven de wasbak. Aan een haak aan de deur hing een stoffige labjas en Marshall trok die aan. Hij maakte een verbanddoos open, haalde er een paar handschoenen uit en deed ze aan. Toen wendde hij zich tot Sully.

'Gerry?' zei hij.

Sully gaf geen antwoord. Hij keek naar de opgerolde handdoek die op het laken tegen Peters hoofd aangedrukt lag. Die was zo verzadigd van het bloed dat het op de vloer drupte.

'Gerry,' zei Marshall een beetje harder.

Geschrokken keek Sully hem aan.

'Wil jij aantekeningen maken?'

'Hè? O, natuurlijk.' Sully zocht in zijn zakken naar een pen en een stukje papier.

Marshall haalde diep adem. Toen pakte hij de opgerolde handdoeken aan zijn kant van het lijk weg en liet ze in de ton vallen. Ze maakten een nat, kletsend geluid toen ze tegen het plastic terechtkwamen. Weer diep ademhalen. Toen greep hij de rand van het laken en trok dat langzaam van het lijk weg.

Onwillekeurig kreunden de toeschouwers in koor. Marshall hoorde dat ook hem een kreun ontsnapte. De enige die geen geluid maakte was Gonzalez, wiens kaken niettemin strakgespannen stonden.

Het was nog erger dan hij had gevreesd. Peters zag eruit alsof hij door een dorsmachine was gehaald. Zijn kleren waren aan flarden en bijna over het hele zichtbare deel van zijn lichaam liepen kerven: dunne, rechte rode lijnen die door het bleke vlees sneden. In zijn borst zat een reusachtige, verticale houw, een gapend gat waar de onderste ribben uit staken, de uiteinden zo schoon en kaal alsof een slager ze had uitgebeend. De houw werd bij de buikstreek breder, waar de rode en grijze darmstrengen te zien waren. Nog afgrijselijker waren de verwondingen aan het hoofd, dat was door de aanval nauwelijks meer te herkennen: een vernielde, gebroken schedel hing slap aan de halswervels, grijs spul lekte in de vermorzelde resten van de sinusholten.

Marshall wendde zich af en knipperde een paar keer met zijn ogen. Toen pakte hij een paar schone handdoeken van de bank, rolde ze stijf op en drukte die tegen het lijk om het nog steeds uit honderden sneden lekkende vocht te stelpen. Uit de verbanddoos pakte hij een stalen sonde. Toen richtte hij zijn aandacht weer op Peters.

'Het lichaam lijkt compleet te zijn leeggebloed,' zei hij. 'Over bijna het hele lijk zitten schaafwonden, met talloze, misschien wel honderden, kleine wondjes met ongerafelde randen. Ik heb geen idee waardoor die kleinere wonden zijn veroorzaakt. Minstens twee van de andere, grotere wonden kunnen elk fataal zijn geweest. De eerste heeft – eens kijken – de achtste tot de twaalfde rib aan de linkerkant gebroken en blootgelegd, die hebben de longen doorboord met een aanzienlijke bloeding tot gevolg, en dat heeft zich naar de buikstreek uitgebreid, waar ze bovendien door de buikholte zijn gegaan. In de wondschacht zijn aanwijzingen dat de hartkamers beschadigd zijn. De tweede grote wond behoeft niet veel uitleg. Reusachtig letsel aan de hele nek- en hoofdstreek, van de rechter inwendige nekader tot de grote hersenen, tot de pariëtale en voorste hersenkwab toe, langs beide zijden van de longitudinale spleet.' Hij zweeg even. 'De schade aan de kleding komt overeen met de verwondingen. Verdere analyse zal moeten worden uitgevoerd door middel van toxicologische en professioneel forensische analyse.' Hij deed een stap achteruit.

Even zei niemand iets. Toen schraapte Gonzalez zijn keel. 'Wat ik al zei. Hij is door een ijsbeer aangevallen. Nou, kunnen we hem weer inpakken en in een vleeskast opbergen?'

'Het zou menselijk kunnen zijn,' herhaalde Wolff met kalme maar besliste stem.

‘Bent u gék geworden?’ zei Gonzalez. ‘Kijk eens naar die wonden!’

‘Het is bekend dat mensen onder invloed van illegale drugs in uitzinnige, moordzuchtige woede kunnen uitbarsten. Met het juiste instrumentarium – wapen – zou deze schade kunnen worden toegebracht.’ Hij wendde zich tot Marshall. ‘Klopt dat?’

Marshall keek weer naar het lijk. ‘De borstwond is zo’n tien centimeter breed, en op zijn diepst bijna acht centimeter. De druk om zo’n wond te veroorzaken is fabelachtig, daar is ongelooflijk veel kracht voor nodig.’

‘Zoals die van een ijsbeer,’ zei Gonzalez.

‘Eerlijk gezegd ben ik verbaasd dat zelfs een ijsbeer zulke wonden kan toebrengen.’

‘Een moordenaar zou het kunnen,’ zei Wolff. ‘Als hij tijd had gehad om genoeg klappen uit te delen.’

‘En wat dacht u hiervan?’ Met de sonde tilde Marshall het linkerbeen bij de knie op. De voet zwaaide los – te los – en hing in een rare hoek. ‘Die is bijna in tweeën gebeten, hij hangt alleen nog aan een paar pezen.’

‘Gesimuleerde beten,’ antwoordde Wolff. ‘Gecreëerd om angst en onzekerheid te zaaien.’

‘Met welk doel?’ vroeg Sully.

‘Om nieuwsgierigen weg te houden van de plek waar de kat is gevonden.’

Marshall zuchtte. ‘Dus u probeert ons wijs te maken dat wie de kat ook heeft gestolen, bereid is om te doden – op de wreedste en meest barbaarse manier die je je maar kunt voorstellen – om zijn buit te beschermen?’

‘Hij of zij was bereid om hierheen te komen en te doen alsof die een van ons was,’ kaatste Wolff terug. ‘Bereid om er tijd en geld aan te besteden, een enorm risico te nemen. Waarom niet?’

Marshall keek hem bespiegelend aan. ‘Ik begrijp niet waarom u weigert de veel simpeler, veel rationelere verklaring te accepteren: de man heeft het pad van een ijsbeer gekruist en heeft dat niet overleefd. IJsberen staan erom bekend dat ze meedogenloze mensenmoordenaars zijn. Waarom kunt u dat niet gewoon aannemen?’

Wolffs ogen glinsterden in het harde kunstlicht. ‘Dr. Marshall, u hebt het over simpele, rationele verklaringen. Ik geloof niet dat een ijsbeer dit heeft gedaan en wel om een heel simpele, heel rationele reden: als er geen dief is – en als een ijsbeer dit heeft gedaan – waar is de kat dan gebleven... en waarom is hij verdwenen?’

25

Tijdens de hele bijeenkomst in de ziekenboeg had Conti gezwegen, hij hield zijn observaties liever voor zichzelf. Toen de groep uiteenging, bleef hij nog even achter, keek toe hoe Gonzalez en de weer teruggekeerde soldaat Phillips het lijk zorgvuldig inwikkelden voordat het zou worden opgeborgen. Uit het gepraat van de soldaten had hij begrepen dat het lijk in een lege vleeskast in de zuidvleugel zou worden gelegd, uit de buurt van de rest van het personeel. Nu liep hij langzaam en in gedachten terug naar het hoofdgebouw van de basis.

Op het entreeplein zag hij de cameramannen Fortnum en Toussaint aan komen lopen.

'Emilio,' zei Fortnum. 'Je wilde ons spreken?'

Conti keek snel rond voor hij antwoordde. Het plein was leeg, de wachtpost even niet bemand. Toch sprak hij zachtjes.

'Ik heb een paar opdrachten voor jullie,' zei hij. 'Ik heb een speciale opname nodig.'

De twee knikten.

'Houd deze projecten maar onder de pet. Ik wil als extra effect een paar verrassingselementen invoegen. Neem verder niemand mee. En niemand mag het weten, Kari niet en Wolff ook niet.'

De cameramannen keken elkaar aan, knikten opnieuw, deze keer wat trager.

'Heb je het nieuws gehoord?'

'Welk nieuws?' antwoordde Fortnum.

'Josh Peters is dood.'

'Jósh?' zeiden de mannen gelijktijdig.

'Hoe?' vroeg Toussaint.

'De wetenschappers denken aan een ijsbeer... het is buiten gebeurd.

Wolff denkt dat het degene is die de kat heeft gestolen.'

'Christene zielen,' zei Fortnum. Hij was lijkbleek geworden.

'Ja. En nu het nog kan, moeten we er munt uit slaan.'

De mannen keken hem wezenloos aan.

'Kari is nu iedereen aan het vertellen dat Josh dood is.' Hij wendde zich tot Fortnum. 'Allan, je moet haar zien te vinden. Maak opnamen van de reacties van de crew. Hoe extremer, hoe beter. Maar doe het subtiel, Kari mag niet in de gaten krijgen wat jullie aan het doen zijn. Als je niet de reacties krijgt die je wilt, wacht dan tot Kari weg is en doe dan met draaiende camera nog een schepje boven op haar verhaal. Ik wil pure angst zien. Hysterische tranen zouden nog beter zijn.'

Een verwarde uitdrukking gleed over Fortnums bleke gelaat. 'Bedoel je dat we onze eigen ploeg moeten gaan filmen?'

'Natuurlijk. Zij zijn de enigen in de buurt die het van Peters nog niet weten.' Conti maakte een ongeduldig handgebaar. 'Jullie moeten opschieten, Kari is daar al, speelt Johnny Appleseed met het nieuws van de moord.'

Fortnum opende zijn mond alsof hij wilde protesteren. Toen deed hij hem weer dicht en – met een laatste nieuwsgierige blik op Conti – liep hij weg in de richting van de onderkomens van de crew.

Conti keek hem na. Toen de FD uit het zicht was, wendde hij zich tot Toussaint. 'Voor jou heb ik een nog belangrijkere klus. Het lijk ligt momenteel in de ziekenboeg. Die vind je in de zuidvleugel, ik zal voor je uittekenen hoe je er moet komen. Ze gaan het in een koelcel opbergen, maar ik hoorde dat er nog wat reparaties aan de unit verricht moeten worden, dus die cel is pas morgen klaar. Dat is onze kans.'

'Kans,' herhaalde Toussaint wat onzeker.

'Begrijp je het niet? Als dat lijk eenmaal in de vriezer ligt, zit het achter slot en grendel.' Conti probeerde het bijna uitzinnige ongeduld en de frustratie die zich in hem hadden gebouwd sinds hij voor het eerst hoorde dat de kat werd vermist, onder controle te houden. 'Het zit zo. Wolff wil niet dat we Peters' lijk filmen.'

'Vanzelf.' Toussaints stem klonk afstandelijk, ver weg.

'Maar we móéten wel. Dit is een fluctuerende situatie, ze verandert voortdurend. De documentaire moet meeveranderen.' Conti greep de cameraman bij zijn mouw. 'Onze broodwinning en reputatie staan op het spel. We hebben een handvol rotkaarten gekregen. De kat vormde de spil van de show en die is nu weg. Maar er is iets nieuws aan het ontstaan. Wat vanochtend als mysterie is begonnen is nu een moordmysterie geworden. Begrijp je dat? Als we dit goed aanpakken, zou dit wel eens groter kunnen worden dan *De onthulling van de tijger*. Met de lopende publiciteitscampagne hebben we het publiek al aan ons gekluisterd. En we kunnen ze iets geven wat ze nooit eerder voorgeschoteld hebben gekregen: een "ingeblikte" documentaire die zich plotseling als iets heel anders ontpopt: een levensecht misdaaddrama, dat zich onder de feitelijke crew afspeelt.'

Toussaint knipperde alleen maar met zijn ogen.

'Maar je kunt geen moordmysterie presenteren zonder een opname van het lijk. Daar verschijn jij ten tonele. Ik wil dat je tot het avondeten wacht. Dan is alles wat tot rust gekomen. Ik hou de soldaten wel bezig... er is dan niemand in de buurt. Je moet snel te werk gaan. Zie het maar als een soort spionagespel: naar binnen, opnemen, naar buiten. Maak je geen zorgen over belichting, uitsnede of wat dan ook. Het gaat om de beelden zelf, die zijn belangrijk. Maak er één lange opname van, ik monteer alles op de DataCine in New York. Oké?'

Toussaint knikte langzaam.

'Goed zo, kerel. En luister... zeg er tegen niemand iets over. Zelfs niet tegen Fortnum. Het is ons geheim... tot de eindmontage en het applaus van de tv-stationbollebozen. Begrepen?'

'Begrepen,' zei Toussaint heel zacht.

Conti knikte hem toe. 'Nu ga je je apparatuur in orde maken, intussen teken ik een plattegrond van hoe je er moet komen.'

26

De paar kamers waren klein en zo kaal als een monnikscel. Er stonden alleen nog de geraamten van de stapelbedden en een paar somber ogende stalen kasten. En toch was Logan, terwijl hij om zich heen keek, er absoluut zeker van dat dit het onderkomen van de wetenschappers was geweest.

Het was een uitdaging gebleken om ze te lokaliseren: C-niveau lag zo bezaaid met overbodige troep dat het moeilijk was het verschil te zien tussen een echte slaapkamer of gewoon een teveel aan bedden. Maar hier stonden precies acht bedden, die zo waren neergezet dat alles erop wees dat hier echt geleefd werd. In de centrale ruimte stonden twee stapelbedden, twee boven elkaar. Een enkel bed stond in een ruime kamer tegen een muur, ongetwijfeld de slaapruimte van de hoofdwetenschapper. Nog twee bedden stonden in een kamer aan de overkant. En een laatste brits lag in een krappe ruimte naast de badkamer, nauwelijks groter dan een kast.

Logan deed alle lichten aan. Toen kuierde hij met zijn handen op de rug langzaam door de verschillende kamers, keek om zich heen, gluurde in lege kasten, riep in stilte de lang vervlogen geesten op om hem hun geheimen toe te fluisteren. Hij had gehoopt iets te vinden: gereedschap, misschien, of instrumenten, papieren, foto's. Maar het was duidelijk dat de verblijven lang geleden zorgvuldig waren doorzocht, elk belangrijk voorwerp was verwijderd en – alsof er bij zulke geheime aangelegenheden een standaardprocedure was gevolgd – onmiddellijk verbrand. Twee knaapjes hingen eenzaam in een kast, op de grond lag een knoop, het draadje zat er als een vliegertouwtje nog aan vast. Een opgerolde tube verdroogde tandpasta lag op het stalen schap boven de badkamerwastafel. Kennelijk had de ruimte weinig meer te vertellen.

Logan keerde naar de centrale ruimte terug. Hij had zelf in een vergelijkbare ruimte gewoond, jaren geleden, tijdens een archeologische opgraving vlak bij Masada. Het Israëlische leger had het team wetenschappers en historici een paar afgelegen barakken toegewezen om daar te bivakkeren. Logan schudde zijn hoofd toen hij terugdacht aan hoe dor en geïsoleerd het daar was. Hij herinnerde zich dat hij er het gevoel had dat hij mijlenver van alles af zat. Net als hier.

Hij liet zich langzaam op de bedspiraal van de dichtstbijzijnde brits zakken. Lege kamers of niet, wetenschappers lieten sporen na. Hun hersens werkten altijd door. Ze hielden verslagen bij. Ze hadden ideeën, observaties, moesten verzamelen, en zeker nu ze zo ver van beschaving, telefoon en onderzoeksassistenten verwijderd waren. Ze moesten aantekeningen maken, dingen waar ze later in hun comfortabele, besloten labs op terug zouden komen: ideeën voor experimenten, theorieën voor onderzoekspapers. Zijn vrouw had hem hier meer dan eens mee geplaagd, had hem een conceptuele hamsteraar genoemd. 'Andere mensen verzamelen theedoeken, ansichtkaarten en extra broodroosters,' had ze gezegd. 'Jij verzamelt theorieën.' De wetenschappers hier waren vast niet anders geweest.

Op één ding na. Van hen – en hun theorieën – was nooit iets vernomen.

Hij stond van het bed op en keek weer naar de vier bedden. De gezelligsten van het stel, de gezelschapsdieren, hadden vast in deze ruimte geslapen en met elkaar gepokerd of gebridged. Hij liep langzaam door de andere kamers en bleef uiteindelijk in de piepkleine, kastgrote ruimte staan. Deze donkere, spelonkachtige plek was waarschijnlijk de minst aantrekkelijke slaapplaats. En toch zou hij deze hebben gekozen: privé, rustig, de ideale plek om je op je gedachten te kunnen concentreren.

Of een dagboek bij te houden.

Terwijl hij daar in de plotselinge en waakzame stilte stond, voer er een onverwachte maar merkwaardig verrukkelijke rilling door hem heen. Ineens voelde hij het leven zo intens. Zelfs als het hier niet lukt, dacht hij, zelfs als die hele hopeloze onderneming op niets uitdraait, dan maakt dit moment het dubbel en dwars de moeite waard. De jacht zelf had iets ondefinieerbaar groots: hier, in deze ruimte, drie niveaus onder het ijs, probeerde hij de worstelingen van die mannen te reconstrueren, vijftig jaar later ging hij in hun schoenen staan, en misschien, heel misschien, vond hij een flintertje goud.

De kamer was op het kale bed na helemaal leeg. Hij ging op zijn knieën zitten en keek eronder. Niets. Hij trok de enige lege kast van de muur, keek erachter, keek eronder en schoof hem weer op zijn plaats terug. Achter in de kamer was een kast waarin je nauwelijks kon staan. Hij tilde de enige metalen roe die erin hing op, keek in de holle kern en plaatste hem weer terug. Langs de kastmuren liep een smalle rand, even onder het plafond. Hij rekte zich uit en streek er met een vinger langs, maar vond niets dan stof. Hij stapte de kamer weer in, keek nogmaals rond: naar de kale muren en het plafond, het eenzame peertje.

Als ik hier had gewoond, dacht hij, als ik clandestien notities van mijn bevindingen bijhield – en dat zou ik hebben gedaan – waar zou ik die dan verstoppen?

Hij trok het bed van de muur af. Het stalen oppervlak erachter was al net zo kaal als de rest, op een stopcontact net boven de grond na. Met een stille zucht duwde hij het bed weer op zijn plaats.

Toen aarzelde hij. Hij trok het bed weer weg, knielde naast de muur, haalde een multitool en zaklamp uit zijn zak, schroefde het kapje eraf en scheen er met de zaklamp in. Verbaasd zag hij dat de contactdraden loszaten en met het afdekkapje mee naar buiten kwamen. Erachter zat enkel een donker, rechthoekig gat. Toen hij beter keek, zag hij dat er om de oude schakelkast dik elastiek was gewikkeld. Een uiteinde van het elastiek verdween in de duisternis achter de muur. Logan trok er voorzichtig aan en zag dat het aan de rug van een klein notitieboekje was vastgemaakt: vergeeld, verweerd en beschimmeld.

Zo voorzichtig alsof hij een Fabergé-ei in handen had, maakte Logan het elastiek los, veegde het stof van het boekje weg en sloeg de kaft open. De eerste pagina was volgeschreven met een vervaagd, kriebelig handschrift.

Hij glimlachte een beetje in zichzelf. 'Karen, lieveling,' mompelde hij. 'Ik wou dat je dit kon zien.' Maar er kwam geen antwoord van gene zijde… zoals Logan maar al te goed wist.

27

De gangen van de zuidvleugel waren schaars verlicht en schaduwen vielen in strepen op de kleurloze stalen wanden. Het was zes uur 's middags en Fear Base lag in volslagen stilte gehuld. Ken Toussaint liep door de centrale gang naar A-niveau, de draagbare digitale camera in een hand en Conti's haastig neergekrabbelde plattegrond in de andere. Hij had niemand van het kleine detachement soldaten gezien – Conti had hem beloofd ze tijdens het diner bezig te houden – maar toch merkte hij dat hij bijna op zijn tenen liep. Er was iets in die drukkende stilte wat hem schrik aanjoeg.

Dit was de vreemdste en onplezierigste opname die hij ooit had moeten maken. Hij was aardig wat keren naar afgelegen gebieden gestuurd: hij was levend opgevreten door muggen in Cambodja, had in Tsjaad uit bijna elke lichaamsopening die je je maar kon voorstellen zand weggespoeld, had in Paraguay de schorpioenen van zijn spullen moeten slaan. Maar dit spande de kroon. Opgesloten op het dak van de wereld, honderden kilometers verwijderd van wat ook maar in de verste verte op beschaving leek, bedreigd door ijsstormen en ijsberen, veroordeeld tot een ouderwetse, stinkende legerbasis. En alsof dat nog niet genoeg was, was al die narigheid ook nog eens voor niets geweest.

Hij kwam bij een kruispunt en bleef staan, keek op de kaart en sloeg rechts af. En dat was nog niet het ergste. Wat aanvankelijk alleen maar ergernis had opgeleverd, was nu plotseling dodelijk geworden.

Wat deed hij hier eigenlijk, waarom was hij zo aan het rondsluipen? Toen Conti hem de opdracht had gegeven, was hij nog altijd verdoofd door het nieuws van Peters' dood, probeerde het nog te verwerken. De implicaties van wat Conti wilde, waren nog niet helemaal tot hem doorgedrongen. Maar nu hij door deze stille gang liep, was dat wel zo. En ook in zijn totaliteit. En nu was het te laat om te protesteren.

Hij was maar één keer eerder in deze vleugel van de basis geweest, gisteren, toen hij halfhartig naar het karkas had gezocht. Er stond een hoop constructie- en technische apparatuur, te oordelen althans naar de verweerde stencilpapiertjes die op de deuren die hij passeerde waren geprikt. Impulsief bleef hij staan bij een deur met een bordje OMVORMERREEKS – BACK-UP I. Hij draaide aan de knop. Op slot. Hij liep verder.

Wat Conti wilde leek wel kannibalisme: een niet te rechtvaardigen sensationele verfilming van iemand van hun eigen ploeg, die zich, nu hij dood was, niet kon verweren. Dit was een grove schending van de privacy. Wat zou Josh' familie daar wel niet van vinden?

Aan de andere kant, zei hij onder het lopen tegen zichzelf, het tv-station was niet achterlijk, ze zouden er wel voor zorgen dat het ingetogen gebracht zou worden, en dat er niet te veel bloed aan te pas kwam. En Conti wist wat hij deed... dat moest hij niet vergeten. Conti mocht dan een briljant filmmaker zijn, hij was ook een realist. Als er één een manier kon vinden om een ramp tot iets om te vormen, er iets werkelijk gedenkwaardigs van te maken, dan was hij het wel. Toussaint bracht zichzelf in herinnering dat hij ook een reputatie hoog te houden had.

De ruimte tussen de fluorescerende gloeilampen werd steeds groter, en de kruising verderop was in een wirwar van schaduwen gehuld. Hij moest aan nog iets anders denken: dit was eigenlijk een unieke opdracht. Behalve hij en Conti wist niemand er iets van. Het zou wel eens de pluim op zijn hoed kunnen worden, iets wat hij in zijn portfolio kon opnemen. Gedurende de hele productiefase had hij alleen de ondergeschoven klussen gedaan, de overgangen opgenomen, en de B-shots. Hij had zonder meer altijd in Fortnums schaduw gestaan. Dit was een kans om daar verandering in te brengen. Hij bedacht dat hij wel commentaar bij het shot kon leveren: als het tv-station dat goedvond, kon dat alleen maar iets toevoegen.

Toen hij bij het kruispunt kwam, haalde hij de lenskap van de camera, zette die aan, bepaalde de uitsnede, deed de cameralamp aan, stelde scherp, controleerde de witbalans en lichtinval, en bevestigde het snoer van de richtmicrofoon aan zijn broekriem. Hij moest dit in één doorlopende opname doen: de ziekenboeg in, naar de onderzoeksruimte, een opname van 360 graden van het lijk, inzoomen voor een paar close-ups, misschien even het laken wegtrekken waarin Peters was gewikkeld. En dat was het. Binnen anderhalve minuut zou hij weer buiten staan, met de opname veilig op de harddisk van de camera. Net zoals Conti had gezegd: naar binnen, opnemen, naar buiten.

Hij ging de hoek om. Daar was het: de tweede deur links. Vertrouwend op de plattegrond in zijn zak zette hij de lens tegen zijn oog en begon de opname. De lichtstraal van zijn cameralamp hobbelde op het ritme van zijn schouder door de gang, en toen richtte hij de spotlight op de deur van de ziekenboeg. Die was dicht.

Plotseling kwam er een akelige gedachte bij hem op. Stel dat hij op slot was? Conti was niet in de stemming om mislukkingen te accepteren.

Hij liep snel naar de deur, intussen door de cameralens kijkend. Hij probeerde snel de deur en zijn gierende zenuwen kwamen tot bedaren: hij was niet op slot. Hij stak zijn hand naar binnen, zocht naar het lichtknopje, knipte het aan en trok zijn hand terug.

Hij haalde zijn oog van de lens en keek nogmaals de gang door, met de plotselinge schuldige bewegingen van iemand die weinig goeds in de zin heeft. Maar er was niemand, helemaal niemand. Niets, behalve dan dat de haartjes in zijn nek nerveus overeind stonden, een zacht hoog gepiep in zijn oren gaf aan dat hij misschien te lang met zijn bloeddrukpillen had gewacht.

Aan het werk. Hij schraapte zacht zijn keel, zette zijn oog weer op de lens, drukte op de opnameknop en duwde de deur wijd open. 'Ik ga nu naar binnen,' zei hij in de microfoon.

Hij ging snel naar binnen, hield de camera zorgvuldig in evenwicht terwijl hij de kleine ruimte rondom opnam. Zijn hart sloeg sneller dan hem lief was, zijn bewegingen waren schokkerig en abrupt. Hij vervloekte zichzelf dat hij de Steadicam niet had meegenomen, maar bedacht toen dat in deze situatie een amateuristische benadering juist goed kon werken. In het lab konden ze er nog wat digitale filters overheen gooien, de film korrelig maken, als van een goedkoop cameraatje, shots nabootsend die in het geniep...

De deuropening van de ruimte ernaast kwam in het zicht. Volgens Conti zou het lijk daar moeten liggen.

'Het lijk ligt in de volgende ruimte,' mompelde hij in zijn microfoon. 'Achter het kantoor.'

Zijn ademhaling ging sneller, merkte hij, net zo snel als zijn hartslag. Anderhalve minuut. Meer niet. Naar binnen en naar buiten.

Hij liep naar voren, richtte intussen de camera naar links en naar rechts, voorzichtig, zodat hij niet over een obstakel zou struikelen. De deuropening was een poel van duisternis die doorboord werd door het gele kegeltje van zijn cameralicht. Weer tastte hij langs de dichtstbijzijnde muur, en weer drukte hij op het ouderwetse lichtknopje.

De lichten gingen aan en onmiddellijk werd het camerabeeld volslagen wit. Stom… hij had het licht moeten aandoen voor hij naar binnen ging, dan had de camera tijd gehad om te compenseren. Toen het ergste wit wat vervaagde en de vormen in de ruimte weer zichtbaar werden, zag hij in het midden de onderzoekstafel staan. Het lijk lag erop, stevig in plastic gewikkeld. Dunne bloedvegen zaten langs de onderkant als strepen op een zuurstok.

Nog altijd sneller ademend nam hij een pakkend shot van de ruimte, manoeuvreerde daarna langzaam rond de tafel, pande met de camera langs de hele lengte van het in het laken gewikkelde lijk. Dit was goed. Conti's instincten klopten. Ze zouden de inhoud monteren, hier en daar wat knippen, zodat de kijkers met hun verbeelding zelf de gaten moesten invullen. Hij lachte door zijn hijgende adem heen, vergat in zijn opwinding commentaar te geven. Wacht tot Fortnum dit ziet…

Toen hoorde hij het. Hoewel 'horen' niet het juiste woord was… het was eerder een plotselinge verandering in de luchtdruk, een pijnlijke, drukkende sensatie ging door de hartkamers in zijn borst en – vooral – de diepste krochten van zijn oren en neusholten. Iets in de buurt, iets waarvan hij instinctief begreep dat het levensgevaarlijk was, zorgde dat Toussaint er onmiddellijk mee ophield. Hij haalde zijn hoofd met een ruk van de lens en – met de atavistische zekerheid van een miljoenen jaren oude prooi – richtte hij zijn blik op de donkere deuropening in de verste muur van de onderzoekskamer.

Daar verschool zich iets. Iets hóngerigs.

Zijn ademhaling ging nu nog sneller, hij hapte naar lucht maar voor zijn longen was dat niet genoeg. De camera draaide nog steeds, maar hij lette er niet meer op. Zijn hersens werkten koortsachtig, probeerden hem wijs te maken dat dit nergens op sloeg, dat hij een zenuwaanval kreeg, onder deze omstandigheden volkomen logisch…

Waarom maakte hij zich verdomme dan plotseling zo bezorgd? Hij had niets gezien, niets gehoord… niet echt. En toch was er iets in die donkere, verre deuropening waardoor al zijn alarmbellen gingen rinkelen.

Hij deed een stap achteruit, zwaaide wild met de nog altijd zoemende camera, de lichtstraal schoot over de muren en het plafond. Bij het achteruitlopen stootte hij zwaar tegen het lijk, dat met zijn ziekmakende rigor mortis niet meegaf.

Ga weg, zei hij tegen zichzelf. Je hebt je shot. Draai je om en maak dat je wegkomt.

Hij draaide zich met een ruk om, klaar om te vluchten.

En toch kon hij dat niet. Iets binnen in hem zei dat als hij nu niet keek, hij nooit meer zou durven kijken, nooit meer. En hij voelde nog iets, dieper zelfs, namelijk dat zijn instincten klopten, dat wegrennen helemaal niets zou uitmaken.

Toussaint tilde de camera op, zette de lens tegen zijn oog, hij hijgde nu hoorbaar, draaide zich om en richtte heel langzaam de lichtstraal op de duisternis in de verre deuropening.

En op een nachtmerrie.

28

'Ik heb je bericht ontvangen,' zei Marshall toen hij Faradays lab binnenliep en de deur achter zich sloot. 'Heb je iets gevonden?'

Faraday keek naar Marshall, toen naar Ang Chen en daarna weer naar Marshall. De bioloog keek met grote, angstige ogen door het ronde schildpadmontuur van zijn bril. Maar dat verontrustte Marshall op zichzelf niet... Faraday leek zelfs op de mooiste dagen nerveus.

'Het is eerder een interessante opeenvolging van feiten dan een harde theorie,' zei Faraday. Hij stond achter – ging bijna helemaal schuil achter – een verbijsterende verzameling testbuisjes en labinstrumenten.

'Geen probleem.'

'Ik kan niets bevestigen. Althans niet hier.'

Marshall sloeg zijn armen over elkaar. 'Ik zeg niets tegen de onderzoekscommissie of toezichthouders als jij het ook niet doet.'

'En ik waarschuw je dat Sully...'

Marshall zuchtte geërgerd. 'Voor de draad ermee.'

Nog een laatste aarzeling. 'Oké.' Faraday schraapte zijn keel en trok een das vol soepvlekken, die hij per se onder de labjas wilde dragen, recht. 'Ik geloof dat ik het begrijp. Dat ontdooien in de kluis, bedoel ik.'

Marshall wachtte.

'Ik heb je verteld dat we meer ijsmonsters uit de grot zijn gaan halen. Nou, we hebben die met röntgendiffractie onderzocht. En ze wijken heel erg af.'

'Hoe erg?'

'De kristalstructuur klopt helemaal niet. Voor normaal neerslagijs, bedoel ik.'

Marshall leunde tegen een labtafel. 'Ga door.'

'Je weet dat er veel verschillende ijssoorten zijn, hè? Andere soorten dan we in onze limonade doen of van onze autoraampjes krabben.' Hij telde ze op zijn vingers af. 'Je hebt ijs-2, ijs-3, -4, -5, -6, -7 enzovoort, tot en met ijs-14, elk met zijn eigen kristalstructuur en zijn eigen fysieke eigenschappen.'

'In mijn laatste jaar natuurkunde heb ik daar iets over gehad. Er is grote druk of er zijn extreme temperaturen nodig voordat het in een vaste stof kan worden omgezet.'

'Inderdaad. Maar wat aan deze ijssoorten echt heel raar is, is dat ze als ze eenmaal gevormd zijn, vér boven het vriespunt bevroren blijven.' Tussen de wirwar van testbuisje door gaf hij Marshall een vel papier aan. 'Moet je kijken. Dit is het structuurdiagram van ijs-7. Kijk eens naar de eenheidscel. Bij voldoende druk kan deze ijsvorm nog tot tweehonderd graden Celcius zijn vaste vorm behouden.'

Marshall floot. 'Zo heet? Dat soort ijs hadden we gisteren wel in de kluis kunnen gebruiken.'

'Maar er is nog iets,' vervolgde Faraday. 'Ik las vorige maand een artikel in *Nature* waarin een ander type ijs werd beschreven dat theoretisch zou kunnen voorkomen: ijs-15. IJs dat precies de tegenovergestelde eigenschappen heeft.'

'Je bedoelt...' Marshall wachtte even. 'Je bedoelt ijs dat ónder nul graden Celsius smelt?'

Faraday knikte.

'Het sleutelwoord is "theoretisch",' voegde Chen eraan toe.

'En die ongebruikelijke kristalstructuur van dit gesmolten ijs... komt die overeen met ijs-15?'

'Dat kunnen we nog niet weten,' zei Faraday. 'Maar het is heel goed mogelijk.'

Marshall duwde de labtafel weg, begon te ijsberen. 'Dus het zou kunnen – zóú kunnen – dat het ijs vanzelf is gaan smelten.'

'Ze voerden de temperatuur 's nachts langzaam op,' zei Faraday. 'En in alle commotie rondom de ontdekking dat hun buit was verdwenen, heeft niemand de moeite genomen om de temperatuur in de kluis te controleren. Om te verifiëren of het daar wérkelijk boven het vriespunt was.'

'Inderdaad.' Marshall zweeg. 'Dat vond niemand nodig. Ze hebben de deur wijd open laten staan en zijn gaan zoeken.'

'Waardoor de temperatuur in de kluis zich snel aan de omgevingstemperatuur aanpaste,' zei Chen.

'Dus dan is er misschien helemaal geen saboteur,' zei Marshall. 'Het ontdooiproces is normaal verlopen. Het ijs zélf was de boosdoener.'

Faraday knikte.

'Hoe heeft dit merkwaardige ijs zich gevormd?' vroeg Marshall.

'Daar zit 'm de kneep,' zei Chen.

Er viel een korte stilte in het lab.

'Dit zijn allemaal heel interessante gedachteoefeningen,' zei Marshall. 'Maar zelfs al heb je gelijk, en is er geen dief, geen saboteur, dan blijft de grote vraag: wat is er met de kat gebeurd?'

Hij had de vraag nog niet gesteld of hij zag Faraday nog zenuwachtiger kijken. 'Nee, dat kun je niet menen,' vervolgde hij. 'Laat me raden. Hij is zelf ontsnapt.'

'Je hebt mijn foto van de kluisvloer gezien. Die sporen waren afkomstig van iets wat naar buiten ging, niet naar binnen. En het waren ook geen zaagsporen.'

'Dat is zo. Ze leken ook niet op zaagsporen. Maar ze zagen er ook niet uit als klauwen. Ze waren veel te krachtig voor...' Marshall zweeg abrupt. 'Wacht eens even. Het is een heel knappe theorie, dat ijs onder het vriespunt smelt, en zo. Maar er is een enorm probleem. Als de kat zich uit het laatste restje ijs heeft kunnen bevrijden en zich een weg uit de kluis kon banen, dan moest hij wel in leven zijn. Maar hij is al duizenden jaren dood.'

'Dat is het probleem waar we het de laatste keer dat jij binnenkwam over hadden,' zei Faraday. 'Daar heb ik ook geen antwoord op, ik heb alleen een theorie.'

Marshall keek hem aan. 'Tijdens de bevriezing van het dier vormen zich in de cellen ijskristallen. Dat zou fataal moeten zijn.'

'Misschien. Misschien ook niet. Ik ben vorig jaar tijdens een conferentie over evolutionaire biologie naar een lezing geweest over de Beresovka-mammoet.'

'Nooit van gehoord.'

'Een harige mammoet, begin twintigste eeuw in Siberië gevonden. Compleet bevroren, met stukjes van een boterbloem tussen zijn tanden.'

'En?'

'Nou, de vraag is... hoe kon een mammoet zo snel bevriezen op een plek waar het zo warm was dat er boterbloemen bloeiden?'

Plotseling begreep Marshall het. 'Een neerwaartse koudeluchtstroom. Veroorzaakt door een inversielaag.'

Faraday knikte. 'Superkoude poollucht.'

'Ik begrijp waar je heen wilt. Jouw mammoet moet in de zomer bevroren zijn, vanwege de boterbloem. Maar hier… hartje winter…' Marshall zweeg.

Even was het stil. Toen ging Ang Chen verder. 'Flitsvorst.'

'Sterfkou.'

'En hoe sneller het vroor – en als er, laten we zeggen, ook nog eens een stormachtige wind stond – hoe kleiner de ijskristallen die in de cellen werden gevormd. Als het snel genoeg is gegaan, kon het schepsel mogelijk levend zijn ingevroren.' Marshall keek hem aan. 'Denk je dat die sterfkou ook andersom kan werken?'

Faraday knipperde met zijn ogen. 'Hoezo andersom?'

'Als er in de zomer een plotselinge benedenwaartse trek van superkoude lucht ontstaat, kan er dan in de winter niet net zo goed een benedenwaartse trek van superwárme lucht voorkomen?'

Faraday knikte traag. 'Theoretisch wel.'

'Stel nou dat het fenomeen inderdaad andersom was? Dat er ongelooflijk warme lucht omlaag kwam? Weet je niet meer dat het de avond voor de live-uitzending van de documentaire bijna tropisch warm was?'

Faraday knikte.

'De temperatuur zat tegen het vriespunt aan.' Marshall begon weer te ijsberen. 'De vriezer in de kluis had dan moeten aanslaan, maar als het om ijs-15 ging, zou dat niet uitgemaakt hebben. Dan zou het toch nog zo dicht in de buurt van het vriespunt zijn geweest dat er een enorme dooi werd veroorzaakt.' Hij aarzelde even. 'Toen je terugging naar de grot om die ijsmonsters te halen, vertoonde het ijs toen rondom het gat soms smeltsporen?'

'Nee.'

'Maar daar is het kouder, bij de gletsjer…' Toen weifelde Marshall en schudde zijn hoofd. 'Ik weet het niet, Roger. Het is briljant… maar het lijkt mij behoorlijk vergezocht.'

Faraday hield het fasediagram omhoog. 'De kristalstructuur liegt niet. We hebben de röntgentests op het ijs zelf gedaan.'

Er viel een korte stilte in het lab. Marshall keek naar het diagram en legde dat kalm op tafel.

'Als je gelijk hebt met die omkering,' zei Faraday langzaam, 'over die warme lucht, dan zou dat iets anders kunnen verklaren.'

'Wat dan?' vroeg Marshall.

'Wat we die avond in de lucht zagen.'

‘Je bedoelt dat bizarre noorderlicht? Denk je dat het een neveneffect is geweest?’

‘Een neveneffect,’ antwoordde Faraday. ‘Of een oorzakelijk verband. Of, wellicht, een voorloper.’

Opnieuw stilte. Faraday dacht aan de waarschuwing van de oude man: *Hun toorn beschildert de hemel met bloed. De hemelen schreeuwen het uit van pijn.*

‘Hoe zit het met het bloed?’ vroeg hij. ‘Dat op de kluissplinters zat vastgekoekt?’

‘We zijn zo druk bezig geweest met de ijsanalyse dat we daar nog niet aan toegekomen zijn.’

En weer was het stil in het lab.

‘Nou, je hebt het er maar druk mee gehad,’ zei Marshall even later. ‘Toch zijn er nog twee prangende vragen. Als deze merkwaardige ijsvormen zo’n enorme druk of extreme temperaturen nodig hebben, hoe zijn ze hier dan sowieso ontstaan?’

Faraday zette zijn bril af, poetste hem met zijn das en zette hem weer op. ‘Dat weet ik niet,’ antwoordde hij.

De drie keken elkaar even aan. ‘Je had twee vragen, zei je?’ zei Chen.

‘Ja. Als je veronderstellingen kloppen, en dat schepsel is nog in leven, en op drift, waar is het dan nu?’

Die vraag bleef in de lucht hangen. En nu bleef het stil in het lab.

29

Terwijl het nieuws van Peters' dood zich door Fear Base verspreidde, verlieten de mensen bijna onbewust hun onderkomens en verzamelden zich in de grotere ruimten op B-niveau, op zoek naar troost bij elkaar. Ze zaten om de tafels in de officiersmess, praatten zachtjes en meelevend, en vertelden elkaar anekdotes: de schandalige dingen die hij had gedaan of gezegd, domme technische fouten die hij had gemaakt. Anderen hingen in het commandocentrum rond, dronken lauwe koffie, speculeerden over wanneer de storm zou gaan liggen, spraken somber af dat ze een jachtteam moesten vormen om de ijsbeer op te sporen die de productieassistent had gemold. De droevige sfeer maakte het gevoel dat ze in een ijzige woestenij zaten opgesloten en van alle geruststellende genoegens van de beschaving waren afgesneden alleen nog maar erger. Naarmate de avond vorderde en de gesprekken stilvielen, bleven de groepjes niettemin zitten, ze wilden niet graag terug naar hun slaapverblijf en de angstige stilte van hun eigen gedachten.

Ashleigh Davis leek geen last te hebben van dat soort sentimenten. Ze zat naargeestig aan een tafel in de officiersmess met haar elegant gekapte hoofdje in haar handen naar de achter een metalen rooster opgehangen wandklok te staren. Dit, besloot ze, was hels. Erger nog dan hels. Het stónk er. Het eten was meer dan weerzinwekkend. De dichtstbijzijnde sportschool was miljoenen kilometers ver weg. Je kon geen fatsoenlijke levensreddende espresso met bergamot krijgen. En het ergste van alles was dat het nog een gevangenis was ook. Tot de storm ging liggen, zat ze hier vast, met haar duimen te draaien, terwijl haar schitterende carrière in de wacht stond. Je kon er op geen enkele manier wegkomen, tenzij je wilde lopen. En als ze daar nog veel langer zou moeten blijven, dacht ze chagrijnig, zou het nog zover komen ook: gewoon de sneeuw en de duisternis in wandelen, net als die man van Scotts poolexpeditie; ze had eens een documentaire over dat onderwerp van commentaar voorzien, maar kon niet de energie opbrengen te bedenken hoe de man ook alweer heette.

En de tijd kroop zo traag voorbij! De middag had een eeuwigheid geduurd. Ze had het make-upmeisje toegebeten dat ze haar een provisorische gezichtsbehandeling moest geven, haar vinger- en teennagels moest doen; ze had haar haar laten doen. Ze had de kleedster zich halfdood laten rennen door haar eerst de ene, dan een andere en daarna nog een derde outfit te laten halen, om te bepalen wat ze tijdens het diner zou aantrekken. Dinér. Over een eufemisme gesproken. 'Waterzooi' klopte beter, of misschien wel 'varkensvoer'. En het gezelschap aan tafel, toch al nooit om over naar huis te schrijven, was vanavond absoluut intriest geweest. Alleen maar omdat Peters zo stom was om tegen een ijsbeer aan te lopen deed iedereen of dat het einde van de wereld was. Ze waren vergeten dat er een ster in hun midden was. Het was pathetisch, echt pathetisch, deze hele bende was haar gezelschap niet waard.

Ze zuchtte geïrriteerd, haalde een sigaret uit haar Hermès-handtas en stak die met een klik van een platina aansteker aan.

'Verboden te roken op de basis, Ashleigh,' klonk Conti's stem. 'Regels van het leger.'

Davis snoof getergd, plukte de sigaret uit haar mond, staarde ernaar, deed hem weer tussen haar lippen, inhaleerde diep en drukte hem toen uit op een bordje opgestijfde tapioca. Ze blies de rook door haar neus uit en keek over de tafel naar de producer. Bijna het hele laatste uur had ze smekend, chanterend of tierend geprobeerd een noodvlucht te regelen om vanaf deze verschrikkelijke plek naar New York terug te vliegen... het hielp allemaal niets. Onmogelijk, had hij gezegd, alle vluchten, algemeen of privé, waren voor onbepaalde tijd opgeschort. Wat ze ook zei, niets had hem kunnen vermurwen. Sterker nog, hij schonk nauwelijks aandacht aan haar, hij leek met iets bezig te zijn. Ze liet zich pruilend in haar stoel terugzakken. Zelfs Emilio hield geen rekening met haar. Ongelóóflijk.

Ze schoof haar stoel naar achteren en stond op. 'Ik ga naar mijn trailer,' kondigde ze aan. 'Bedankt voor de heerlijke avond.'

Conti, die aantekeningen had zitten maken, keek nogmaals op. 'Als je Ken Toussaint tegenkomt,' zei hij, 'wil je hem dan naar mij toe sturen? Ik ben hier of in mijn kamers.'

Davis legde haar jas over haar schouder en verwaardigde zich geen antwoord. Brianna, haar persoonlijk assistente, pakte haar eigen jas en stond van tafel op. Tijdens het diner had ze niets gezegd, ze wist wel beter wanneer Davis een rotbui had.

'Weet je zeker dat je naar je trailer wilt?' vroeg Conti. 'Ik kan hier accommodatie voor je regelen.'

'Accommodatie? Zoals een badkamer delen, op een of andere legerbrits moeten bivakkeren? Emilio, je maakt zeker een grapje.' En ze draaide zich met een verachtelijke zwaai van haar hermelijn om.

'Maar...' stribbelde hij tegen.

'Ik zie je morgen. En zorg dat er dan een helikopter klaarstaat.'

Toen ze driftig naar de deur liep, zag ze iemand aankomen. Het was de trucker die haar trailer naar de basis had vervoerd. Ze keek hem kort aan. Hij zag er met zijn gebruinde, slanke lijf als van een surfer niet slecht uit. Maar dat achterlijke felle hawaïshirt was afschuwelijk smakeloos. Als een herkauwer liep hij op een enorm stuk kauwgum te kauwen.

'Mevrouw.' Hij glimlachte naar haar en gaf Brianna een knikje. 'We zijn nooit officieel aan elkaar voorgesteld.'

Aan mijn chauffeur ben ik ook nooit officieel voorgesteld, dacht ze met gefronste wenkbrauwen.

'Carradine is de naam, voor het geval u dat nog niet wist. Ik ga naar mijn truck terug, dus ik ben zo vrij om de dames te begeleiden... als u dat niet erg vindt.'

Davis keek naar haar assistent alsof ze vroeg: wordt me dan niets bespaard?

'Weet u,' zei de trucker terwijl ze naar het centrale trappenhuis liepen, 'ik hoopte al een praatje met u te kunnen maken, mevrouw Davis. Toen ik hoorde dat ik uw trailer hierheen moest brengen, realiseerde ik me dat ik misschien wel de kans zou krijgen om met iemand als u te praten... nou ja, het kan ook zo'n gelukkig toeval zijn waar je soms wel over leest. Net zoals Orson Welles in contact kwam met William Randolph Hearst.'

Davis keek hem aan. 'William Randolph Hearst?'

'Vergis ik me? Nou ja, ik hoop dat u het niet erg vindt als ik een paar minuutjes van uw tijd steel.'

Dat heb je al gedaan, dacht Davis.

'Ziet u, ik ben niet alleen een trucker. Het seizoen is namelijk nogal kort, weet u – vier maanden en meestal ben ik hier niet zo vroeg in het jaar, het ijs op de meren is dan nog niet dik genoeg – dus heb ik genoeg tijd voor andere dingen. O, ik heb het niet altijd druk, het leven gaat in Cape Coral nogal rustig z'n gangetje. Maar ik ben in elk geval áltijd wel ergens mee bezig.'

Kennelijk wilde hij dat ze vroeg wat dat dan was. Davis beklom de trap in resoluut stilzwijgen.

'Ik ben scenarioschrijver,' zei hij.

Davis keek hem aan, ze kon haar oren niet geloven.

'Tenminste, ik heb één scenario geschreven. Weet u, als ik onderweg ben, zet ik luisterboeken op, dat leidt me van het ijs af, en nu ben ik min of meer bij de toneelstukken van William Shakespeare aanbeland. De tragedies althans, met al dat bloed en vechten. Ik vind *Macbeth* het mooist. En daar gaat het scenario over: mijn versie van *Macbeth*. Alleen is het niet het verhaal van een koning, het is het verhaal van een vrachtwagenchauffeur.'

Davis liep snel het entreeplein over, probeerde afstand te scheppen tussen haar en Carradine. De man versnelde zijn pas om haar bij te houden. 'De koning van de ijstruckers, moet u weten. Maar dan wordt een andere trucker jaloers op hem, op zijn roem en de rest. Hij wil ook zijn meisje. Dus saboteert hij de route van de koning, hij kraakt hem, hij kraakt het ijs, begrijpt u wat ik bedoel?'

Ze staken de verzamelplaats over en liepen de hoofdingang door. Onmiddellijk sloegen wind en ijs ze met een reusachtige, onzichtbare hand terug. De buitenlichten kwamen nauwelijks door de rondwervelende sneeuw heen en je kon amper een halve meter ver zien. Davis aarzelde, moest eraan denken dat Peters net buiten de omheining door een ijsbeer was gedood.

Toen hij haar zag aarzelen, glimlachte Carradine. 'Geen zorgen,' zei hij terwijl hij zijn shirt optrok en een gigantische revolver liet zien die tussen zijn broekband zat. 'Zonder dat ding ga ik nooit de deur uit.'

Davis kromp ineen, trok haar jas dichter om haar schouders en liet Brianna eerst gaan, zodat die de ergste wind opving.

Ze liepen langzaam het platform over, de schuren en portakabins om hen heen waren schimmen in de kolkende sneeuw. Davis hield haar hoofd laag, zocht haar weg ellendig over de stroom elektrische en datakabels die verraderlijk onder de witte deken lagen. Carradine liep naast haar, zich niet bewust van de kou. Hij had niet eens de moeite genomen een parka uit de klimaatkamer mee te grissen. 'Zoals ik al zei, zakt de oplegger van de koning door het ijs. En de andere trucker wordt de nieuwe koning.'

'Oké, oké,' mompelde Davis. God, nog maar een stuk of tien stappen naar de trailer.

'Hoe dan ook, het is een schitterend verhaal, echt gewelddadig. De invalshoek vanuit de ijstrucker is fantastisch. Ik heb een kopie van het scenario in de cabine. Ik vroeg me af of u, met uw connecties en zo, er misschien naar zou willen kijken en het zou willen aanbevelen…'

Hij hield zo abrupt zijn mond dat Davis hem aankeek. Toen hoorde zij het ook: een gedempt gedreun, als een zware, opzettelijke bons, voor hen in de duisternis.

'Wat is dat?' hijgde Davis. Ze keek naar Brianna, die nerveus naar haar terugkeek.

'Dat weet ik niet,' zei Carradine. 'Misschien een loshangend stuk gereedschap.'

Boem.

'Dit lijkt precies op de portiersscène in *Macbeth*!' riep Carradine uit. 'Dat kloppen aan de poort nadat ze Duncan om zeep hebben geholpen! Dat komt ook in mijn scenario voor, wanneer de nieuwe truckerskoning in Yellowknife is en hij de zoon van de oude truckerskoning aan de deur hoort…'

Boem.

Carradine lachte. 'Wek Duncan met uw geklop!' citeerde hij. 'Ik wilde dat gij dat kon.'

Boem.

Davis deed nog een stap naar voren maar aarzelde toen. 'Dit staat me niets aan.'

'Het is vast niets. Laten we gaan kijken.'

Ze liepen verder, langzamer nu, door het dikke pak sneeuw. De wind floot huilend tussen de bijgebouwen door, beet in Davis' blote benen en trok aan de zoom van haar jas. Ze stapte over een kabel, wankelde en hervond haar evenwicht.

Boem.

'Het komt van de achterkant van de trailer,' zei Carradine.

'Nou, haal het weg, wat het ook is. Met dat gerammel kan ik nooit slapen.'

Nu doemde het gevaarte van de trailer voor hen op, een grijze monoliet in de besneeuwde duisternis, de generator zoemde. Carradine ging hun voor naar de achterkant, zijn shirt wapperde en flapperde achter hem aan. In de schaduw tussen de trailer en de omheining was het nog donkerder. Davis huiverde, likte langs haar lippen.

Boem.

En daar was het, pal voor hun neus: een lichaam hing ondersteboven aan een steunbalk voor een van de zonneschermen. Hij had geen jas aan, zijn kleren waren op verschillende plekken gescheurd. De armen bungelden languit naar omlaag. Zijn hoofd, dat op gelijke hoogte was als dat van hen – onherkenbaar ondergesneeuwd – stootte op de luimen van de wind traag tegen de stalen wand van de trailer.

Boem.

Brianna gaf een gil en deed een stap achteruit.

'Hij is dood!' schreeuwde Davis.

De trucker stapte snel naar voren en veegde de sneeuw van het gezicht dat voor hen bungelde.

'O god!' gilde Davis. 'Toussaint!'

Carradine strekte zich naar de steunbalk uit om het lichaam omlaag te halen. Tegelijk schoten Toussaints ogen plotseling open. Hij keek hen om de beurt niet-begrijpend aan. Toen opende hij abrupt zijn mond en begon te gillen.

Brianna viel op de grond flauw waarbij ze haar hoofd met een akelige klap tegen de trailer stootte.

Toussaint gilde opnieuw, een rauwe jammerklacht. 'Hij speelt met jullie!' schreeuwde hij. 'Hij speelt met jullie! En als hij klaar is met spelen, slaat hij aan het moorden. Dan gaat hij ons allemaal vermoorden.'

30

De menigte in het commandocentrum was nog meer aangegroeid. De laatste keer dat het er zo vol was geweest, dacht Marshall neerslachtig, was toen Wolff een spoedvergadering bijeen had geroepen nadat ze hadden ontdekt dat de kluis leeg was. Tijdens die bijeenkomst hadden shock, ontzetting en ongeloof de boventoon gevoerd. Nu was iedereen bovenal bang. De angst was zo sterk aanwezig dat Marshall bijna de metaalachtige vinnigheid ervan kon proeven.

Hij liep de kamer in en werd onmiddellijk door Wolff en Kari Ekberg tot staan gebracht.

'Hoe gaat het met Toussaint?' vroeg Wolff.

'Hij is halfbevroren, heeft een gebroken enkel en op zijn benen en armen zitten talloze gemene rijtwonden. Maar hij overleeft het wel. Hij gaat als een gek tekeer, we moesten hem zwaar verdoven met medicijnen uit de legervoorraad. Gonzalez heeft hem uit voorzorg in bed vastgebonden, zelfs met kalmerende middelen hebben we de handen vol aan hem.'

'Als een gek tekeer?' herhaalde Wolff. 'Waarover?'

'Je kunt er geen wijs uit worden. Hij zei dat hij in de ziekenboeg werd aangevallen, alle kanten op werd geslagen en naar buiten is gesleurd.'

'Wie kan dat nou zijn geweest?' hijgde Kari.

'Volgens Toussaint is het geen wie,' antwoordde Marshall. 'Het is een wat.'

Wolff fronste zijn wenkbrauwen. 'Dat is idioot.'

'Iéts heeft hem als een biefstuk opgehangen. Die haak hing ruim drie meter boven de grond.'

'Dat kan geen ijsbeer zijn geweest,' zei Wolff. 'En het kon niet straffeloos de basis in en uit lopen. De man is duidelijk de weg kwijt. Wat deed hij trouwens in de ziekenboeg?'

'Kennelijk probeerde hij stiekem opnamen te maken van Peters' lijk.'

Wolff schrok. Toen betrok zijn gezicht. 'Is dat gelukt?'

'Moeilijk te zeggen. Er lag een camera in de ziekenboeg... Gonzalez en zijn mannen zijn daar nu aan het kijken. Maar die was zwaar beschadigd en er zat geen beeldmateriaal op. Je kon alleen de audio-opnamen horen, Toussaint, die steeds maar weer "nee, nee, nee" mompelde.'

'Beschrijft hij wat hem heeft aangevallen?' vroeg Kari.

'Niet gedetailleerd.' Marshall wachtte even, bracht zich weer de uitzinnige woordenstortvloed in herinnering die Toussaint uitkraamde terwijl hij hem rustig probeerde te krijgen. 'Zei dat het reusachtig was... zo groot als een stationwagen.'

Wolff keek sceptisch.

'Hij zei dat het meer tanden had dan je kon tellen. Niet groot, maar vlijmscherp. En dat ze kronkelden.'

Wolff keek nog sceptischer. 'Een beetje onwaarschijnlijk, denk je niet?'

'Ik weet het niet. Aan die wonden op Peters' lijk te zien, was het inderdaad vlijmscherp.' Marshall wachtte weer even. 'En dan die ogen. Hij bleef maar jeremiëren over die ogen.'

Kari huiverde.

'Hij zei dat het hem toezong,' voegde Marshall eraan toe.

'Ik denk dat ik genoeg heb gehoord.' En Wolff wendde zich af.

'Er is nog iets,' riep Marshall hem achterna.

De netwerkliaison bleef zonder om te kijken staan.

'Peters' lijk is verdwenen.'

Marshall en Kari zagen Wolff de kamer uit lopen. Ze bleven even zwijgend staan. Mensen zaten in kleine groepjes bij elkaar, de hoofden naar elkaar toe. Ze spraken op gedempte toon, fluisterden bijna. Ashleigh Davis vormde met de anderen een schril contrast, met haar luide jammerklachten en protesten had ze het nieuws snel weten rond te bazuinen. Ze stond in een hoek en eiste op luide toon bescherming van het leger.

Kari knikte naar Carradine, de trucker, die in zijn eentje in een hoekje uit een plastic bekertje chocolademelk zat te drinken. 'Hij heeft aangeboden iedereen weg te halen,' zei ze.

'Bedoel je terug naar Yellowknife?'

'Waar dan ook. Weg van de basis. Hij zei dat hij bijna iedereen in Ashleighs trailer mee kan nemen.'

'Misschien niet eens zo'n slecht idee... als hij tenminste een veilige route aanhoudt en geen stunts uithaalt.'

'Wolff heeft het hem verboden. Zei dat het te gevaarlijk was.'

'Nou, hier blijven wordt anders ook met de minuut gevaarlijker.' Marshall keek haar aan. 'Wil jij weg? Als Carradine groen licht krijgt, bedoel ik?'

'Hangt af van wat Emilio doet.'

'Je bent hem niets verschuldigd. Bovendien weet ik nu hoe je echt over hem denkt.'

'Hoe ík echt over hem denk?'

'Daar heb je vanochtend bepaald geen geheim van gemaakt.'

Kari glimlachte meesmuilend. 'Ik kan niet ontkennen dat hij ergens een klootzak is. Maar dat zijn de meeste producers met wie ik heb gewerkt. Je moet een groot ego hebben om op zoiets groots en complex als een primetime documentaire je stempel te kunnen drukken. Bovendien heb ik niet alleen voor Conti getekend, maar voor de hele show. Zo werkt dat in deze business. Ik ben de veldproducer. Ik blijf tot het bittere eind.'

Marshall glimlachte ook. 'Je bent een dappere vrouw.'

'Niet echt, hoor. Alleen heel ambitieus.'

Marshall merkte dat er iemand naast hem stond. Hij keek opzij en zag de professor, Jeremy Logan, naar hen kijken. Hij mag dan een academicus zijn, bedacht Marshall toen hij naar hem knikte, maar zo eentje als hij ben ik nog nooit eerder tegengekomen.

'Sorry dat ik jullie onderbreek,' zei Logan. 'Maar ik wilde dr. Marshall even spreken.'

'Natuurlijk. Ik moet toch van alles doen om de groep gerust te stellen. Ik spreek je later, Evan.' En Kari liep weg.

Marshall wendde zich tot Logan. 'Wat is er aan de hand?'

'Kennelijk een hoop. Laten we een rustiger plekje opzoeken. Dan praten we daar wel.' En Logan gebaarde naar de uitgang.

31

Marshalls lab bevond zich vanaf het commandocentrum achter de zesde deur, maar toch leek het loopje ernaartoe een eeuwigheid te duren. Marshall moest steeds denken aan de uiteengereten, gestrekte gedaante van Peters en de verwilderde ogen en het getier van Toussaint. Hij weerstond de neiging om achterom te kijken.

In het lab haalde Marshall zijn MIDI-keyboard van de enige stoel, gebaarde Logan dat hij kon gaan zitten en sloot toen de deur zorgvuldig achter hen. Toen nam hij op de labtafel plaats.

'Rustig genoeg?' vroeg hij.

Logan keek om zich heen. 'Het voldoet.' Hij wachtte even. 'Ik heb gehoord wat er is gebeurd. Hoe nemen de mensen het op?'

'Wisselend. Iedereen is doodsbang. Een paar zaten op het randje van instorten. Iemand van de make-up werd hysterisch en moest een kalmeringsmiddel krijgen. Als die storm niet snel gaat liggen…' Hij schudde zijn hoofd. 'Mensen weten niet wat ze moeten geloven, weten niet wat er gaande is… en dat is waarschijnlijk nog het moeilijkst van alles.'

'Ik wil weten wat júllie geloven. Jullie wetenschappers, bedoel ik. Ik heb zo'n idee dat jullie iets op het spoor zijn… en ik moet weten wat dat is.'

Marshall keek hem even bedachtzaam aan. 'Ik zal je vertellen wat ik niet geloof. Ik geloof niet dat een menselijk wezen Peters zo kan hebben toegetakeld. En ik geloof ook niet dat Toussaint door een ijsbeer aan zijn enkels is opgehangen.'

Logan sloeg zijn benen over elkaar. 'Dan blijft er niet veel over, wel?'

Marshall aarzelde. Logan, bedacht hij, had hem al in vertrouwen genomen, hem verteld waarom hij daar was, uitleg gegeven over het noodlot dat het vorige wetenschappelijk team had getroffen. 'Faraday heeft een theorie,' zei hij kort daarna.

Kort en bondig schetste hij wat Faraday aan hem had verteld: over de unieke eigenschap van ijs-15, dat het bij lage temperaturen kon smelten, dat het schepsel in een flits in het ijs kon zijn ingevroren, dat er een kans bestond – een kleine, maar niettemin een kans – dat het niet dood was gegaan, maar in plaats daarvan in een soort cryogene slaap terecht was gekomen.

Logan luisterde geconcentreerd en Marshall zag dat de historicus niet sceptisch keek. Toen hij klaar was, knikte Logan langzaam. 'Machtig interessant,' zei hij. 'Maar het beantwoordt nog steeds niet de belangrijkste vraag van allemaal.'

'En die is?'

Logan leunde achterover in zijn stoel. 'Wat is het?'

'Daar hebben we het ook over gehad. Heb je ooit gehoord van het zogenaamde Callisto-effect?'

Logan schudde zijn hoofd.

'Dat is een biologische theorie over evolutionaire turbulentie. Volgens die theorie ontstaat er wanneer een specimen zich te veel in zijn habitat thuis gaat voelen – wanneer hij niet meer evolueert of juist de ecosfeer overbelast – een nieuw schepsel, een moordmachine, om de populatie uit te dunnen en het evolutieproces weer een impuls te geven. Ecologisch gezien is dat een perfect wapen.'

'Alweer zo'n fascinerende theorie. Behalve dat ik niet zo een-twee-drie zie dat hier een populatie moet worden uitgedund.'

'Vergeet niet dat we het over de plaatselijke ecologie van duizenden jaren geleden hebben... toen het schepsel werd ingevroren. En zelfs toen hoefde er klimatologisch gezien geen grote populatie voor nodig te zijn om zo'n woeste habitat te overbelasten. Maar de theorie gaat er ook van uit dat het Callisto-effect in grote trekken een fout in de evolutie is. Want zo'n moordmachine lijkt té effectief te worden. Uiteindelijk wordt hij zijn eigen ergste vijand. Het doodt álles... waardoor hijzelf zonder voedselbronnen achterblijft.'

Logan knikte opnieuw, nog trager, alsof hij een mentale puzzel aan het leggen was en een stukje uitprobeerde. 'Een perfect wapen, noemde je het. Interessant dat je die woorden gebruikt, want ik kwam ze zopas zelf tegen. Vanochtend vond ik een aantekenboekje van een van de oude wetenschappers. Hij had het in zijn slaapkamer verstopt.' En hij klopte met een glimlachje op zijn borstzakje.

'Vanochtend? En dat vertel je me nu pas?'

'Ik had niet het idee dat ik je ook maar íéts hoefde te vertellen.'

Marshall gebaarde dat hij het begreep.

'Maar de echte reden dat ik je dit nu pas vertel, is dat het net zo moeilijk te ontcijferen is als de lineaire A-teksten van Agia Triada. Het is in code.'

Marshall fronste zijn wenkbrauwen. 'Waarom zou die wetenschapper dat doen?'

'Ongetwijfeld had hij het gevoel dat het niet genoeg was om zijn aantekeningen eenvoudigweg te verstoppen, maar dat hij ze ook moest versleutelen. Bedenk wel dat we het over de jaren vijftig hebben... de Koude Oorlog was gloeiend heet. Mensen namen veiligheid hoog op en deze man wilde waarschijnlijk niet twintig jaar in Leavenworth gevangenzitten. Hoe dan ook, ik heb er de hele dag over gedaan om het te ontcijferen.'

'Ben je ook al een cryptoanalist?'

Logan glimlachte weer. 'In mijn soort werk komt dat soms heel goed van pas.'

'Waar heb je dat opgedaan?'

'Ik werkte voor – hoe zal ik het zeggen – de "inlichtingendiensten". Hoe dan ook, ik ben er nog niet heel ver mee gekomen... woorden, hier en daar een losse zin. Het is polyalfabetisch, een variant van de Vigenèrecode, maar in een lastige variant. Ik geloof dat hij die in combinatie met een code uit een boek heeft gebruikt, maar toen ze deze verblijven ontruimden, hebben ze natuurlijk alle boeken weggehaald.' Hij haalde het kleine notitieboekje uit zijn borstzak – verweerd, stoffig en vol schimmel – en legde het naast Marshall op de labtafel. Hij maakte het open en haalde er een opgevouwen vel papier uit.

'Dit heb ik tot nu toe kunnen ontcijferen.' Logan vouwde het papier open en bekeek het. 'Er zitten een paar huishoudelijke opmerkingen bij, over de slechte maaltijden, de spartaanse onderkomens en de bepaald niet ideale werkomstandigheden... die zal ik weglaten. Bijvoorbeeld: "We moesten heel snel werken. Overal staat onuitgepakte sonarapparatuur in de weg." En dit: "Omdat we in het geheim moeten opereren, wordt het er niet makkelijker op. Alleen Rose is op de hoogte."'

'Rose?' herhaalde Marshall.

'Hij was destijds de commandant van Fear Base, weet je nog?' Logan keek het papier door. 'Let op: "Het is ijzingwekkend. Schitterend, maar ijzingwekkend. Het is werkelijk het perfecte wapen... als we zijn kracht tenminste in toom kunnen houden. Dat zou..." twee woorden die ik nog niet heb kunnen ontcijferen... "uitdaging zijn." Verder naar het einde heeft hij haastiger geschreven, geërgerd: "Het heeft Blayne gedood. God, het was afschuwelijk, zo veel bloed..." En dan staat er iets waar ik nog niet helemaal uit ben: "De Tunits hebben het antwoord." "Tunit" is duidelijk een code of zo, daar moet ik nog aan werken.'

'Dat is geen code. De Tunits zijn hier de oorspronkelijke bewoners.'

Logan keek snel van zijn papier op. 'Weet je dat zeker?'

'Absoluut. Ze hebben ons opgezocht, vlak nadat we de ontdekking in de grot hadden gedaan. Ze waarschuwden ons in niet mis te verstane bewoordingen dat we moesten vertrekken.'

Logan kneep zijn ogen tot spleetjes. 'Ik heb nooit van de Tunits gehoord. En ik weet een hoop van de stammen in Alaska. Inuit, Aleut, Ahtena, Ingalik...'

'Feitelijk zijn ze duizend jaar geleden uitgestorven, toen hun land werd aangevallen en ze naar de wildernis werden verdreven. Door de jaren heen zijn de paar overblijvers gestorven of opgegaan in de algemene bevolking. Mij is verteld dat dit hun laatste nederzetting is.'

Logan grinnikte. 'Ik wist dat het geen vergissing was om jou erbij te halen. Begrijp je wat dit betekent?' En hij sloeg op het vel papier. 'Dit is wellicht het antwoord waar we naar op zoek zijn.'

'Denk je dat er een verband bestaat tussen de dode wetenschappers en wat deze basis heeft aangevallen? Dat kan toch niet? Dat door ons ontdekte schepsel is ruim duizend jaar bevroren geweest... ónder een gletsjer. Dat is zonder meer onomstotelijk bewezen.'

'Dat weet ik wel. Maar ik geloof niet in toeval.' Hij wachtte even. 'Er is maar één manier om daarachter te komen.'

Marshall zweeg een hele poos. Toen knikte hij langzaam. 'Ik neem de Sno-Cat,' zei hij. 'Alleen daarmee is door deze storm heen te komen.'

'Kun je die dan besturen?'

'Natuurlijk.'

'Weet je waar de Tunit-nederzetting is?'

'Ongeveer. Het is niet ver, misschien een kleine vijftig kilometer naar het noorden.'

Logan vouwde het papier op, schoof het weer in het notitieboekje en stopte dat in zijn zak. 'Ik ga met je mee.'

Marshall schudde zijn hoofd. 'Het is beter als ik alleen ga. De Eskimo's moeten onze aanwezigheid hier niet. Ze zijn wantrouwig. Hoe minder, hoe beter.'

‘Het is niet veilig. Als je gewond raakt, kan niemand je helpen.’

‘Er zit een radio in de Sno-Cat. Ik doe heus voorzichtig. De Tunits hebben mij tenminste al eerder gezien. Jou kennen ze niet. Gebruik jij je tijd hier maar om mijn collega’s achter de broek te zitten.’

‘De hoge heren zijn het er wellicht niet mee eens dat je je de Sno-Cat toe-eigent.’

‘Daarom zeggen we er ook niets over. Ik kom zo snel mogelijk terug. Ik betwijfel of ze er onder de huidige omstandigheden iets van merken.’

Logan fronste zijn wenkbrauwen. ‘Je realiseert je toch wel dat de Eskimo’s mogelijk verantwoordelijk zijn voor wat hier aan de gang is? Je hebt het zelf gezegd: ze moeten ons hier niet. Misschien loop je regelrecht in de val.’

‘Dat is waar. Maar als zij enig licht kunnen werpen op wat er gebeurt – maakt niet uit wat – dan is dat het risico waard.’

Logan haalde zijn schouders op. ‘Dan heb ik er niets meer tegenin te brengen.’

Marshall stond op. ‘Kom me maar uitzwaaien.’ En ze liepen naar de deur.

32

Het leek wel of Conti al sprak bijna voordat Fortnum op de deur klopte. 'Kom erin.'

De cameraman stapte naar binnen en sloot de deur zachtjes achter zich. Conti zat aan de overkant van de ruimte, in de provisorische bioscoop, verdiept in een videovertoning op het enorme scherm. Het was een ruwe film vol krassen, maar evengoed zag je meteen wat het was: de Hindenburg, die in vuur en vlam in de buurt van het Lakehurst Naval Air Station neerstortte.

'Ah, James,' zei de regisseur. 'Ga zitten.'

Fortnum liep naar hem toe en ging in een van de comfortabele fauteuils voor het scherm zitten. 'Hoe is het met Ken?'

Conti zette zijn vingers tegen elkaar. Hij bleef naar het scherm staren. 'Ik weet zeker dat het wel in orde komt met 'm.'

'Ik heb iets anders gehoord. Hij is gek geworden.'

'Tijdelijk. Hij heeft een zware schok gehad. En daar wil ik het met je over hebben.' Conti rukte zich lang genoeg van het bioscoopjournaal los om Fortnum aan te kijken. 'Schiet jij een beetje op?'

Fortnum was ervan uitgegaan dat Conti hem bij zich had geroepen om over Toussaints toestand te praten. In plaats daarvan wilde de regisseur kennelijk zaken bespreken. Hij hield zichzelf voor dat hem dat niet hoefde te verbazen: met topregisseurs als Conti gingen zaken altijd voor. 'Ik heb een stuk of vijf redelijke opnames van de reacties op Peters' dood. Ik ben ze nu aan het overzetten.'

'Goed zo, goed zo. Dat is een geweldig begin.'

Begin? Fortnum had het idee dat het alleen maar lapmiddelen waren: de nogal smakeloze beelden van een documentaire óver een documentaire... een studie van een project dat tragisch de mist in was gegaan.

Het beeld op het scherm werd langzaam zwart. Conti pakte de afstandsbediening, drukte op een knop en de reportage begon opnieuw: de Hindenburg gleed sereen naar zijn aanlegplaats, een reusachtige zilveren sigaar boven de grazige weiden van New Jersey. Plotseling schoten er aan de onderkant vlammen uit. Donkere rooksluiers kolkten de lucht in. De zeppelin vloog langzamer, hing een ijzingwekkend moment in de lucht, en stortte toen op de grond neer. Het vuur verzwolg de huid zodat de ene zwartgeblakerde rib na de andere tevoorschijn kwam.

Conti gebaarde naar het scherm. 'Moet je kijken. De uitsnede is verschrikkelijk, de camerabewegingen hakkelig. Er is totaal geen mise-en-scène. En toch is het waarschijnlijk het meest onvergankelijke beeld dat ooit op celluloid is vastgelegd. Vind jij dat nou eerlijk?'

'Ik geloof niet dat ik u helemaal volg,' antwoordde Fortnum.

Conti wuifde met een hand. 'Hier zijn we dan, onze techniek wordt met het jaar verfijnder, onze shots worden nog subtieler en mooier, we maken ons eindeloos druk over driepuntsverlichting, wel of geen verhalende beelden en vanuit welk perspectief we moeten filmen. En waarom eigenlijk? Iemand met een boxcamera is toevallig op het juiste moment op de juiste plek aanwezig... en in vijf minuten schiet hij beroemdere plaatjes dan al onze zorgvuldig georkestreerde filmbeelden bij elkaar.'

Fortnum schokschouderde. 'Zo gaat dat nu eenmaal.'

'Dat hoeft niet per se.' Conti rommelde met de afstandsbediening.

'Ik begrijp nog steeds niet waar u heen wilt.'

'Misschien dat het lot nu, op dit moment, wél iemand met het talent en de werktuigen op de juiste plek heeft neergezet.'

Fortnum fronste zijn wenkbrauwen. 'U hebt het over dat ding dat Josh Peters heeft gemold. Dat ding waar Ken zo over tekeergaat.'

Conti knikte langzaam.

'Gelooft u dat nu ook? Gelooft u niet meer dat het sabotage was?'

'Laat ik het erop houden dat ik met alles rekening houd. En als zich hier een gelegenheid voordoet, dan ben ik van plan die te grijpen. We zouden gek zijn als we dat niet deden.'

Fortnum zweeg. Hij heeft het toch niet over... Nee, natuurlijk niet. Zelfs Conti was daar niet koelbloedig genoeg voor.

De film was afgelopen en Conti keek er met een klik van de afstandsbediening nog een keer naar. 'James, ik zal je een vraag stellen. Waarom denk je dat de beelden van de Hindenburg zo beroemd zijn?'

Fortnum dacht na. 'Het was een gigantisch drama. Dat krijg je niet zo vaak te zien.'

‘Precies. En je formuleert het ook precies goed: iemand kríjgt dat ook niet zo vaak te zien. Heeft iemand ooit de Valentijn-massamoorden op film vastgelegd? Nee. De brand bij de Triangle Shirtwaist-fabriek? Nee. Als iemand ze wel had opgenomen, waren ze dan net zo’n icoon geworden als de Hindenburg-beelden? Waarschijnlijk wel.’ Conti keek hem aan, en Fortnum zag met groeiende verbijstering dat de ogen van de regisseur schitterden van opwinding. ‘En het echte drama is dat de paar opnamen die we van zulke rampen hebben, ook nog eens grof en ongepolijst zijn. Wij hebben nu de kans om daar verandering in te brengen. Begrijp je wat ik bedoel met “kans”?’

Fortnum kon zijn oren nauwelijks geloven. Zijn ergste vrees over Conti’s beweegredenen en intenties bleek bewaarheid te worden. ‘Verwacht u van me dat ik dat ding ga vangen – wat het ook mag zijn – op het moment dat het iemand vermóórdt? Dat ik daar opnames van probeer te maken? Bedoelt u dat soms?’

In plaats van rechtstreeks antwoord te geven, keek Conti weer naar het scherm. ‘Weet je wat de populairste filmpjes op YouTube zijn? Dierenmishandeling. En de documentaire met de beste kijkcijfers van het afgelopen jaar? *De aanval van een haai*. Mensen hebben de primitieve drang om anderen te zien sterven. Ik kan het niet verklaren. Misschien is het een soort leedvermaak. Misschien is het een primitief vlucht-of-vechtinstinct, iets wat in onze amygdala zit geprogrammeerd. Maar we krijgen nu een kans die filmmakers zelden krijgen: we gaan een waarachtige crisis vastleggen. Zijn we daarvoor hier gekomen? Nee. Hadden we dat gepland? Natuurlijk niet. Maar we zijn het aan onszelf – en aan het tv-station – verplicht om er verslag van te doen.’

Fortnum stond op. ‘Dus u wilt niet alleen dat ik mezelf aan extreem gevaar blootstel, maar u wilt ook nog eens dat ik het schepsel film terwijl dat onze eigen crew aan stukken scheurt? Filmen in plaats van alles doen om levens te redden?’

‘Wie weet? Misschien komen er geen aanvallen meer. Misschien is het niet eens een beest. De storm kan voortijdig gaan liggen en dan zijn we hier morgen vertrokken. Maar we moeten voorbereid zijn, Allan... voor het geval dát.’

Fortnum merkte dat zijn shock en ongeloof plaatsmaakten voor woede. ‘Waarom is Ken Toussaints camera in de ziekenboeg gevonden, nog geen tien meter van de plek waar Peters’ lijk lag? Die opdracht hebt u hem op het entreeplein gegeven: om Josh’ verscheurde lijk te filmen.’

'Doodzonde dat de beelden verloren zijn gegaan.' Conti wendde zijn ogen weer naar het scherm, waar nogmaals het enorme luchtschip in een trage, merkwaardig formele beweging naar de grond zonk en in vlammen en rook opging. 'Primitief,' mompelde hij. 'Amateuristisch. Maar deze keer niet. Ik ben van plan deze documentaire – deze autobiografie – te maken en het zich ontvouwende drama op film te vereeuwigen. Op haar eigen manier is dit net zo'n gedenkwaardige crisis als de Hindenburg… maar deze keer zal het kunst zijn.'

'Dat u Peters' dood wilde uitbuiten door de reacties van de anderen op te nemen, was al erg genoeg. Maar dit…' Fortnum verstijfde. 'Hier wil ik part noch deel aan hebben. En ik vind het monsterlijk dat u zoiets verachtelijks zelfs durft voor te stellen.'

Het duurde even voor Conti zijn ogen van het scherm losrukte en Fortnum aankeek. 'Je werkt voor mij,' zei hij. 'Als je het niet in je hebt om deze klus te klaren, ben je niet geschikt als documentairecameraman. Ik zal ervoor zorgen dat je nooit meer aan de bak komt.'

'Op de een of andere manier,' antwoordde Fortnam, 'denk ik dat het voor een van ons al zover is gekomen.' En hij draaide zich om en beende zonder nog een woord te zeggen het vertrek uit.

33

Soldaat eerste klas Donovan Fluke liep terneergeslagen op B-niveau door de dwarsgang in de zuidvleugel, hij torste het gewicht van niet minder dan drie zware reistassen. Eerst had hij zijn geluk niet op gekund: hij moest Ashleigh Davis naar haar provisorische onderkomen escorteren. Ze mocht dan een bitch zijn, maar ze was zonder meer een stuk... verreweg de mooiste vrouw die hij in vier maanden had gezien. Sterker nog, als je de rest van de documentaireploeg niet meetelde, was ze de énige vrouw die hij in vier maanden had gezien. Voordat hij in het leger kwam, was hij nogal een rokkenjager geweest – zo erg dat hij vooral in dienst was gegaan om problemen met een woedende echtgenoot te ontlopen – en hij wist hoe hij de dames uit de slip moest praten. En Davis' persoonlijk assistent lag in haar eigen kamer te herstellen van een zware hersenschudding. Dit was een geweldige kans, want nu had hij Ashleigh Davis helemaal voor zichzelf. Ze had gevraagd of ze naast het soldatenkwartier kon worden ondergebracht, voor extra bescherming. En dus had hij bedacht dat hij onderweg zijn charmes wel op haar kon loslaten en zijn verlegen, ongedwongen glimlachje kon uitproberen. En als dat niet werkte, zou hij haar een beetje bang maken, de geruchten een beetje aandikken dat die gemene ijsbeer woest was geworden. Hij zou er hoe dan ook voor zorgen – via de romantische benadering óf door haar de stuipen op het lijf te jagen – dat ze hem in haar kamer uitnodigde en wat tijd met hem zou doorbrengen. Misschien wel meer dan dat.

Maar zo was het helemaal niet gegaan. Davis bleek niet gevoelig voor zijn versierpogingen. Ze zei geen woord, ontweek zijn geestige opmerkingen en zei geen boe of bah op zijn hints of suggestieve vragen. Ze hadden de basis verlaten en waren eerst naar haar trailer gegaan, waar hij bijna een kwartier buiten in de kou had moeten wachten, terwijl zij een paar dingen voor de nacht inpakte. Hij stond met zijn pistool in de aanslag op de trap van de trailer en moest aan het bloederige en beestachtig omgebrachte lichaam van Josh Peters denken, dat hij op nog geen honderd meter hiervandaan had zien liggen, en zijn hartstocht verdampte al snel. En alsof dat nog niet genoeg was, moest hij de 'paar dingen' – drie volle reistassen – helemaal in zijn eentje dragen toen ze naar de basis terugkeerden en op weg gingen naar de zuidvleugel.

Ze kwamen bij een kruispunt en Fluke liet de tassen op de grond glijden.

'Wat is het probleem?' vroeg Davis prompt.

'Ik moet even uitrusten, mevrouw,' antwoordde hij.

Davis snoof laatdunkend. 'Hoe ver is het nog?'

'Nog een paar minuten.' De enige geschikte kamer die ze op korte termijn in gereedheid hadden kunnen brengen was de slaapplaats van de dienstdoende officier, en die was helemaal aan het eind van de gewone soldatenkwartieren. Fluke had zich aanvankelijk verheugd op de lange wandeling: meer tijd om te babbelen. Maar nu leek het eerder een ondraaglijke ploetertocht.

Zijn radio kraakte en hij pakte hem van zijn nylon dienstriem. 'Fluke.'

'Fluke, Gonzalez hier. Waar zit je?'

Fluke keek om zich heen naar de spookachtig schemerende deuropeningen. 'We staan bij het Radioafluistercentrum.'

'Meld je zodra je mevrouw Davis veilig hebt afgeleverd.'

'Roger.' Hij deed de radio uit, hing die weer aan zijn riem en pakte de tassen op. 'We moeten daar naar links,' zei hij.

Hij ging haar voor door het gedeelte van de basis waar de soldatenvoorzieningen waren: sportzaal en bibliotheek, dokter en tandarts. De oorspronkelijke pelotons waren al lang verdwenen, de ruimten werden niet meer gebruikt en lagen er troosteloos bij. Ze liepen langs de open deur naar de bibliotheek, waaruit de boeken waren weggehaald en waar de lege planken ononderbroken zwarte lijnen in de schemering vormden. Fluke dacht dat hij nu wel gewend was aan de alom heersende stilte. Maar vanavond leek die drukkender dan anders, tastbaar bijna. Hij probeerde te fluiten, maar er kwam een vals, snerpend geluid uit en hij hield er meteen weer mee op.

Davis liep een halve pas achter hem en rilde. 'Wat is het hier donker.'

Het kreeg haar dus ook te pakken. Fluke besloot het nog één keer te proberen. 'Verderop is de ziekenboeg,' zei hij. 'Raar dat het lijk van die man, Peters, verdwenen is, hè? Dan ga je je toch afvragen wie dat heeft meegenomen... en waaróm?'

Davis' enige reactie was dat ze haar bontjas strakker om haar smalle schouders trok. Fluke wilde met een volgend bloedstollend salvo komen, maar deed dat toch maar niet... als ze doodsbang werd, zou ze waarschijnlijk per se naar de anderen terug willen in plaats van hem uit te nodigen. En het laatste wat hij wilde was die tassen weer de hele weg naar het commandocentrum te moeten terugslepen.

Toen ze langs de deur van de ziekenboeg kwamen, stond Fluke in gedachten even stil bij Peters, de dode productieassistent: zijn aan stukken gescheurde hoofd, de naar buiten stulpende hersens, en zijn ogen die er belachelijk bij hingen. De explosie van bloed op de permafrost... ondanks zijn hitsige avances in de richting van Davis kreeg hij die beelden niet meer uit zijn hoofd.

Hij wierp een blik op de deur. Waar wás Peters' lijk verdomme eigenlijk?

Voorbij de ziekenboeg – de enige plek in dit gedeelte die onlangs nog was gebruikt – werd het nog donkerder in de gang. Het was hier abnormaal koud, als je de normale broeikastemperaturen binnen de basis in aanmerking nam. Fluke bleef staan om het bovenste knoopje van zijn uniform vast te maken. 'Het is nu niet ver meer,' zei hij op hopelijk behulpzame toon. 'Rechtdoor en dan een trap af. Ik haal lakens en dekens voor u en dan gaan we eens kijken of we dat licht aan kunnen krijgen.'

Davis mompelde alleen een eenlettergrepig woord terug.

De trap aan het einde van de gang lag in een bleke lichtcirkel. Toen ze dichterbij kwamen, probeerde Fluke zijn pijnlijke armen te vergeten door in zijn hoofd af te vinken wat hij hierna moest doen: zorgen dat de kamer fris en redelijk presentabel was, het beddengoed en de gloeilampen uit de opslagplaats van de kwartiermeester halen, de plattegrond doornemen...

Plotseling bleef hij stokstijf staan.

Davis keek hem aan, geschrokken doordat hij zo plotseling stilstond. 'Wat is er?'

'Er klopt iets niet.' Fluke maakte een gebaar naar links voor hem, waar een zware stalen deur op een kier stond. 'Die deur... die hoort altijd op slot te zijn.'

'Nou, doe hem op slot, dan kunnen we verder,' zei ze slecht op haar gemak.

Fluke zette de tassen neer en plukte de radio van zijn riem. 'Fluke aan Gonzalez.'

Er klonk wat statisch geruis en toen hoorden ze de stem van de sergeant. 'Gonzalez hier.'

'Sir, de deur naar de elektriciteitscentrale staat open.'

'Doe hem dicht. Rapporteer als je iets verdachts ziet.'

'Ja, sir.' Fluke keek naar Davis. 'Heeft iemand van jullie in dit segment rondgezworven?'

'Hoe moet ik dat weten? Ze hebben op zo veel plaatsen gezocht. Kom op, doe wat hij zegt, dan kunnen we hier weg.'

Fluke liep naar de deur. De manier waarop hij in zijn scharnieren hing, kwam hem vreemd voor. Hij haalde een zaklamp uit zijn zak, deed hem aan en liet de straal langs de sponning glijden. Toen pakte hij snel de radio weer.

'Sergeant?' zei hij. 'Sergeant Gonzalez?'

'Ga je gang, Fluke.'

'De deur... zo te zien heeft iemand hem ingetrapt. Het slot is kapot.'

'Weet je dat zeker, soldaat?'

'Ja, sir. En dat niet alleen... zo te zien heeft iemand hem van binnenuit opengetrapt.'

'We komen eraan.'

'Roger en uit.'

Fluke liep omzichtig naar voren, de lichtstraal likte over de linoleum vloer naar de beschadigde deur omhoog en daarna in de smalle zwarte spleet van de kamer erachter.

'Kunnen we nu weg?' vroeg Davis. 'Alsjeblieft?'

'Nog even.' De kou die hij had gevoeld kwam hiervandaan. Hij kon het door de kier heen voelen sijpelen, alsof de kamer die zelf uitademde.

Hij schopte de deur voorzichtig open. Die bewoog stuntelig en kreunde in zijn beschadigde hengsels. Hij voelde binnen langs de wand, vond het lichtknopje en draaide het om.

De tl-buizen aan het plafond kwamen flakkerend tot leven, maar verlichtten de ruimte eromheen slechts zwak. Er stond een grote, spartaans ogende stalen kubus, met daarin een stalen behuizing waaraan elektriciteitsleidingen bevestigd waren, die van het elektriciteitshuis buiten hier naar binnen kwamen. Daartussen zaten transformators die het inkomende voltage omvormden. De kamer zinderde van de elektriciteit, Fluke voelde zijn huid bijna tintelen. Hij keek met gefronste wenkbrauwen om zich heen. Daar was het, daar kwam de koude lucht vandaan.

'Wel verdomme,' mompelde hij.

Aan de verste muur was een toegangsluik. Dat was ongeveer een meter in het vierkant en bevond zich net boven de vloer. Daarmee kon je in de reparatie- en onderhoudskruipruimte komen die over de hele lengte van de elektriciteitsbuis tot de buitenste schil van de basis liep. Normaal was dat zorgvuldig afgesloten, maar nu gaapte het wijd open, het paneel hing los aan verwrongen schroeven. Poollucht stroomde van buiten naar binnen.

'Mijn oren,' zei Davis. 'Ze doen pijn.'

Fluke liep snel de kamer door en ging op zijn knieën voor het beschadigde paneel zitten. Hij greep de rand vast en probeerde het dicht te duwen, maar het was omgevouwen en er was geen beweging in te krijgen. Hij probeerde het nog een keer, zette er al zijn kracht achter. Het lukte niet. Hij hield op om zijn vingers warm te krijgen en op adem te komen. Intussen viel zijn blik op de kruipruimte achter de sponning van het toegangspaneel.

Het was een donker gat van misschien drie meter diep. Aan het eind ervan was het buitenpaneel ook losgerukt en Fluke kon zo naar buiten kijken: hij zag de omtrek van een gereedschapsschuur en sneeuwvlokken die als stofduivels in de uitzinnige wind rondwervelden. Hij bleef ernaar staren en merkte intussen dat zijn oren ook pijn deden. Maar deze pijn had hij nooit eerder gevoeld... het was een vreemd, intens suizen, dat hij eerder waarnam dan hoorde, in combinatie met een onaangename druk, alsof zijn binnenoren in zijn schedel opzwollen...

En toen – hij zat nog steeds op zijn knieën te staren – waren de sneeuwwervelingen aan het einde van de onderhoudskruipruimte weg.

Hij tuurde verward de tunnel in, vroeg zich af of het buitenpaneel soms van buitenaf was afgesloten. Maar toen verschóóf de duisternis, en hij realiseerde zich dat zijn zicht plotseling werd geblokkeerd door een enorme gedaante, die zich steels door de kruipruimte naar hem toe bewoog.

Met een kreet van afgrijzen viel hij achteruit op de grond. Hij trok zijn dienstpistool uit zijn holster maar zijn vingers waren opeens dik en klunzig, en het kletterde op de grond. Hij probeerde zijn verstand bij elkaar te houden, op te staan en het op een lopen te zetten, maar hij was verlamd van schrik en ongeloof. Het ding kwam nu dichterbij, vulde met zijn kolossale lijf de brede kruipruimte, en met dat Fluke ernaar staarde zwol de pijn in zijn hoofd zo hevig aan dat het bijna ondraaglijk werd. Plotseling stroomde er warmte langs zijn dijen toen zijn blaas het begaf.

En nu was het in de kamer. Davis gilde – een scherp, indringend geluid –

en het ding richtte zich op haar. Fluke staarde alleen maar. Er was absoluut niets in zijn bevattingsvermogen of ervaring, geen nachtmerrie of koortsdroom, geen schepping van de Almachtige dan wel de Prins der Duisternis, wat ook maar in de buurt kwam van wat bij hen in die kamer stond.

Davis gilde opnieuw, uitzinnig, een angstaanjagende, keelverscheurende gil, en toen was het ding plots boven op haar. De gil klonk nog schriller en harder, en ging daarna over in een wanhopig, rochelend gegorgel. Fluke voelde dat hij werd ondergesproeid door een warme, dikke vloeistof. Ineens realiseerde hij zich dat hij zich kon bewegen. Hij wankelde overeind en draaide zich wanhopig naar de deur, zijn wapen vergeten. In de verte, alsof het van heel ver weg kwam, dacht hij kreten te horen, een waarschuwingskreet. Maar toen had het hem te pakken en plotseling was er in zijn universum niets meer behalve pijn.

34

De voorruiten van de Sno-Cat 1643RE waren enorm – ze besloegen de hele voorkant van de cabine – en vanaf zijn uitkijkpost op de passagiersstoel had Marshall een panoramisch uitzicht op de storm. Hoewel het zware glas en staal hem tegen de ergste woede beschermden, was hij zich er maar al te zeer van bewust hoe het grote voertuig in de uitzinnige windvlagen heen en weer zwaaide, en van de ijspegels die voortdurend op het dak en tegen de zijkanten sloegen. De wind huilde en kreunde onophoudelijk, alsof hij gefrustreerd was in zijn hunkering om het staal om te buigen en hem te grazen te nemen.

Marshall wendde zijn blik van het wervelende sneeuwlandschap af en keek op zijn horloge. Hij was nu bijna veertig minuten onderweg. Toen hij eenmaal de onmiddellijke omgeving van het kamp en het labyrint van lavaschachten achter zich had gelaten, was hij goed opgeschoten. De permafrost was redelijk vlak en hij had constant vijfenveertig kilometer per uur kunnen rijden: hij wist niet welke maximumsnelheid veilig was bij dit voertuig, dus nam hij het zekere voor het onzekere. Tegen Logan had hij gelogen dat hij kon rijden – hij had nog nooit van zijn leven achter het stuur van een Sno-Cat gezeten – maar het voertuig was godzijdank makkelijk te besturen. De bediening was te vergelijken met die van een truck of tractor, met extra hendels voor de sneeuwploeg, lier, zwaailichten en versnellingsbakverwarming. Hij had nog het moeilijkst kunnen wennen aan het feit dat de vier onafhankelijk van elkaar opererende rupsbanden, die hydraulisch door de voor- en achterassen werden aangedreven – in combinatie met de alarmerende hoeveelheid glas in de cabine – hem de slingerende, bijna duizelingwekkende sensatie gaven dat hij veel te hoog boven de grond zat.

Het licht uit de zes halogeen koplampen van de Cat priemde naar voren en kwam nauwelijks door de duisternis heen. Marshall tuurde langs de lichtstralen de razende storm in en keek toen naar het op het dashboard bevestigde gps. Hij wist dat het Tunit-kamp vlak bij een bevroren meer was. Gonzalez had zoiets gezegd. In de database van het gps was binnen een straal van vijfendertig kilometer noordwaarts slechts één zo'n meer, maar het was groot. Daarmee werd brandstof zijn grootste zorg. De tank van de Cat was halfvol. Dat betekende dat hij met vijfennegentig liter het meer moest zien te bereiken, de nederzetting moest vinden en weer naar de basis moest zien terug te komen. En Marshall had geen idee hoeveel brandstof de enorme machine verbruikte.

Hij reed door, de ruitenwissers zwiepten wild in de wervelende wind heen en weer terwijl ijsnaaldjes door de sneeuw heen zich op het raam nestelden. Hij schudde vermoeid zijn hoofd, probeerde het helder te krijgen, wilde dat hij een thermoskan koffie had meegenomen. Was het echt nog maar zesendertig uur geleden dat hij had ontdekt dat het schepsel verdwenen was?

En wéér vroeg Marshall zich af waarom hij eigenlijk een rit maakte die heel goed op zijn best een hopeloze onderneming zou worden... en in het ergste geval op een ramp zou kunnen uitdraaien. Als hij hier ergens in de Zone vast kwam te zitten, zonder brandstof kwam te staan, zou hij nooit op tijd gevonden worden.

De Tunits hebben het antwoord. Een of andere wetenschapper had die woorden vijftig jaar geleden opgeschreven. De man had ze zo belangrijk gevonden dat hij ze aan het papier had toevertrouwd, versleuteld en in zijn slaapverblijf had verstopt. En nu, vandaag, was iemand beestachtig vermoord. En een ander ongelooflijk bizar mishandeld. Bijna veertig mensen verkeerden in groot gevaar. Als er ook maar de kleinste kans bestond dat de Tunits er iets van wisten – een oude mythe, een mondelinge overlevering, verborgen geschiedkundig bewijs, alles wat ook maar een beetje licht kon werpen op wat de basis teisterde – dan was dat het risico waard.

En er was een andere, meer persoonlijke reden. Waar hij in de afgelopen week ook was geweest of wat hij ook had gedaan, Marshall had steeds het gevoel gehad dat hij nooit helemaal alleen was geweest. Er was voortdurend een aanwezigheid in de buurt, die hem steeds in de gaten hield: twee gele ogen, zo groot als vuisten, met pupillen als bodemloze meren. Sinds hij ze voor het eerst door het ijs naar hem had zien terugkijken, hadden die ogen hem achtervolgd. De paleo-ecoloog in hem wilde – móést –

dit schepsel beter leren begrijpen. Zelfs als Faraday gelijk had, zelfs als het op een of andere manier nog leefde en achter de recente gruweldaden zat, hunkerde Marshall ernaar om zijn mysteries te ontrafelen. En om dat te bereiken was hij bereid heel wat verder te reizen dan die vijfenveertig kilometer door een vliegende sneeuwstorm.

Plots schudde de cabine heftig heen en weer, en toen nog een keer… het terrein werd hobbeliger. Marshall minderde vaart. Op het gps zag hij dat het meer recht voor hem lag: een uitgestrekte blauwe muur die het hele schermpje besloeg. En nu kon hij het ook door de ramen zien: een vage lijn in de bulderende duisternis, overdekt met sneeuw, je kon het alleen als een plas water herkennen door de ononderbroken en onopvallende horizontale lijn ervan.

Marshall reed nu stapvoets. Hij volgde aan het stuur draaiend de contouren van het meer, zorgvuldig turend naar een teken van bewoning. Hij had al achtendertig liter benzine verbruikt, dat betekende dat hij nog acht tot tien liter had om verder te zoeken. De bevroren ondergrond helde steil omlaag naar de oever van het meer, en hij moest tegelijk zijn hand stevig aan het stuur en het gaspedaal flink ingedrukt houden, wilde hij grip op het ijs kunnen houden.

Plotseling zwenkte de Cat hevig zijwaarts. Marshall zag verderop een gapende gletsjerspleet, stuurde scherp in tegengestelde richting en gaf gas. De cabine schudde toen de metalen rupsbanden zich in het glibberige ijsoppervlak vastgrepen. Marshall zette de motor in de laagste versnelling, probeerde de balans te vinden tussen grip en voorwaartse beweging, worstelde om de rupsbanden uit de buurt te houden van de gladde zijkanten van de steeds breder wordende spleet. Het grote voertuig schokte heen en weer, worstelde zich eindelijk over de rand van de ijskap, viel zwaar naar voren en was toen weer op effen terrein.

Marshall bracht de Sno-Cat rollend tot stilstand. Hij bleef even stilzitten terwijl zijn bonzende hart langzaam tot bedaren kwam. Toen drukte hij weer op het gaspedaal en reed voorzichtig naar voren, weg van de steile oeverlijn.

Toen zag hij iets tussen de wervelende sneeuwvlokken door… of hij dacht dat hij iets zag: grijze contouren in de vreemde, laatzomerse schemering. Hij zette de Cat stil en tuurde geconcentreerd door het raam. Daar was absoluut iets, aan de zijkant, een klein stukje van het meer af. Stapvoets reed hij met de Cat naar voren. Toen hij dichterbij kwam, gingen de silhouetten over in grof gebouwde iglo's: er stonden er twee, witgewassen door de sneeuw en meelijwekkend klein, omgeven door draaikolken wervelend ijs.

Marshall zette het voertuig stil, schakelde de motor uit en ritste zijn parka dicht. Toen stapte hij uit de cabine en klom langs de touwladder omlaag. Met zijn hoofd van de bijtende wind afgewend, liep hij naar de eerste iglo. Die was donker en koud, en de buis naar de ingang was een zwart gat. Hij stommelde naar de tweede iglo en knielde voor de ingang. Die was ook onbewoond, de bontdekens en huiden waren koud en stijf.

Daarachter onderscheidde Marshall nog drie iglo's en een grotere sneeuwhut. Er waren geen andere bouwsels in de buurt, en verbaasd realiseerde hij zich hoe klein de laatste Tunit-gemeenschap eigenlijk was.

De drie iglo's waren net zo verlaten als de eerste twee. Maar op de ijswanden van de sneeuwhut danste een vage, oranje gloed. Daarbinnen brandde een vuur.

Even hield de wind zich in, alsof hij moest uitrusten van al dat blazen. Toen de sneeuwwolken even afnamen, zag Marshall opnieuw het merkwaardige, bloedrode noorderlicht laag aan de hemel. Het wierp een griezelige karmozijnrode gloed over het kleine ijsdorp.

Hij haalde diep adem en zocht zich een weg naar de sneeuwhut, trok het kariboevel dat als deur dienstdeed terug en stapte voorzichtig naar binnen. Het was er donker, het plafond was laag en het stond er vol rook. Een massa huiden en dekens lag op de vloer. Marshall veegde het ijs en de sneeuw uit zijn gezicht en keek om zich heen. Toen zijn ogen begonnen te wennen, merkte hij dat er slechts één bewoner was: iemand in een parka van dikke kariboevacht lag voor een klein vuur geknield.

Marshall haalde nogmaals diep adem. Toen schraapte hij zijn keel. 'Neem me niet kwalijk,' zei hij.

Een hele poos bleef de figuur bewegingloos zitten. Toen draaide hij zich langzaam naar hem toe. Het gezicht was een donkere holte in de met bont afgezette capuchon. De figuur bracht een hand naar de capuchon en trok die met een rustige, doelbewuste beweging naar achteren. Een gerimpeld gezicht met ingewikkelde tatoeages staarde naar Marshall omhoog. Het was de oude sjamaan die op de basis was geweest en die de wetenschappers had gewaarschuwd dat ze moesten vertrekken. Hij had een met bizarre lijnen en krullen versierd rendiergewei in de ene hand en een ingewikkeld bewerkt stuk bot in de andere. Op het rendiervel voor hem lagen een paar kleine voorwerpen verspreid: gepolijste stenen, kleine fetisjen van bont, dierentanden.

'Usuguk,' zei Marshall.

De man begroette hem met een licht hoofdknikje. Hij was niet verbaasd hem te zien.

'Waar zijn de anderen?'

'Weg,' antwoordde de man. Nu herinnerde Marshall zich de stem weer: kalm, zonder accent.

'Weg?' herhaalde hij.

'Gevlucht.'

'Waarom?'

'Vanwege jullie. En wat jullie hebben ontketend.'

'Wat we hebben ontketend?' vroeg Marshall.

'Daar heb ik het al met je over gehad. *Akayarga okdaniyartok*. De toorn van de ouden. En *kurrshuq*.'

In de stilte die volgde bekeken de mannen elkaar in het flakkerende licht van het vuur. Bij hun laatste ontmoeting had de man ongerust, angstig geleken. Nu was hij eerder berustend.

'Waarom bent u gebleven?' vroeg Marshall ten slotte.

De sjamaan bleef hem aankijken, zijn zwarte ogen glansden in de reflectie van het vuur. 'Omdat ik wist dat je zou komen.'

35

Het gejank was niet echt hard, maar hield maar niet op: een onophoudelijk gonzen op de achtergrond dat zich vermengde met de tikkende verwarmingsbuizen en de verre brom van de generatoren. Toen Wolff de deur van de officiersmess sloot, was het niet meer te horen. En toch bleef het als een aanwezigheid in Kari Ekbergs hoofd hangen, net zo echt als de knagende angst die van geen wijken wist.

Ze keek om zich heen naar de mensen in de mess: Wolff, Gonzalez en korporaal Marcelin, Conti, Logan de academicus, Sully de klimatoloog, een handvol mensen van de filmploeg. Op het oog leek iedereen kalm. En toch heerste er iets – in hun steelse blikken, zoals ze bij onverwacht geluid opschrokken – waaruit een beheerste paniek sprak.

Gonzalez keek naar Wolff. 'Heb je ze allemaal opgesloten?'

Wolff knikte. 'Iedereen zit op zijn slaapkamer en ze moeten daar blijven tot ze van ons iets anders te horen krijgen. Soldaat Phillips staat op wacht.'

Kari vond haar stem terug. 'Weet u zeker dat ze dood zijn?' vroeg ze. 'Allebei?'

Gonzalez draaide zich naar haar toe. 'Mevrouw Ekberg, lijken kunnen echt niet meer dood zijn dan deze twee.'

Kari huiverde.

'Hebt u iets van ze gezien?' vroeg Conti op zachte, effen toon.

'Ik heb mevrouw Davis alleen horen schreeuwen,' antwoordde Gonzalez. 'Maar Marcelin heeft wel wat gezien.'

Zonder iets te zeggen keek iedereen de korporaal aan, die met een M16 over zijn schouder in zijn eentje aan tafel doelloos in een vergeten kop koffie zat te roeren.

'En?' drong Conti aan.

Een blos van schrik verspreidde zich over Marcelins jonge gezicht, alsof iemand zojuist zijn darmen uit zijn buik had gerukt. Hij opende zijn mond maar er kwam geen geluid uit.

'Ga door, knul,' zei Gonzalez.

'Ik heb niet veel gezien,' zei de korporaal. 'Het kwam de bocht van de gang door toen ik...'

Hij kon niet verder. Het was afwachtend stil in de kamer.

'Het was groot,' ging Marcelin weer verder. 'En het had een kop met...'

'Ja?' zei Wolff.

'Het had een kop met... met... dwing me niet het te zeggen!' Plotseling sloeg zijn stem hysterisch over.

'Kalm aan, korporaal,' zei Gonzalez bruusk.

Marcelin hapte naar adem en de hand waarmee hij met het roerstokje roerde, verstijfde. Na een ogenblik had hij zichzelf weer onder controle. Maar hij schudde zijn hoofd en wilde niets meer zeggen.

Het bleef een hele poos stil in de kamer. Toen zei Wolff: 'Wat moeten we nu doen?'

Gonzalez fronste zijn wenkbrauwen. 'Volgens mij hebben we weinig keus. Wachten tot het weer opklaart. Voor die tijd kunnen we niet evacueren... en we krijgen ook geen versterkingen.'

'Bedoelt u dat we hier moeten blijven rondhangen tot we een voor een te grazen worden genomen?' zei Hulce, een van de filmtechnici.

'Niemand wordt te grazen genomen,' snauwde Wolff. Hij wendde zich tot Gonzalez. 'Hoe zit het met de wapens?'

'Meer dan genoeg kleine wapens,' antwoordde de sergeant. 'Een stuk of zes M16's, een stuk of zes groot kaliber karabijnen, een slordige twintig pistolen, vijfduizend stuks ammunitie.'

'Het wetenschappelijk team heeft drie jachtgeweren meegenomen,' zei iemand. Kari keek naar degene die het zei. Het was Gerard Sully, de klimatoloog. Hij leunde tegen de achterste muur bij de warmwaterbakken en trommelde nerveus met een hand op de stalen balustrade. Hij zag lijkbleek.

Wolff keek de kamer rond. 'Iedereen mag zich alleen nog in gewapende groepjes verplaatsen.'

Gonzalez gromde. 'Zelfs dat is misschien niet genoeg.'

'Nou ja, wat moeten we anders?' kaatste Wolff terug. 'We kunnen onszelf moeilijk helemaal opsluiten.'

'Jullie kunnen mijn truck nemen,' klonk een andere stem.

Iedereen draaide zich ernaartoe. Het was Carradine, de ijstrucker, die op een plastic stoel naar achteren zat te wippen. Kari had hem nog niet eerder opgemerkt, ze wist niet meer of hij de hele tijd al had zitten meeluisteren of dat hij tijdens het gesprek was binnengekomen.

'Dat heb ik al eerder aangeboden,' vervolgde hij. 'Mijn oplegger is de enige machine die mensen uit zo'n storm kan weghalen.'

Wolff zuchtte geërgerd. 'Daar hebben we het al over gehad. Het is niet veilig.'

'O?' zei Carradine. 'En hier blijven wel?'

'We passen er niet met z'n allen in.'

'Wel in mevrouw Davis' trailer.' De trucker ging zachter praten. 'Het ziet er niet naar uit dat zij hem nog nodig heeft.'

'Hij heeft gelijk,' zei Gonzalez. 'Jullie zijn met een ploeg van hoeveel... drieëndertig, vierendertig? Met het wetenschappelijk team erbij zit je nog steeds onder de veertig. Iedereen past in die trailer.'

'Stel dat ze verdwalen?' vroeg Wolff.

'Ik verdwaal nooit,' antwoordde Carradine. 'Gps, snoes.'

'Of pech krijgen? Een lekke band?'

'IJstruckers hebben altijd reserveonderdelen en extra gereedschap bij zich. En zelfs als ik het niet kan repareren... nou ja, daarvoor heeft God de radio uitgevonden.'

'Het is gewoon te gevaarlijk,' zei Wolff. 'Dat heb ik eerder al gezegd en ik zeg het nu weer.'

'De situatie is veranderd,' gromde Gonzalez.

Wolff draaide zich naar hem om. 'Hoezo?'

'Omdat ik het bevel nu overneem.'

Wolffs ogen werden donker. 'U...'

'We hebben nu met iets te maken wat alles en elke omstandigheid tart, u hoeft hier niet meer te zijn. Uw documentaire ligt in duigen. Er zijn drie mensen dood. Geen enkele reden om het drama voort te zetten.' Hij wendde zich tot Carradine. 'Hoe lang heb je nodig om de oplegger in gereedheid te brengen?'

De trucker stond op. 'Op z'n hoogst een half uur.'

Gonzalez keek naar Marcelin. 'Ik wil dat jij meneer Carradine naar zijn truck escorteert. Neem geen risico's, bij het eerste teken van moeilijkheden kom je naar de basis terug.'

Marcelin knikte.

'Jij en Phillips evacueren daarna de filmploeg. We gebruiken de mess als verzamelplaats. Breng ze in groepjes van zes hierheen. Voorzichtig, volgens het boekje.'

‘Ja, sir.’ Marcelin haalde de M16 van zijn schouder en knikte naar Carradine. De trucker stond op en trok tegelijkertijd een grote revolver tussen zijn broekband vandaan. Marcelin liep naar de deur, maakte die open, keek snel door de gang erachter en glipte naar buiten. Carradine ging achter hem aan en sloot de deur stevig achter zich.

Gonzalez stak zijn hand in een van de diepe zakken van zijn werktenue en haalde twee radio’s tevoorschijn. Hij gooide de ene naar Wolff en de andere naar Sully. ‘Hiermee kunnen jullie contact met me opnemen. Ik heb ze op de noodfrequentie voorgeprogrammeerd.’ Hij stond op en greep zijn eigen M16. ‘Doe de deur achter me op slot. Ik ben over vijf minuten terug.’

‘Waar gaat u heen?’ vroeg Wolff.

‘Naar het wapendepot. Ik heb meer vuurkracht nodig.’

‘Waarom?’

‘Omdat ik op jacht ga.’

De deur ging achter Gonzalez dicht, Wolff liep erheen en deed hem op slot. Hij bleef even stilzwijgend naar de deur staan kijken. Toen draaide hij zich vrij abrupt om en liep naar het midden van de ruimte. ‘En?’ zei hij tegen niemand in het bijzonder.

‘Ik kan niet weg,’ zei Sully de klimatoloog. Zijn stem trilde een beetje. ‘Ik ben de expeditieleider. Ik kan niet zomaar al onze experimenten achterlaten. Bovendien… Evan is verdwenen.’

Hierop staarde Kari hem aan. ‘Verdwenen? Maar ik heb hem twee uur geleden nog gesproken.’

Sully knikte grimmig. ‘Sindsdien is hij niet meer gesignaleerd. Hij is niet in zijn lab en ook niet op zijn kamers.’

‘Hij komt wel terug,’ zei Logan.

Iedereen keek naar de academicus.

‘Sorry?’ vroeg Sully.

‘Hij heeft de Sno-Cat even geleend.’

‘In een sneeuwstorm?’ vroeg Kari. ‘Waar is hij naartoe?’

‘Het Tunit-dorp in het noorden.’

‘Waarom?’ vroeg Sully op dwingende toon.

Logan keek naar zijn ondervragers. ‘Om een paar antwoorden te krijgen. Kom, we gaan naar Faraday en dan hebben we het erover. In jouw lab.’

Sully schudde zuchtend zijn hoofd. ‘Oké. Zodra Gonzalez terug is met de wapens.’

'En wanneer hij inderdaad weer terug is, heeft hij misschien een mening over jullie plannetjes.' Wolff keek om zich heen. 'En de rest van jullie?'

'Je maakt een geintje, zeker?' zei Hulce, de filmtechnicus. 'Ik vertrek.' In de kamer klonk instemmend gemompel.

Wolff keek naar Conti. 'Emilio?'

Conti gaf geen antwoord. Sinds zijn vragen over het schepsel had hij zich stil gehouden, zijn blik stond op oneindig.

'Emilio?' vroeg Wolff nogmaals.

Kari zag dat Conti zich er langzaam van bewust werd dat iemand iets tegen hem zei. 'Sorry?' zei hij.

'Kun je over een half uur klaarstaan?'

Conti knipperde met zijn ogen en fronste zijn wenkbrauwen. 'Ik ga helemaal nergens heen.'

'Heb je niet gehoord wat Gonzalez zei? Iedereen moet met Carradines truck naar het zuiden vertrekken.'

De producer schudde enigszins vogelachtig met zijn hoofd. 'Ik moet een documentaire afmaken.'

Wolff kneep zijn ogen ongelovig samen. 'Sorry? Er is geen documentaire meer.'

'Dan heb je het mis.' En Conti glimlachte vaagjes, alsof hij een binnenpretje had.

'Emilio, Ashleigh is dood. En over een half uur is het voltallige personeel op weg naar Fairbanks.'

'Ja,' mompelde Conti. 'Nu sta ik er helemaal alleen voor.'

Wolff stak in een wanhopig gebaar een arm in de lucht. 'Hoor je me niet? Je hebt geen créw!'

'Ik doe het wel alleen. Op de ouderwetse, klassieke manier. Net als Georges Melies, Edwin Porter, Alice Guy Blaché. Fortnum vertrekt ook, dat weet ik zeker.' En hij keek Kari aan.

Kari begreep wat die blik betekende, wat hij van haar vroeg. Ondanks wat ze Marshall in het commandocentrum had verteld, ondanks haar compromisloze toewijding aan zowel Conti als haar carrière, voelde ze het koude lemmet van de angst door zich heen klieven bij de gedachte alleen al. Maar toch beantwoordde ze zijn blik, hield die vast en knikte langzaam.

36

De oude sjamaan gebaarde naar een stapel kariboevellen aan de andere kant van het vuur. 'Ga zitten,' zei hij.

Marshall, zich pijnlijk bewust dat de tijd drong, begreep ook dat deze ontmoeting – wat die ook mocht brengen – juist tijd nodig had. Hij ging zitten.

'Hoe wist u dat ik zou komen?' vroeg hij.

'Precies zoals ik wist dat jullie de ouden boos zouden maken. Dat heeft mijn geestgids me verteld.'

De sjamaan raapte de verspreid liggende voorwerpen op, stopte ze in een kleine leren buidel en trok de veter strak.

'Waar zijn de anderen naartoe gegaan?'

Usuguk wees met een hand naar het noorden. 'Naar onze broeders aan zee.'

'Een ander Tunit-kamp?' vroeg Marshall.

Usuguk schudde zijn hoofd. 'Inuit. Wij zijn de laatsten van onze soort.'

'Bedoelt u dat er geen andere Tunits meer zijn?'

'Geen enkele.'

Marshall keek over het vuur naar de oude sjamaan. Dus het was echt zo. 'Wanneer komen ze terug?'

'Misschien wel nooit. Aan de kust is het leven makkelijker. Het was lastig om ze hier te houden nadat hun vaders en moeders gestorven waren.'

Marshall zweeg even en zette zijn gedachten op een rij. Het was moeilijk te geloven dat deze droevige kleine nederzetting de laatste sporen van een voltallige plaatselijke stam vertegenwoordigde. En het was een bittere gedachte dat door zijn komst naar de gletsjer hij wellicht voor een deel verantwoordelijk was dat ook die uit elkaar werd gedreven, al was het maar tijdelijk.

'Die tekens die u buiten de basis hebt aangebracht,' zei hij ten slotte. 'Waar waren die voor?'

'Een afweerteken om jullie te beschermen. Om de kurrshuq te dwingen jullie te sparen.' De sjamaan keek Marshall weer aan. 'Maar je bent hier, dus het afweerteken heeft niet geholpen.'

Marshall aarzelde weer even. Hij was helemaal hiernaartoe gekomen en toch wist hij niet precies hoe hij moest beginnen... of zelfs wat hij moest vragen. Hij haalde diep adem. 'Luister. Usuguk. Ik weet dat we u al een hoop narigheid en moeilijkheden hebben bezorgd, en dat spijt me oprecht. Dat is nooit onze bedoeling geweest.'

De Tunit zei niets.

'Maar nu zitten we in de problemen. Diep in de problemen. En ik ben hier in de hoop dat u ons kunt helpen.'

Nog steeds gaf Usuguk geen antwoord. Zijn gezicht stond onaangedaan, gesloten bijna.

'De berg,' ging Marshall verder. 'Waarvan u zei dat hij het kwaad herbergde. Tijdens onze experimenten hebben we daar iets gevonden. Een schepsel groter dan een ijsbeer, gevangen in het ijs. We... we hebben het uit het ijs gesneden. Maar nu is het verdwenen.'

Terwijl Marshall dit vertelde, veranderde de gezichtsuitdrukking van de sjamaan. Nu gleed er iets wat leek op shock over zijn verweerde gelaatstrekken.

'We weten niet precies wat het is. Ik kan u alleen vertellen dat er gewonden zijn gevallen. Doden.'

De verschrikte blik ebde weg en ervoor in de plaats kwam dezelfde mengeling van angst en smart die Marshall zich van hun eerste ontmoeting herinnerde. 'Waarom ben je naar mij toe gekomen?' vroeg de Tunit.

'Vijftig jaar geleden is er een wetenschappelijke expeditie op de basis geweest. Dat is op een drama uitgedraaid. Bijna alle wetenschappers vonden de dood. Maar we hebben een van hun dagboeken gevonden. Daarin stonden de woorden: "De Tunits hebben het antwoord."'

Usuguk staarde bewegingloos in het vuur. Marshall wachtte, niet zeker of hij iets moest zeggen of niet. Na een ogenblik rommelde de sjamaan traag door een verzameling rituele voorwerpen en pakte het benen handvat van wat leek op een soort trommel: een kleine ring met een diameter van ongeveer dertig centimeter waarover strak een leren vel was gespannen. Langzaam sloeg hij ermee tegen de palm van zijn andere hand, draaide het instrument bij elke slag om: van achter naar voren, van achter naar voren. Tijdens het ritme viel hij in met een monotoon gezang, eerst zacht, daarna luider. Het geluid vulde de hele sneeuwhut als rook van een vuur. Na een paar minuten stierf het gezang eindelijk weg. Het gezicht van de sjamaan was weer tot rust gekomen. Hij legde de trommel weg, maakte de veter van de leren buidel los, stak er zijn hand in en haalde er groezelige balletjes van zacht materiaal uit, het ene blauw en het andere rood. Hij gooide ze voorzichtig in het vuur, het ene na het andere. Tweekleurige rook kringelde omhoog, aan de randen was die violet.

'*Tashayat kompok*,' mompelde hij terwijl hij de rook bestudeerde. 'Uw wil geschiede.' Marshall had niet de indruk dat de sjamaan het tegen hem had.

Marshall onderdrukte de sterke neiging om op zijn horloge te kijken. 'Weet u wat de wetenschapper bedoelde?' vroeg hij. 'Dat de Tunits het antwoord hebben?'

Usuguk zei niets. Hij hield zijn ogen op het vuur gericht.

'Ik weet dat u wel het een en ander van de wereld hebt gezien,' zei Marshall. 'Alleen al omdat je het Engels zo goed beheerst. Als u kunt helpen, als u hier iets vanaf weet, hélp ons dan alstublieft.'

'Dat is niet mijn taak. Jullie hebben deze duisternis zelf over je afgeroepen. Ik heb gedaan wat ik kon. Ik heb een lange reis gemaakt – een zon, een maan en nog een zon – om jullie te waarschuwen. Dat hebben jullie in de wind geslagen.'

'Als dat zo is, dan bied ik u daarvoor mijn verontschuldigingen aan. Maar ik vind mensen die een gewelddadige dood sterven een te hoge prijs voor onze domheid.'

Usuguk sloot zijn ogen. 'De cirkel die jullie in gang hebben gezet, zullen jullie zelf moeten vervolmaken. Zelfs de cirkel des doods kan schoonheid bevatten.'

'Er was niets moois aan Josh Peters' dood. Als u iets weet, hoe onbelangrijk het ook lijkt en al lijkt het er niets mee te maken te hebben… als medemens bent u verplicht ons te helpen.'

'Jij bent van de wereld,' antwoordde Usuguk traag. 'Ik ben van de geesten. Dat leven heb ik lang geleden achter me gelaten. Ik kan niet terugkeren.'

Marshall bleef zitten, vroeg zich af of hij nog iets kon zeggen. Ten slotte schraapte hij zijn keel. 'Ik zal u iets vertellen. Ik heb ook ooit een leven in de steek gelaten. Het leven van mijn beste vriend.'

Langzaam opende Usuguk zijn ogen.

'Dat was twaalf jaar geleden. Ik was een Ranger in het leger en gestationeerd in Somalië. Mijn unit had drie dagen onder vuur van rebellenpatrouilles gelegen. Het was een huis-aan-huisgevecht, kamer voor kamer. Mijn vriend vormde een vooruitgeschoven post. De bevelen waren verwarrend en hij kwam te vroeg in actie. Ik zag hem een plein oversteken. Het was donker, ik dacht dat hij een vijandelijke scherpschutter was. Ik heb hem doodgeschoten.' Marshall schokschouderde. 'Daarna heb ik gezworen nooit meer een wapen op te pakken.'

Usuguk knikte. En weer viel er een stilte over de sneeuwhut, slechts onderbroken door het knapperende vuur en het droevige janken van de sneeuwstorm buiten.

'Het was geen schot in de rug,' zei de sjamaan terwijl hij zijn ogen opende.

Marshall keek hem verbaasd aan. 'Hebt u ooit in het leger gezeten?'

Usuguk negeerde die vraag. 'Het was een vergissing.'

'Mijn unit had nog nooit door eigen vuur een soldaat verloren. Ik kreeg het bevel te liegen, het in de doofpot te stoppen. Toen ik dat weigerde, heeft mijn commandant ervoor gezorgd dat ik oneervol werd ontslagen. Ik... ik moest zijn vrouw vertellen dat haar man dood was.'

Usuguk gromde zacht. Hij pakte zijn medicijnbuideltje en haalde er een paar kleine voorwerpen uit. Hij streek de dierenhuid voor hem glad, gooide de voorwerpen neer en keek nauwlettend toe hoe ze vielen. 'Je zei dat je had gezworen nooit meer een wapen op te pakken. Dat is nogal wat. En nu? Wat ga je nu doen?'

Marshall haalde diep adem. 'Als daar iets is... iets wat van plan is ons allemaal uit te moorden... dan zal ik mijn uiterste best doen om hem eerst te doden.'

Usuguk keek in het vuur. Toen wendde hij zijn doorgroefde en ondoorgrondelijke gezicht naar Marshall. 'Ik ga met je mee,' zei hij. 'Maar wanneer ik iemand het leven beneem, doe ik dat alleen uit zelfverdediging. Mijn tijd om te jagen is voorbij.'

Marshall knikte. 'Dan jaag ik voor ons beiden.'

37

Penny Barbour had alle gegevens die voor de expeditie van belang waren mee willen nemen: een netwerkback-up, de database met aanwinsten en monsters, de online labverslagen van haar medewetenschappers. Uiteindelijk had ze niets meegenomen. De twee soldaten, Marcelin en Phillips – ondanks hun M16's nerveus ogend – gunden haar de tijd niet. Barbour, Ang Chen en de vier anderen die aan hun groep waren toegewezen, kregen de opdracht zich snel in hun warmste kleren om te kleden en een identiteitsbewijs mee te nemen. Ze moesten zich in de officiersmess verzamelen, waar hun namen op een algemene lijst, waar iedereen van de basis op vermeld stond, werden gecheckt, en werden vervolgens naar de verzamelplaats gebracht. Phillips liep voorop, Marcelin achteraan. Ze bewogen zich snel en in volkomen stilte door de gangen, bleven bij elke kruising staan terwijl Phillips de omgeving verkende. Toen ze bij het centrale trappenhuis kwamen, kropen ze omhoog en staken het entreeplein over – spookachtig in de avondschemering – naar de klimaatkamer. De kamer was net zo vol als de rest van de basis leeg was: zodra ze de deur openden, wendde een zee van gezichten zich naar hen toe.

Gonzalez stond aan het hoofd van de groep. Hij had een kar vol wapens en munitie – genoeg voor een klein leger – en hij was ze stuk voor stuk systematisch aan het controleren. Hij knikte naar de soldaten, klapte het magazijn dicht van het wapen dat hij had gecontroleerd en deed het in zijn holster.

'Zijn dit de laatsten?' vroeg hij.

'Ja, sir,' antwoordde Marcelin. Hij gaf de namenlijst aan de sergeant, die hem controleerde, goedkeurend gromde en hem opzijlegde. Toen keek hij op zijn horloge. 'Carradine is over vijf minuten klaar met laden.' Hij wendde zich tot de groep. 'Oké, allemaal luisteren. Ik wil nu dat jullie je warmste kleren aantrekken. We delen extra handschoenen, sjaals en bivakmutsen uit, jullie vinden ze daar in de doos. Als ik het teken geef, gaan we naar buiten. Jullie lopen allemaal achter me aan en gaan rechtstreeks naar de trailer. Maak intussen geen enkel geluid. Nog vragen?'

Niemand zei iets.

'Ga dan maar aan de gang.'

Een snerpend geluid van metaal tegen metaal weerklonk toen een kleine veertig kasten bijna gelijktijdig werden geopend. Barbour maakte de hare open, schoot in haar parka, wikkelde een sjaal om haar nek, greep toen een bivakmuts uit de grote doos die in het midden van de ruimte stond en trok die over haar oren. Ze stopte een extra sjaal in haar ene jaszak en een stel handschoenen in de andere.

'Ik heb nog een vraag,' zei een grimmige stem. Het was de opzichter van de werklui, Creel. Hij was de enige die geen parka had aangetrokken en stond met de armen over elkaar tegen de muur.

Gonzalez keek naar de man en knikte hem toe.

'Wat bent u van plan als de truck weg is?' vroeg Creel

'We zijn van plán om een eind aan dat moorden te maken.'

'U bedoelt dat u een klopjacht gaat houden.'

'Wat dit ding ook is, ik vind dat hij zijn portie jagen wel heeft gehad. Nu zijn wij aan de beurt,' zei Gonzalez.

'Jullie zijn maar met z'n drieën,' zei Creel.

Gonzalez keek naar de verzameling wapens en glimlachte somber. 'Hoezo? Denkt u dat we niet sterk genoeg zijn?'

'Gezien de informatie die u hebt, lijkt mij hoe meer mankracht, hoe beter.'

Nu keek Gonzalez de man nauwlettender aan. 'Hebt u in dienst gezeten, meneer?'

Creel stak zijn borst vooruit. 'Derde gewapende pantserdivisie, Desert Storm.'

Gonzalez streek over zijn kin. 'U hoort niet bij deze groep, wel? U bent de plaatselijke opzichter.'

De man knikte. 'George Creel. Uit Fairbanks.'

'Ooit gejaagd?'

De opzichter grinnikte vals. 'Alleen op mensen in uniform.'

'Dat is voor mij genoeg. Wilt u met ons meedoen, meneer Creel?'

Creels grijns werd breder. 'Gratis en voor niks? Geintje, zeker?'

'Uitstekend.'

Barbour hoorde haar eigen stem bijna nog voor ze zich realiseerde dat ze iets zei. 'Volgens mij vergist u zich.'

Gonzalez draaide zich naar haar toe. 'Waarin vergis ik me precies?'

'Dat u met zo weinig informatie de jacht gaat inzetten. Sully en Faraday zijn in het lab zijn bloed aan het analyseren en zoeken uit waar dat ding allemaal toe in staat is. Hoe meer u te weten komt, hoe meer kans u hebt om hem uit te schakelen.'

Gonzalez kneep zijn ogen tot spleetjes. 'Wat kunnen zij in hemelsnaam te weten komen waar wij iets aan hebben?'

'Ze kunnen een zwakke plek ontdekken. Erachter komen waar hij kwetsbaar is, hem observeren.'

'Ze zijn van harte welkom om alles te bekijken wat ze willen... van het karkas.' Gonzalez keek de klimaatkamer rond. 'Oké, mensen, volg mij.'

Ze liepen de verzamelplaats op waar Gonzalez ze in drie rijen naast elkaar zette. Toen gingen de buitendeuren open en marcheerden ze de storm in. De haveloze stoet liep dicht opeen, stapte door de vlagen sneeuw die om hun enkels kronkelde. Gonzalez liep voorop, de M16 in de aanslag, terwijl korporaal Marcelin de rijen sloot en een slee vol met waterflessen en noodvoorraden achter zich aan sleepte.

Barbour hoorde de achttienwieler voor ze hem zag: het gegrom van een stationair draaiende dieselmotor boorde zich door de schemering heen. Ze worstelde zich met gebogen hoofd door de storm voort, tot ze hard tegen degene voor haar op botste. Ze keek op en zag dat de stoet tot stilstand was gekomen. Daar stond de truck, overdekt met gele lichtjes als een of andere reusachtige vakantiereclame, het licht van de koplampen priemde door de glinsterende sneeuwvlokken. Carradine, de trucker, had Ashleigh Davis' trailer ingeladen en stond in de brede deuropening ervan: een magere karikatuur in een schreeuwend hawaïshirt, kauwend op een dik stuk kauwgum. Hij was druk bezig allerlei voorwerpen uit de trailer in de sneeuw te gooien: hoedendozen, rekken met dure designer jurken, een toilettafel. Barbour keek toe hoe een leren koffer door de deur van de trailer buitelde. Hij viel op de grond, sprong open en een explosie van cosmetische spullen barstte eruit. De wind kreeg vat op een flinterdun negligé en nam het wapperend en rimpelend als een zijden vlieger mee de lucht in. Even bleef het aan een antenne op de trailer hangen voor het wegdanste en in de donkere lucht verdween.

Carradine wreef tevreden in zijn handen. 'Dat is beter,' zei hij boven de dreunende diesel uit. 'Oké. Breng ze maar aan boord.'

Gonzalez telde nog een keer de hoofden. 'Naar binnen,' zei hij tegen de eerste rij. 'Zoek maar een behaaglijk plekje.'

'Niet allemaal op elkaars lip gaan zitten,' voegde Carradine eraan toe. 'Verdeel het gewicht zo gelijkmatig mogelijk.' Hij sprong in de sneeuw. 'Ik heb een reserveradio op batterijen neergezet zodat jullie met de cabine kunnen communiceren. Iemand moet dat op zich nemen.'

Iemand stak weifelend zijn hand op. 'Dat doe ik wel.' Het was Fortnum, de fotografie-director.

Barbour zag dat de twee gewonden de trailer in geholpen werden: Toussaint, ineengezakt, duidelijk zwaar verdoofd en zachtjes in zichzelf prevelend, en Ashleigh Davis' assistente, het hoofd in het verband, stilletjes en zo te zien doodsbang. Terwijl de rijen langzaam dichterbij schuifelden, voelde Barbour de warmte uit de open deur stralen. Ongetwijfeld had Carradine de verwarming op honderd gezet, nu kon dat nog. 'Ik heb iemand naast me in de cabine nodig,' zei hij. 'Die moet de weg voor me in de gaten houden als de zaken riskant worden.'

'Dat doe ik wel,' zei Barbour.

Carradine keek haar aan. 'Kun je een gps programmeren?'

'Ik ben computerdeskundige.'

'Daar doe ik het mee. Ik controleer nog even de rubberflappen en de alcoholverdamper, dan kunnen we op weg.'

Ze stapte uit de rij in de betrekkelijke beschutting van de cabine. Toen de laatste van de groep in de trailer was geklommen, overhandigde Marcelin de waterflessen en noodvoorraden. Carradine inspecteerde nog eenmaal de hele truck. Toen klom hij in de trailer en nadat hij binnen even had rondgekeken en Fortnum de radio had gewezen, sloot hij de deur. Toen liep hij naar achteren en ontkoppelde de stroomaanvoer. Onmiddellijk gingen alle lichten van de trailer uit, op de boordlichten achterop na.

'Bent u zover?' vroeg Gonzalez.

De trucker stak zijn duim op.

'Veel geluk dan maar, en een goede reis.'

Carradine hielp Barbour in de cabine, liep toen om de voorkant heen en klom op de bestuurdersstoel. Hij deed snel een apparatuur- en instrumentencontrole volgens een checklist die aan de wand achter hem hing, deed zijn veiligheidsgordel om en plukte de radiohandset van het dashboard. 'Allemaal aan boord, daarachter?' zei hij.

'Allemaal aan boord,' kwam het antwoord.

'10-4.' Hij zette de radio terug en keek naar Barbour. 'Klaar?'

Ze knikte.

'Dan gaan we.' Hij schakelde de luchtdrukrem uit, zette de wagen in zijn versnelling en liet de koppeling traag opkomen. De truck schudde even en rolde langzaam naar voren.

Barbour keek uit het raam naar de voortijlende sneeuw. Op weg naar de wildernis en duisternis was dit haar laatste beeld van Fear Base: de drie soldaten – Gonzalez, Marcelin en Phillips – die hen bij de lege slee en met de wapens in de aanslag nakeken.

38

In het afgelopen uur was het in de officiersmess ongelooflijk druk geweest. Een voor een hadden de groepen zich gevormd, werden ze gecontroleerd of ze reisklaar waren en daarna door de soldaten naar de verzamelplaats geëscorteerd. Op een bepaald moment had Gonzalez via de radio een laatste beroep gedaan op Conti's gezonde verstand om met de rest mee te gaan. Conti, die naar de ruwe opnamen van de digitale videocamera die Fortnum had achtergelaten, zat te kijken, luisterde nauwelijks. Ten slotte sputterde Gonzalez iets over dat het verspilde tijd was geweest om Conti de truck in te dwingen en hem te waarschuwen dat hij zich gedeisd moest houden. 'Wil je iets filmen? Film dan de puinhoop maar als we dat ding om zeep hebben geholpen.' De twee soldaten, Marcelin en Phillips kwamen terug om de laatste groep van zes naar de verzamelplaats te brengen.

Nu waren ze nog maar met zijn drieën.

Kari keek naar de andere aanwezigen in de mess. Conti, die klaar was met het bekijken van de ruwe opnamen, was nu koortsachtig notities aan het maken op het klembord waar hij nooit buiten scheen te kunnen. Wolff had zich twee pistolen van zwaar kaliber uit de legervoorraad toegeëigend en zat ermee te spelen. Zoals hij de kogels met zijn duim in de extra patroonhouders duwde, alsof hij een overmaatse dispenser vulde, leek het erop dat hij er wel mee om kon gaan.

Maar Kari voelde zich er nauwelijks beter door. Ze twijfelde steeds meer aan haar beslissing om te blijven. Loyaal aan een project was één ding, en ambitie ook, maar hier met een soort moordmachine opgesloten zitten, begon steeds meer een dubieuze carrièremove te lijken.

Ze probeerde haar bedenkingen van zich af te schudden. Twee wetenschappers hadden er toch ook voor gekozen om bij hun gegevens en monsters achter te blijven? Logan bleef bij hen. En Marshall... nou ja, Marshall was ergens in de storm daarbuiten. Die zou wel weer terugkomen. Bovendien moest je ook het leger niet uitvlakken: ze waren getraind voor het gevecht en beschikten over een indrukwekkend wapenarsenaal, klaar om achter het schepsel aan te jagen zodra de truck was vertrokken. Ze zei tegen zichzelf dat haar kansen hier beter waren, waar het warm en droog was, dan in een achttienwieler op het ijs.

Conti legde zijn pen neer en keek de notities die hij zojuist had gemaakt door, toen keek hij op de klok. 'De truck zal nu wel een eindje op weg zijn,' zei hij. 'Het is zover.'

Wolff legde zijn pistolen neer. 'Waarvoor?'

'Voor de filmjacht, natuurlijk. Het gaat elk moment beginnen. Ik kan niet riskeren dat ik dat misloop.'

Wolff fronste zijn voorhoofd. 'Emilio, dat meen je toch zeker niet?'

Conti pakte de videocamera en controleerde de instellingen. 'Ik had graag een opname van de vertrekkende truck gemaakt, maar dat risico kon ik niet nemen... Gonzalez had me dan misschien onder dwang aan boord gewerkt. Maar dat kunnen we later altijd nog ensceneren. Dit is het moment waarop we hebben gewacht, waar alles naartoe heeft geleid.'

'Dat is krankzinnig.' Kari had de woorden er uitgeflapt voor ze het in de gaten had.

De regisseur draaide zich naar haar toe. 'Wat bedoel je? Ik blijf een eind achter de soldaten. Ik schaduw ze, volg ze op het gehoor... ze zullen nooit weten dat ik er ben tot de actie begint en het te laat is er iets aan te doen.'

'Maar het is niet veilig...' begon Kari.

'Denk je dat het hier veiliger is? Persoonlijk ben ik liever dicht in de buurt van machinegeweren.'

'Maar Kari heeft gelijk,' zei Wolff. 'De soldaten zoeken doelbewust het gevaar op. Voor jou geldt dan dus hetzelfde.'

'Ga dan met me mee.' Conti knikte naar de wapens. 'En neem die ook mee. We kunnen beter bij elkaar blijven.'

Wolff gaf geen antwoord.

'Moet je horen,' zei Conti. 'We zijn hier gekomen om dat beest te filmen. Begrijp je niet welke kans we nu krijgen? Dit is een nieuw verhaal, veel beter dan we ooit hadden verwacht. Denk je nou echt dat ik in deze kamer op mijn krent blijf zitten, terwijl het shot van de eeuw – misschien het shot van eeuwen – zich op een steenworp afstand gaat voordoen?'

Toen niemand iets zei, stond hij op en begon door de kamer te ijsberen.

'Natúúrlijk schuilt er enig gevaar in. Daarom is dit juist de opwindendste documentaire ooit. We beleven de feitelijke, zich ontvouwende gebeurtenissen, het ruwe materiaal is overal om ons heen. Zo empirisch is geen film, fictie of documentaire ooit geweest. Het is organisch, daar kan geen enkel project, met geschreven script en storyboard en al, aan tippen. Begrijp je het niet? We zijn getuige van de geboorte van een héél nieuw filmgenre.'

Tijdens het praten kreeg Conti een verhit gezicht en zijn ogen gingen schitteren. Zijn stem trilde van een bijna messiaanse overtuiging. Ondanks haar angst kreeg Kari vlinders van opwinding in haar buik. Wolff luisterde er stilzwijgend naar, volgde de heen en weer lopende regisseur met zijn ogen.

'En dan is er nog iets,' zei Conti. 'Ashleigh is dood. Ze heeft haar leven voor dit project gegeven. We zouden het voor haar moeten doen. Nu zal ík de verteller zijn.'

Er viel een korte stilte. Toen zei Wolff: 'Denk je werkelijk dat je dit voor elkaar krijgt?'

'Ik ben opgeleid als cameraman, weet je nog? Ik maak opnamen waarvan Fortnum het schaamrood op de kaken krijgt.' Conti wendde zich tot Kari. 'Ik maak de opnamen wel, maar het loopt lekkerder als jij de geluidsapparatuur bedient.'

Ze haalde diep adem. 'Ik zal de veldmixer in orde maken.'

Conti knikte. 'Ik doe de rest. Kari, jij houdt de radio vast. We vertrekken binnen vijf minuten.'

39

Marshall manoeuvreerde met de Sno-Cat zo snel hij durfde door het golvende gordijn van ijs en sneeuw. De sneeuw was wat afgenomen, maar de wind was erger dan ooit, hij jankte rondom de deuren en ramen van het grote voertuig. Het kon niet lang meer duren voor de dageraad zou aanbreken, maar dat leek merkwaardig genoeg niet erg relevant in dit grijze niemandsland. Soms leek het of ze onder water zaten, alsof de aarde en lucht door de gewelddadige storm tot een vreemd nieuw element waren samengesmolten, een chemische substantie waar de Cat zich met geweld een weg doorheen moest banen.

Hij keek in de achteruitkijkspiegel. Usuguk zat met gekruiste benen achter in de cabine, de medicijnbuidel lag op zijn schoot. Hij had zijn gebutste karabijn achtergelaten en was ongewapend. Zijn capuchon had hij naar achteren geschoven zodat zijn verweerde en gegroefde gezicht te zien was, in de omhulling van zijn grote parka leek de man wel een dwerg. Hoewel Marshall een paar keer had geprobeerd om een gesprek met hem aan te knopen, had de Tunit tijdens de rit weinig gezegd. Hij had wel zitten wiegen – wat niets van doen had met het hotsen en botsen van de Sno-Cat – en nu zat hij zacht in zichzelf te neuriën.

Hij deed nogmaals een poging. 'In uw dorp vertelde u dat uw tijd om te jagen voorbij is. Was u vroeger een jager?'

Usuguk verroerde zich. 'Ja. Ik was een groot jager. Maar dat was jaren geleden, toen ik nog een kleine man was.'

Kleine man? 'Ik begrijp iets niet. Waarom woont u zo ver in het binnenland, zo ver weg van de zee? In dit klimaat kun je niets verbouwen. Je kunt niet aan voedsel komen, behalve dan de toevallig langskomende ijsbeer. U zei het zelf: het leven zou in de buurt van de kust zo veel makkelijker zijn.'

Opnieuw nam Usuguk de tijd voor hij antwoordde. 'Ik ben niet geïnteresseerd in een makkelijker bestaan.'

'Bedoelt u dan dat als de anderen niet terugkeren, u helemaal in uw eentje in de wildernis blijft?'

Lange stilte. 'Het is mijn *roktalyik*.'

Marshall keek opnieuw in de achteruitkijkspiegel. De man wist iets – zo veel leek wel duidelijk – maar hadden ze iets aan hem? Zou het niet een aaneenrijging van mythes en rituelen worden, interessant maar volkomen nutteloos? Hij hoopte van niet.

Ze reden in stilte naar het zuiden verder, Marshall hield met één oog het gps en met het andere de wervelende sneeuw in de gaten. Mount Fear was nu dichtbij en hij minderde vaart, spande zich in om lavaschachten of magmabreuken te kunnen zien die zich verderop wijd gapend en verraderlijk onder de sneeuwdeken verscholen. Binnen een paar minuten knipperde een klein lichtpuntje links van hem in de duisternis, toen twee, toen een stuk of zes. Marshall paste zijn koers aan en even later doemde de omheining als een skelet in het licht van de koplampen op. In plaats van op de parkeerplaats te parkeren, manoeuvreerde hij langs het hek en tussen de portakabins door, en zette de Cat met zijn neus naar de centrale ingang. Tot zijn enorme verbazing zag hij dat zowel Carradines oplegger als Ashleigh Davis' trailer was verdwenen. Een grote open plek net binnen het hek markeerde waar ze gestaan hadden, voet- en bandensporen waren door de wind weggeveegd.

Hij parkeerde zo dicht mogelijk bij de dubbele deur, schakelde de motor uit en knikte naar Usuguk. De Tunit kwam naar voren en samen stapten ze uit het voertuig, doken tussen de rukwinden door. Marshall opende de deuren en ging naar binnen. Het duurde even, maar toen kwam Usuguk achter hem aan.

De klimaatkamer leek wel een slagveld: een stuk of tien kasten hingen open, dikke kleding- en voorraaddozen lagen over de vloer verspreid. Een grote voorraad wapens en munitie stond in een hoek. Marshall liep erheen en pakte met reusachtige weerzin een M16 en een paar magazijnen voor dertig kogels. Hij stopte de magazijnen in de zakken van zijn parka en hing het semiautomatische wapen aan zijn schouder.

Het entreeplein lag er donker en verlaten bij. Marshall bleef even staan luisteren. De basis leek bijna onnatuurlijk stil, geen holle echoënde voetstappen, geen babbelende stemmen in de verte. Hij wees de weg naar het centrale trappenhuis op weg naar de woonverblijven op B-niveau. Usuguk bleef op enige afstand achter hem, keek rechts noch links. De Tunit leek geen belangstelling voor zijn omgeving te hebben. Sterker nog, het was net alsof hij zo weinig mogelijk wilde zien. Er stond een afstandelijke, bijna pijnlijke uitdrukking op zijn gezicht, alsof hij met zichzelf een worsteling uitvocht.

B-niveau was net zo verlaten. Toen ze langs de kamers kwamen waar het de afgelopen dagen had gegonsd van de bedrijvigheid – het commandocentrum, kantoren en slaapverblijven – begreep Marshall er steeds minder van. Wat was er gebeurd? Waar was iedereen? Hadden ze zich ergens diep in de basis teruggetrokken, een veilige haven opgezocht... of was het een laatste verschansing?

Van één plek wist hij zeker dat daar iemand zou zijn: het natuurkundig en biowetenschappelijk lab. En toen hij dichterbij kwam, wist hij dat hij gelijk had: binnen waren zachte stemmen te horen. Toen hij de deur opende, trof hij er niet alleen Faraday aan, maar ook Sully en Logan. Ze schrokken alle drie toen hij binnenkwam. Logan stond snel op en keek nieuwsgierig naar Usuguk. Sully, die aan een tafel zat, knikte alleen maar en trommelde nerveus met zijn vingers. Een van de jachtgeweren, ter bescherming tegen ijsbeeraanvallen, stond rechtop naast hem. Faraday keek beurtelings van Marshall naar Usuguk en weer terug.

'Het is je gelukt,' zei Logan. 'Goed, man.'

'Waar is iedereen?' vroeg Marshall.

'Weg,' antwoordde Logan. 'In de trailer.'

'Dat schepsel heeft Ashleigh Davis en een van de soldaten te grazen genomen,' zei Sully. 'Hij heeft ze beiden afgeslacht.'

Er ging een rilling door Marshall heen. 'Mijn god. Dat zijn dan al drie doden.'

'Gonzalez en zijn jongens zitten nu achter hem aan,' voegde Sully eraan toe.

Logan gebaarde naar Sully en Faraday. 'Ik heb ze over het dagboekje verteld. Waarom je naar de nederzetting was gegaan.'

'Wat is er met het dagboek?' vroeg Marshall.

'Ik heb nog wat fragmenten ontcijferd. Niet iets waar we wat aan hebben.'

Marshall wendde zich tot de sjamaan. 'We weten dat hier vijftig jaar geleden een team wetenschappers is geweest. Er waren er acht. Zeven zijn onder plotselinge en kennelijk gewelddadige omstandigheden om het leven gekomen. Ik heb u verteld wat een van hen had opgeschreven: "De

Tunits weten het antwoord". We weten waarop. Dus: Kunt u ons helpen?'

Toen Usuguk begon te praten, leek er een verandering over hem te komen. De pijnlijke uitdrukking verdween langzaam van zijn gezicht en er kwam iets voor in de plaats wat Marshall als berusting interpreteerde. Een poosje zei hij niets. En toen knikte hij langzaam.

'Kunt u dat?' vroeg Logan gretig. 'Weet u wat er is gebeurd?'

'Ja.' Usuguk knikte nogmaals. 'Ik was degene die wist te ontsnappen.'

40

Toen hij voor het eerst dienst had op Fear Base, als een groen soldatenopdondertje in 1974, had Gonzalez meegedaan aan de incidentele infiltratieoefeningen. Ze waren toen met zijn zessen en hun was verteld dat een zogenaamde Russische sabotage-unit in de basis was binnengedrongen en dat ze de unit moesten vernietigen. Natuurlijk was zelfs toen de basis al twintig jaar dicht, het was niets anders dan oorlogje spelen. Toch werd het als een goede training beschouwd, vooral voor degenen die uit het geniekorps naar het reguliere leger overstapten. En je raakte het nooit meer kwijt: Gonzalez kon zich nog steeds de fluisterende orders herinneren, de op scherp staande wapens, de deuren die met een plotselinge schop werden opengetrapt.

Dit voelde net zo.

Nadat de truck met de trailer was vertrokken, had het team de wapens op scherp gezet en na een korte briefing en een waarschuwing dat ze voorzichtig moesten zijn, waren ze de zuidvleugel in gegaan. Ze bewogen in bijna volslagen stilte door de gangen en Gonzalez liet met een gebaar of een enkel woord weten wat hij wilde. Ze waren voorbij de ziekenboeg en naderden nu de plek waar Fluke en Davis waren aangevallen. Het was de tweede keer binnen een uur dat ze deze ronde deden. De vorige keer was hij seconden te laat geweest. Fluke was dood, letterlijk aan stukken gescheurd, maar Davis had nog even geleefd. Dat was geen prettige aanblik geweest. Nu lagen beide lijken in de onderzoekskamer van de ziekenboeg, in plastic lakens gerold, op de plek van de verdwenen Peters.

'Oké,' mompelde hij. 'We nemen buiten de transformatorruimte positie in. Phillips, jij doet een snelle verkenning.'

Phillips, die vooropliep, stak zijn duim omhoog. Gonzalez keek achterom naar Marcelin. De korporaal knikte dat hij het begreep.

Gonzalez was heimelijk opgelucht dat Marcelin zich zo goed hield. Hij was de enige die een glimp van het schepsel had opgevangen, en Gonzalez had bijna een man verloren. Ofwel hij was hersteld of hij hield een stevige façade op. Een diensttijd waarin je aan het einde van de wereld zat opgesloten, trok meestal niet het neusje van de zalm aan, maar hij was blij met zijn huidige team. Oké, ze waren 'kampsoldaten', leden van de genie zonder enige gevechtservaring. Maar het waren geen zeurpieten of prima donna's. Hij had mannen gezien die stapelgek werden van de kou, de eenzaamheid, de eentonigheid. Maar deze jongens deugden. Ze begrepen dat op Fear Base elke dag precies hetzelfde was als alle andere.

Tot nu toe althans.

Gonzalez keek over Marcelins schouder naar Creel. De potige opzichter grijnsde als een idioot, twee pistolen staken uit zijn broekriem, en hij zwaaide met zijn M4-karabijn met granaatlanceerinrichting alsof hij verdomme Rambo was. Creel was een ongeleid projectiel: Gonzalez was enigszins sceptisch over zijn bewering dat hij bij de derde tankdivisie had gezeten, maar de man kon tenminste wel met een wapen omgaan. En hoewel drie machinegeweren meer dan genoeg leken, nam sergeant Gonzalez graag het zekere voor het onzekere. Een extra vinger aan de trekker leek hem een goede voorzorgsmaatregel.

Hij had overwogen om dit te melden en orders af te wachten. Maar voor alles door de commandoketen heen was en hij een antwoord kreeg, zou hij uren verder zijn, misschien wel langer, en Gonzalez was niet in de stemming om te wachten. Bovendien vond hij het bepaald geen aantrekkelijk idee om uit te moeten leggen waar ze nu eigenlijk precies achteraan zaten. Tijdens zijn dienst waren er al drie doden gevallen en zo ver van het gezag verwijderd was hij uitermate terughoudend met informatie geweest. Beter dat het met kogels doorzeefde karkas voor zichzelf zou spreken.

De transformatorruimte bevond zich nu recht voor hen. In het zwakke ganglicht zag Gonzalez dat de deur wijd openstond en in een krankzinnige hoek aan verbogen hengsels hing. 'Denk eraan,' zei hij tegen Phillips. 'Laag en traag.'

'Ja, sir.' De soldaat pakte zijn M16 beet. Met het wapen in de aanslag trok hij zichzelf door de deuropening en glipte naar binnen. Tien seconden later gaf hij het teken dat alles veilig was.

Gonzalez gebaarde de anderen naar binnen te gaan en ging toen zelf. De kamer was precies zoals ze hem hadden achtergelaten: een orkaan aan bloedvlekken die in fantastische kronkels en stralen over de vloer en plinten van de step-downtransformators liepen. Ze waren erin geslaagd om het toegangspaneel naar de onderhoudskruipruimte af te dichten, maar het was nog steeds onaangenaam koud in de ruimte.

Hij keek naar Marcelin. De korporaal hield zijn ogen opzettelijk van de bloedvlekken afgewend. Hij zag wat pips om de neus.

'Korporaal?' zei Gonzalez boven het gedreun van de transformators uit.

Marcelins ogen schoten naar hem toe. 'Sir?'

'Alles goed?'

'Ja, sir.'

Gonzalez knikte en richtte zijn blik weer op de stroompjes en zijbeekjes bloed. Tientallen bloederige voetafdrukken gingen alle kanten op, het bewijs van de uitzinnige gebeurtenissen die hier kort tevoren hadden plaatsgevonden. Een paar ervan liepen de gang in, in de richting waar ze vandaan waren gekomen, naar de ziekenboeg. Maar er was nog een stel voetafdrukken – als je ze zo kon noemen – die een andere kant op liepen, dieper de basis in. Hij pakte zijn zaklamp van zijn dienstriem, deed hem aan en bekeek ze. Het waren reusachtige, verwrongen rozetten. Terugwijkende, lange en wreed ogende haken ontsproten uit de voorkant van elke rozet.

Hij keek er lange tijd naar.

Gonzalez beschouwde zichzelf als een eenvoudig man met weinig behoeften en nog minder pretenties. Hij had nooit veel gegeven om het gezelschap van anderen, en de enige trots die hij kende was wanneer hij zijn werk goed deed. Daarom was hij nooit op promotie uit geweest, hoefde hij niet zo nodig hoger te klimmen dan de rang van sergeant. Sergeant, zo vond hij, was zijn ideale stek: hoog genoeg om zijn eigen beperkte visie te kunnen uitdragen, maar niet zo hoog dat hij ongewenste verantwoordelijkheid op zijn nek kreeg. Het was ook de reden waarom hij de enige soldaat was die langer dan anderhalf jaar op Fear Base had doorgebracht. Sterker nog, hij was er nu meer dan twintig jaar. Hij zou nooit de blik op het gezicht van majoor van Fort McNair vergeten toen hij na zijn eerste dienstperiode van een verlof op Fear Base terugkeerde en vroeg of hij daar weer gestationeerd kon worden. Hij had al jaren geleden met pensioen gekund, maar hij kon zich niets anders voorstellen dan dat hij zich over deze militaire basis, in de mottenballen en vergeten, ontfermde. Hij had geen familie en slechts weinig bezittingen behalve een bijbel en een grote stapel detectives die hij 's avonds steeds opnieuw in alfabetische volgorde las. Hij had zo veel tijd met zijn eigen gedachten doorgebracht dat zij zijn liefste gezelschap waren. Het was een eenvoudig bestaan, maar geordend, rationeel, voorspelbaar… precies zoals hij het graag had.

En om die reden gaf de door de zaklantaarn verlichte, bloederige afdruk hem zo'n onaangenaam onbehaaglijk gevoel.

Zijn gedachten werden onderbroken door Creel, die een granaat onder in de lanceerinrichting van zijn M4 wurmde. 'Weet je, mijn oom heeft ooit een Afrikaanse safari gewonnen,' zei hij. 'Echt waar. De eerste prijs in een loterij. Heeft er een buffel geschoten. Man, hij heeft nog jaren over die klotejacht lopen opscheppen.'

Dit is een jacht waar je niet over kunt opscheppen, dacht Gonzalez. Hij keek naar zijn mannen. Phillips bescheen met zijn zaklamp de grond en muren, bloedspatten gleden voorbij terwijl de lichtbundel verder ging. Marcelin stond in de deuropening, keek de gang in en hield luisterend zijn hoofd schuin.

'Klaar?' vroeg Gonzalez zachtjes.

'En of we klaar zijn,' zei Creel. 'Laten we dat ding te grazen nemen.'

Ze hergroepeerden bij de deuropening en liepen de gang in. Phillips liep weer voorop, vulde de karige gangverlichting aan met trage vegen van zijn zaklamp, de bloederige, onrustbarend grote voetsporen volgend. Hier en daar lagen ook bloedspatten op de grond… spatten die met de sporen niets te maken hadden. Was het schepsel soms gewond geraakt?

'Jezus,' hoorde hij Phillips zeggen. 'Wat zijn dat verdomme voor afdrukken?'

De gang kwam bij een splitsing uit. Links bevond zich een reeks ongebruikte en lege kantoren, de rechtergang leidde naar de radarondersteuningsruimten. Ze bleven staan terwijl Phillips zorgvuldig met zijn zaklamp in het rond scheen. De afdrukken werden minder duidelijk, de druppels bloed minder frequent, maar ze liepen duidelijk naar rechts.

Gonzalez' moed zakte hem in de schoenen. De radarondersteuningsruimten vormden een doolhof van kleine, vol met apparatuur gepakte nissen en opslagplekken. Als het ding daar was, zou het een hele toer worden hem uit te roken.

'Kom op,' zei hij. 'Wapens in de aanslag. Geen woord, tenzij het absoluut noodzakelijk is.'

Hij keek ze om de beurt aan, Marcelin een beetje langer. De korporaal zag weliswaar niet meer pips om de neus, maar nu was zijn hele gezicht vaalbleek van angst.

Terwijl ze voortgingen, inventariseerde Gonzalez snel zijn eigen emoties. Hij merkte dat hij ook bang was. Niet om vermoord te worden of gewond te raken – hun overweldigende vuurkracht zou hen daartegen beschermen – maar vanwege het onbekende dat dit ding, waar ze jacht op maakten, vertegenwoordigde. Hij moest aan cameraman Toussaint denken, zoals die met schrille, harde stem, tekeer was gegaan, bijna zonder adem te halen, tot hij werd verdoofd. Hij herinnerde zich de paniek in Marcelins stem, in de officiersmess. Dwing me niet het te zeggen! Gonzalez was gewoon te oud, te vastgeroest in zijn gewoonten om zich ruw van zijn visie op de wereld te laten afbrengen.

De gang was een zwarte rechthoek die door gele lichtpoelen werd onderbroken. Phillips hield zijn zaklamp op de sporen gericht terwijl de andere lichten in een los, ongeregeld patroon naar links en rechts gleden. Ze kwamen langs de trap naar C-niveau en de soldatenkwartieren, daarna langs de vertrekken die bedoeld waren voor gegevensoverdracht en identificatie. Alle vier de deuren waren dicht en vertoonden geen sporen van braak of dat ermee geknoeid was, hun kleine tralieraampjes waren onbeschadigd.

'Waar moeten we op richten?' hoorde hij Creel bijna gretig achter zich sneren. 'De kop? Het hart? De buik?'

'Net zo lang blijven schieten tot het neervalt,' antwoordde Gonzalez.

Verderop kwam een smalle opening op de radarondersteuningsruimten uit. Het was er pikdonker. Phillips ging als eerste naar binnen, schoof linksom door de deuropening. Gonzalez volgde hem, tastte met zijn handpalm langs de muur en schakelde de lichten aan.

Radarondersteuning bestond uit drie grote geschakelde ruimten, allemaal vol monolithische stalen rekken die parallel aan elkaar waren neergezet: een opslagplaats van technologische veroudering. De eerste stelling stond als een muur recht voor hen, de hoge planken boden onderdak aan ouderwetse apparatuur voor radarscannen, informatie vergaren en interpretatie: donkere CRT-schermen, schakelpanelen met vacuümbuizen, veelkleurig amarant in een wirwar van draden.

'Waar gaat dit naartoe?' fluisterde Creel.

'Nergens,' antwoordde Gonzalez. 'Het loopt hier dood.'

'Fijn. Dus als dat ding hier is, zit hij in de val.'

Niemand gaf antwoord.

Gonzalez tuurde langs de hoge stalen kast, eerst naar links en toen naar rechts. Daarop zei hij tegen Phillips en Marcelin: 'Jullie nemen de rechterkant. En kijk uit je doppen.'

Ze knikten, draaiden zich om en wurmden zich door de smalle ruimte tussen de muur en de eerste stelling, wapens in de aanslag.

Gonzalez gebaarde naar Creel. 'Wij nemen de linkerkant. We komen bij de achterdeur bij elkaar. Als je iets ziet... wat dan ook... sla alarm.'

'Begrepen.'

Gonzalez liep langs de stelling tot hij bij de linkerwand van de ruimte was. Toen sloeg hij snel de hoek om terwijl hij het terrein goed in zich opnam. De uiteinden van de andere stellingen stonden iets naar achteren, de smalle paden ertussen lagen in duister gehuld. Links langs de muur waren diepe nissen die voor extra opslag gebruikt konden worden. Gonzalez haalde diep adem en liep weer verder, keek in elk pad tussen de stellingen die hij passeerde. Aan de andere kant kon hij de gedaanten van Phillips en Marcelin onderscheiden, die hetzelfde aan de rechterkant deden.

Binnen een minuut waren ze achter in de ruimte. Hij draaide zich om en liep langs de achterwand tot hij bij de anderen bij de deuropening was, die op de tweede opslagruimte uitkwam. 'Iets gevonden?' vroeg hij.

Phillips schudde zijn hoofd.

Gonzalez knikte. De ruimte had niet alleen leeg geleken, ze had ook leeg aangevoeld. Het begon erop te lijken dat het onderzoek van de radarondersteuningsruimten tijdverspilling was. Het schepsel had zich waarschijnlijk langs de trap naar C-niveau teruggetrokken. Waarom zou het hier zijn, in een doodlopend gedeelte?

'Laten we de volgende controleren,' zei hij, toen hij de deuropening doorliep en het licht daar aanknipte. 'Zelfde procedure.'

De tweede ruimte leek identiek aan de eerste: hoge planken vol lang vergeten apparatuur. Ze leek net zo doods als de eerste kamer, behalve dat daar een vaag zoemend geluid klonk, heel zacht, eerder voelbaar dan hoorbaar... ongetwijfeld een ventilatiebuis van het verwarmingssysteem. Opnieuw namen Gonzalez en Creel de linkerkant, ze liepen langzaam en stilletjes langs de stellingen terwijl de andere twee de rechterkant voor hun rekening namen. Ze kwamen bij de achterkant – die dankzij een kapotte gloeilamp slechts schaars verlicht was – en voegden zich opnieuw bij Phillips en Marcelin bij de deuropening naar de derde ruimte.

Gonzalez tuurde in de duisternis voor hen. 'We controleren die ook, dan doen we het tenminste grondig. Daarna gaan we terug naar trappenhuis 12 en doorzoeken C-niveau. Kom mee, zelfde procedure.'

'Ruik je dat?' vroeg Creel.

'Wat?' zei Phillips.

'Ik weet het niet. Een hamburger of zoiets.'

Gonzalez stak zijn hand om de sponning en knipte de lichten weer aan. Een paar gloeilampen kwamen flakkerend tot leven. Even later doofde de dichtstbijzijnde met een zacht geknetter.

Hij fronste zijn wenkbrauwen. Shit, niet weer. Wat een moment om er nu mee op te houden. Het verste deel van de kamer lag nu half in het licht terwijl het gedeelte pal voor hen in duisternis was gehuld.

Phillips snoof. 'Ook een raar moment om honger te krijgen,' zei hij tegen Creel.

Gonzalez stapte door de deuropening en de anderen volgden hem.

'Nee, man. Ik bedoelde geen gebákken hamburger.'

Gonzalez ging naar links, stond op het punt om weer langs de stellingen te lopen met Creel vlak achter hem. Toen bleef hij staan.

Voor hem, waar de muren bij elkaar kwamen, onderscheidde hij de eerste van een paar nissen met apparatuur. Alleen bevatte deze nis niet de stalen radarunits die ze eerder hadden aangetroffen. In plaats daarvan lag er iets op de grond, iets wat dof glansde in het vage licht.

'Mijn hoofd doet pijn,' zei Marcelin.

Gonzalez pakte zijn zaklamp en priemde met de lichtstraal in de nis. Het licht onthulde een wirwar aan doorzichtig plastic, en aan de binnenkant zat aangekoekt bloed.

Peters.

Precies op dat moment begon Marcelin te jammeren.

Gonzalez draaide zich met een ruk om. Iéts kwam op hem af uit de tegenoverliggende hoek van de stelling. In dat korte moment zag Gonzalez een zware, ruige vacht met donker haar, een groot oor, een borst in de vorm van een vleermuis en een kop die daar haaks op stond met een enkel geel oog.

En er was nog iets. De kop was te hóóg, te hoog boven de grond...

Er klonk een gebrul in zijn oor toen Creel een granaat afvuurde. De granaat stuiterde langs de stelling en explodeerde tegen een plank, hij kwam vijftien centimeter te kort voor de plek waar de kop was geweest. De ruimte schudde op zijn grondvesten. Rode en gele rook kolkte naar hen terug en het regende overal stukken metaal en glas van de vacuümbuizen.

'Terug!' schreeuwde Gonzalez.

Ze struikelden naar de tweede ruimte.

'Ga in de hoeken staan!' beval Gonzalez. 'Phillips, Marcelin, dek de deur! Pas op voor kruisvuur.'

Hij trok zich terug naar de linker achterhoek van de tweede ruimte en ging op zijn hurken zitten, gebruikte het uiteinde van de laatste stelling als dekking en richtte zijn M16 op de donkere deuropening. Zijn hart bonsde harder dan hij ooit in zijn leven had meegemaakt.

Creel wauwelde naast hem. 'O god. O god.'

'Ga achter me zitten,' zei Gonzalez. 'Als het op ons afkomt, richt je op de deur. De deur, hoor je? Als je per ongeluk mijn mannen neerschiet, dan schiet ik jou neer.'

Maar Creel leek hem niet te horen. 'O gód...'

'Let op!' schreeuwde Gonzalez naar de soldaten. Er kwam geen antwoord van de overkant van de ruimte behalve een zacht gejammer, dat waarschijnlijk van Marcelin afkomstig was.

Hij keek langs de loop van zijn M16 omlaag, worstelde om de plotselinge, hem onbekende paniekaanval die hem aanvankelijk bijna overweldigde te bedwingen. Een verschrikkelijke minuut verstreek, toen twee minuten. Gonzalez wilde het van zijn voorhoofd stromende zweet wegknipperen. Het zachte geluid dat hij eerder had gehoord, werd nu luider, vulde zijn oren en zelfs zijn hoofd met een doffe pijn die...

Hoofdpijn. Daar had Marcelin het ook over gehad...

Gonzalez verstijfde. In de donkere deuropening bewoog iets.

Hij knipperde opnieuw, streek snel met een hand over zijn ogen. Het was een speling van het licht. Maar nee: hij zág iets bewegen in de schaduwen, grijs op grijs. Even bleef het staan. Toen begon het opnieuw en – langzaam, o zo langzaam – gleed de kop erdoorheen. Details waren in het vage licht moeilijk te zien, maar nu kwam er een zacht geluid uit Creels keel, als het gegorgel van een man die aan het verdrinken was. Gonzalez staarde, net zo verlamd als de rest. Christus, het leek maar op hen af te blijven komen, donker, in de vorm van een kogel, aan de achterkant ging een immense bonk botten over in een stel ongelooflijk machtige, hoge schouders. Gonzalez had nog nooit zoiets gezien. Het was schitterend. Het was angstaanjagend.

De kop was nu helemaal door de deuropening, staarde in de richting van Marcelin en Phillips. Terwijl Gonzalez toekeek, bewoog de kop opnieuw en – martelend, schaamteloos langzaam – draaide hij zich naar hem toe en keek hem aan. De gele ogen leken zijn eigen ogen te onderwerpen. Toen ging de kaak open en Gonzalez' blik werd erheen getrokken, en... heilige Jezus, wat zijn dat verdomme...?

Onmiddellijk voelde hij hoe zijn gezonde verstand het begon te begeven. Zijn vinger trok spastisch aan de trekkerbeugel.

Het gorgelen in Creels keel veranderde in een intens weeklagen, en mondde plotseling uit in een uitzinnige schreeuw.

En toen sprong het ding op hen af.

Alles gebeurde tegelijk. Creel stiet onsamenhangende kreten uit, terwijl hij achteroverviel en tegelijk zijn wapen hief. Phillips en Marcelin openden het vuur uit de tegenoverliggende hoek, hun kogels ketsten langs de muur en ricocheerden met scherp gefluit over Gonzalez' hoofd. Gonzalez voelde hoe hij bruut opzij werd geslagen toen het ding zich boven op Creel stortte: er klonk een zacht knarsend geluid, als een kippenpoot die werd afgebroken, en de opzichter gilde nogmaals verschrikkelijk... ditmaal van de pijn. Gonzalez sprong overeind, de kamer tolde voor zijn ogen, hij greep zijn wapen en draaide zich met een ruk om. Hij zag meteen dat het voor Creel te laat was. Het schepsel had hem als een lappenpop te pakken, corona's bloed spatten in een rode mist rond. De anderen vuurden niet meer. Terwijl Gonzalez naar hem staarde, keek het ding naar hem, zijn kop een rood masker. Gonzalez meende dat hij de mondhoeken omhoog zag gaan in iets wat alleen maar een glimlach kon zijn geweest. En toen zette hij het op een lopen en rende in het kielzog van Phillips en Marcelin langs de stellingen de deur uit, de eerste ruimte en de gang door, hij rende en rende en rende maar door...

41

De lucht in het biowetenschappelijk lab leek te bevriezen. Een hele poos staarde iedereen in de kamer Usuguk domweg aan. De Tunit stond dicht bij de deuropening, bewegingloos. De laarzen van zeehondenvel, de parka van kariboehuid en de deken stonden in schril contrast met de kleurloze stalen wanden en prozaïsche instrumenten.

'Jij,' zei Marshall verbaasd, 'jij bent de achtste wetenschapper.'

'Zo noemden ze me,' antwoordde Usuguk.

Aan de overkant van de kamer fronste Logan zijn wenkbrauwen. 'Wat bedoel je?'

Lange tijd zei Usuguk niets. Hij keek hen met zijn donkere ogen beurtelings aan. Toen concentreerde hij zich op een plek achter hen, Marshall kreeg de indruk dat die plek heel, heel ver weg was. 'Ik ben een oude man,' zei hij. 'Mag ik gaan zitten?'

'Natuurlijk.' Marshall haastte zich een stoel voor hem te pakken. De sjamaan ging zitten en legde zijn medicijnbuidel op zijn knieën.

'Ik was een specialist,' zei hij in zijn accentloze Engels. 'Legerspecialist. Ik ben honderdvijftig kilometer vanhier opgegroeid. Vroeger woonde mijn volk in een nederzetting vlak bij Kaktovik. Ik woonde bij de familie van mijn neef. Mijn moeder stierf tijdens mijn geboorte en mijn vader verhongerde toen ik zes was, op het ijs, tijdens de kariboejacht. Ik had een dwaze jeugd, ik zat vol *quinig*. In die tijd was het niets voor mij uren bij een wak te zitten wachten om een zeehond aan mijn speer te rijgen. Ik respecteerde de oude gebruiken niet. Ik begreep de cirkel der schoonheid niet, hoe schitterend de sneeuw was. Op een keer deed een ronselaar voor het leger Kaktovik aan, hij zat vol verhalen over verre oorden. Ik had jullie taal geleerd, was sterk in mijn armen. Dus ging ik in dienst.' Hij schudde langzaam zijn hoofd. 'Maar ik sprak Inuit en Tunit. Dus na een half jaar op Fort Bliss werd ik teruggestuurd, naar deze basis.'

'Was de basis nog operationeel?' vroeg Marshall.

'*Ahylah.*' De Tunit knikte. 'Helemaal, op de noordvleugel na. Die was nog niet klaar. Die moest onder sneeuwniveau worden gebouwd.'

'Waarom?' vroeg Logan.

'Dat weet ik niet. Dat was geheim. Voor tests. Voor sonarexperimenten.' Usuguk wachtte even. 'Het leger zette een paar Tunits aan het werk, ze moesten het ijs voor de noordvleugel uitgraven en steunberen plaatsen. Alle Tunits wisten dat de berg een boze plek was waar kwade goden rondzwerven. Maar we waren met weinigen, en arm, en het geld van de *kidlatet* – blanke man – was moeilijk te weerstaan. Mijn oom was een van de werklui. Hij heeft het gevonden.'

'Wat gevonden?' vroeg Marshall.

'Kurrshuq,' zei Usuguk. 'De snijtand van de goden. De Verzwelger der Zielen.'

De anderen keken elkaar aan.

'Wat is precies een kurrshuq?' vroeg Logan.

'Dat is wat jullie wakker hebben gemaakt.'

'Wat?' zei Sully. 'Hetzelfde schepsel? Onmogelijk.'

De Tunit schudde zijn hoofd. 'Niet hetzelfde. Een ander.'

Marshall kon zijn verbazing bijna niet verbergen. Was dat mogelijk?

Het bleef even stil in de groep. 'Ga door,' zei Sully ten slotte.

'Het zat in het ijs in een kleine gletsjerspleet onder in de noordvleugel gevangen,' vervolgde Usuguk.

'Waarschijnlijk door hetzelfde fenomeen ingevroren,' mompelde Faraday.

'Mijn oom was verschrikkelijk overstuur. Hij kwam naar mij toe. En ik ben naar kolonel Rose gegaan.'

'De commandant van de basis,' zei Logan.

Usuguk knikte. 'Niemand mocht het verder weten. Mijn oom had mij tegen de kolonel laten zeggen dat het leger de plek onmiddellijk moest verlaten. Het was verboden terrein. En de kurrshuq was zijn bewaker.' Hij zweeg even. 'Maar ze gingen niet weg. In plaats daarvan verzegelde de kolonel de spleet en liet hen komen.'

'Hen?' herhaalde Marshall.

'De speciale wetenschappers. De geheime wetenschappers. Voor het nieuwe maan werd waren ze er. Met twee vrachtvliegtuigen met een buik vol vreemde instrumenten. Die werden allemaal in de noordvleugel neergezet, onder de kwade machten.'

'Dus de noordvleugel kreeg een nieuwe bestemming,' zei Logan. 'Inderdaad, die kreeg een nieuwe functie zodat de nieuwe ontdekking kon worden onderzocht.'

'Ja.'

'En wat deed je oom?' ging Logan verder. 'En wat deden de andere Tunits?'

'Die zijn onmiddellijk vertrokken.'

'Maar jij bent gebleven.'

Usuguk boog zijn hoofd. 'Ja. Tot mijn eeuwige schande. Ik had jullie al verteld dat ik weinig waarde hechtte aan de gewoonten van mijn stam. En de wetenschappers hadden een assistent nodig, iemand die de operaties van de basis begreep. Iemand die als... als bescherming kon fungeren. Aangezien ik al bekend was met de kurrshuq, werd ik uitgekozen. Ze waren goed voor me, betrokken me bij hun werk. Ze noemden me 'de kleine wetenschapper'. Een van hen, de kidlatet die Williamson heette, was geïnteresseerd in...' Hij zweeg, kennelijk op zoek naar het juiste woord. 'In sociologie. Ik heb hem een paar legenden van mijn volk verteld, en ook over onze geschiedenis en overtuigingen.'

'En hoe zat het met dat... schepsel?' vroeg Marshall.

'Het werd heel zorgvuldig uit het ijs gehakt, uit de spleet gehaald en in een vriezer in de noordvleugel geplaatst. De wetenschappers moesten het bestuderen, opmeten en dan ontdooien. Maar algauw ontdooide hij vanzelf.'

'Ontdooide vanzélf?' herhaalde Sully.

'Natuurlijk.' Usuguk schokschouderde alsof hij perplex stond van Sully's ongeloof.

Marshall en Faraday keken elkaar aan. 'Leefde het dan nog?' vroeg Marshall.

'Ja.'

'En was het vijandig?'

'Eerst niet. Kurrshuq is een geraffineerde demon. Hij speelt met je zoals een vossenwelp met een woelmuis speelt. De wetenschappers raakten geïntrigeerd. Toen ze eenmaal hun angst hadden overwonnen, raakten ze geïnteresseerd.'

'Hun angst?' vroeg Marshall.

'De kurrshuq is verschrikkelijk om aan te zien.'

Logan haalde een leren notitieboekje tevoorschijn. 'Wil je het beschrijven?'

'Nee.'

Weer een korte stilte.

'Vertel wat er is gebeurd,' zei Marshall. 'Met die wetenschappers.'

'Zoals ik je al heb verteld, deed hij alsof hij ons wilde paaien. Deed zich vriendelijk voor. De wetenschappers gingen door met hun observaties en tests. Ze testten hoe sterk en snel hij was. Ze raakten steeds meer opgewonden... vooral doordat hij zichzelf zo goed kon verdedigen. Ze wilden zijn intelligentie testen, manieren vinden om hem – hoe zeiden ze dat ook weer? – als wapen in te zetten. Maar op de derde dag verkoos hij om naar de wil der kwade goden te handelen. Hij had er genoeg van om spelletjes met ons te spelen. Een van de wetenschappers, de kidlatet die Blayne heette, onderzocht zijn... zijn jachtinstinct. Waar hij dan op moest jagen, wilden ze me niet vertellen. Hij had een bandrecorder met geluiden van dieren die in gevaar waren... marmotten, Amerikaanse hazen. Toen hij het bandje afspeelde, werd hij boos. Hij scheurde hem aan stukken. We hoorden hem schreeuwen en renden naar hem toe. Toen we bij hem waren, lag zijn lichaam door het hele geluidslab verspreid. En de kurrshuq lag met Blaynes hoofd tussen zijn voorpoten op de grond te slapen. Hij had zijn ziel opgegeten.'

Marshall keek naar Logan. De geschiedkundige had het leren boekje geopend en zat er nu driftig in te schrijven.

'De wetenschappers gingen zonder het lijk aan te raken weg en keerden naar hun kamer terug. Sommigen zeiden dat het schepsel onmiddellijk gedood moest worden. Anderen zeiden dat hij te waardevol was. Misschien, zeiden ze, was Blaynes dood een ongeluk geweest. Was het dier in de war geweest en had hij uit zelfverdediging gehandeld. Ze zouden hun onderzoek voortzetten.'

'Heeft Williamson, degene die in sociologie geïnteresseerd was,' zei Logan, van zijn notitieboekje opkijkend. 'dit met jou besproken?'

Usuguk knikte. 'Hij stelde me een hoop vragen. Wat mijn volk van kurrshuq wist, waarom hij hier was, wat hij wilde.'

'En wat heb je hem verteld?'

'De waarheid. Dat hij de bewaker van de verboden berg was. Dat de Verzwelger der Zielen niet gedood kon worden.'

'En wat zei hij daarop?'

'Hij heeft een hoop in zijn kleine boekje opgeschreven.'

Logan rommelde in zijn zak, haalde er het vergeelde dagboekje uit en gaf dat aan Usuguk. De Tunit maakte het voorzichtig open, sloeg de vergeelde bladzijden om en gaf het met een knik terug.

'"De Tunits weten het antwoord?"' citeerde Logan. 'Misschien was het een vraag... geen feit.'

'Wat is er toen gebeurd?' vroeg Sully.

'Toen we de volgende dag naar binnen gingen, was ik gewapend. Hij gedroeg zich... anders. Hij reageerde niet, was vijandig. Toen de wetenschappers aandrongen, viel hij aan.'

'En heeft ze allemaal vermoord?' vroeg Sully door.

'Nee. Niet... niet meteen.'

'Hoe dan?'

Tijdens het praten had de Tunit zijn ogen langzaam neergeslagen. Nu keek hij plotseling op, keek de een na de ander intens met door herinneringen opgejaagde ogen aan. 'Vraag me dat niet,' zei hij met trillende stem. 'Dat wil ik me liever niet meer herinneren.'

Het werd stil in de kamer. Langzaam richtte Usuguk zijn blik weer op het punt in de verte. Zijn gezicht ontspande en kreeg opnieuw een berustende uitdrukking.

'Heb jij erop geschoten?' vroeg Marshall zo rustig als hij kon.

Usuguk knikte zonder hem aan te kijken.

'Wat gebeurde er?'

'Hij werd nijdig van de kogels.'

Nu nam Logan het woord. 'Hoe ben je ontkomen?'

'Hij... achtervolgde ons. Degenen die nog leefden probeerden uit de noordvleugel te ontsnappen. Hij sneed ons een paar keer de pas af. Uiteindelijk waren alleen Williamson en ik nog over. We verstopten ons in de transformatorruimte, niet ver van het buitenluik van de noordvleugel.' Hij praatte nu langzamer, hakkelde. 'Het dook uit de schaduwen op... Williamson schreeuwde het uit... hij sprong boven op hem... hij tuimelde achterwaarts op een elektrisch koppelstuk... er was een lichtflits en rook... Ik rende zo snel als ik kon de noordvleugel uit.'

Er viel een lange stilte en niemand zei een woord.

'Kolonel Rose heeft er een speciaal team op afgestuurd,' vervolgde Usuguk ten slotte. 'Toen we naar de noordvleugel terugkeerden, vonden we de kurrshuq, hij lag nog steeds op Williamsons lijk. Hij bewoog niet meer.'

'Dood,' zei Sully ademloos.

Usuguk schudde zijn hoofd. 'Hij verkoos verder te gaan. Zijn lichamelijke entiteit te verlaten.'

'Wat hebben ze met zijn lijk gedaan?' vroeg Marshall.

'Het lijk was verdwenen.'

'Wat?' vroeg Sully.

'Ze zijn later met een lijkenzak teruggegaan. Toen was het weg.' De Tunit keek hen een voor een aan. 'Wat ik jullie heb verteld is echt waar. Hij koos ervoor om naar zijn geestelijke vorm terug te keren.'

Sully schudde zijn hoofd. 'Waarschijnlijk is hij weggekropen om te sterven. Zij hadden haast om de boel af te sluiten, het hele incident in de doofpot te stoppen... ik durf te wedden dat ze niet goed genoeg hebben gezocht.'

Marshall keek naar de sjamaan. 'En jij? Wat heb jij gedaan?'

'Ik heb het leger vaarwel gezegd, en met een paar volgelingen uit mijn dorp een nieuwe gemeenschap gesticht, op het ijs. We streefden ernaar om te leven naar de oude, waarachtige leefwijzen van mijn volk, zoals ze duizenden jaren hadden geleefd, voor de kidlatet kwamen. Ik liet de fysieke wereld achter me.'

Sully luisterde niet. 'Begrijpen jullie het dan niet?' zei hij. 'Hij kan niet tegen elektriciteit. Dat is zijn achilleshiel. We moeten met Gonzalez gaan praten.'

De Tunit keek snel op. 'Heb je dan niets gehoord van wat ik heb verteld? Dit is geen beest. Hij komt uit de geestenwereld. Je kunt hem niet doden. Dat is de reden waarom ik ben teruggekomen... om jullie dit te vertellen. De eerste keer luisterden jullie niet. Nu moeten jullie wel luisteren. Want ik spreek de waarheid. Ik ben de énige die het heeft overleefd.'

Sully gaf geen antwoord. Hij liep door de kamer en pakte de radio die Gonzalez hem had gegeven.

'Er is nog een reden waarom ik ben teruggekomen,' zei Usuguk terwijl hij zich naar Marshall omdraaide. 'Dat schepsel dat jullie hebben gevonden. Je zei dat hij groter was dan een ijsbeer, toch?'

Marshall knikte. 'Inderdaad.'

'Het schepsel dat de wetenschappers vijftig jaar geleden uit het ijs hebben gehakt was zo groot als een poolvos.'

Er viel een geschrokken stilte. Even bewoog niemand zich. Toen tilde Sully de radio op en drukte op de verzendknop. 'Dr. Sully aan sergeant Gonzalez. Hoort u mij?'

De radio gaf alleen statisch geruis.

Sully probeerde het nog eens. 'Sully aan Gonzalez. Ontvangt u mij? Over.'

Nog meer statisch geruis.

Terwijl Sully het nog eens probeerde, stond Usuguk uit zijn stoel op en liep naar Marshall en Faraday toe. 'Nadat jullie hier gekomen waren – toen het in de hemel bloed regende – vreesde ik al dat jullie er weer een hadden wakker gemaakt,' zei hij. 'Daarom heb ik jullie gewaarschuwd te vertrekken. Ik ben een sjamaan. Ik sta met één voet in de fysieke wereld en met de andere in de spirituele. Jullie moeten geloven dat ik hier verstand van heb.'

'Weer een,' herhaalde Marshall. Het wilde nog steeds niet tot hem doordringen.

'Misschien zou het ons niet moeten verbazen,' zei Faraday. 'Volgens de speltheorie is de kans op een slechte uitkomst het grootst.'

'Zo groot als een vos,' zei Marshall. 'En het heeft zeven man gedood.'

Usuguk knikte. 'Geloof je me nu? Deze kurrshuq is een nog grotere geest. Deze zal niet vertrekken zoals de vorige. Je kunt hem niet doden. Je kunt hem niet verslaan. Je kunt alleen maar weggaan. De kans bestaat nog steeds dat hij dat toestaat.'

'Maar we kunnen niet weg,' zei Marshall. 'We passen niet allemaal in de Sno-Cat. We zitten hier in de storm gevangen.'

De Tunit keek hen met glinsterende ogen aan. 'Dan spijt me dat heel erg voor jullie.'

42

'Hoort het er zo ruig aan toe te gaan?' vroeg Penny Barbour tussen opeengeklemde tanden door. 'De rit, bedoel ik?'

'Nee. Normaal gesproken bedekken ze de winterse doorvoerwegen met een laag ijs. Maar nu maken we onze eigen weg. Grijp gewoon de "o-shit!-hendel" vast.'

'De wat?'

'Die handgreep boven je deur.'

Barbour stak haar hand omhoog, pakte de horizontale stalen stang vast en keek toen naar Carradine. De cabine van de enorme truck was zo groot dat de man letterlijk buiten haar bereik was. Het leek wel alsof zijn handen voortdurend in beweging waren... aan het stuur, de versnellingspook, naar een van de talloze knoppen op het dashboard. Ze had nog nooit eerder in een truck met oplegger gezeten en was verbaasd hoe hoog ze boven de grond zaten... en hoe ruw het eraan toeging.

'Ik mag niet sneller dan vijfenveertig kilometer per uur,' zei de trucker, de eeuwige kauwgumbobbel in zijn wang. 'Ik wil niet dat de koppelstukken beschadigen. Als we bij het meer zijn, moeten we nog langzamer rijden, maar daar is het een stuk gladder.' Hij grinnikte.

Barbour vond die grinnik maar niets. 'Welk meer?'

'Op weg naar Arctic Village moeten we een meer oversteken. Lost Hope Lake. Dat is te breed, daar kunnen we niet omheen. Maar het is bitterkoud geweest, dus dat zal geen problemen opleveren.'

'Je maakt een grapje, hè?'

'Waarom denk je dat ze me een ijstrucker noemen? Tachtig procent van de winterse wegen gaat over ijs. De normale doorvoerwegen nemen twintig procent van de tocht voor hun rekening.'

Barbour gaf geen antwoord. Lost Hope Lake, dacht ze. Laten we hopen dat het zijn naam geen eer aandoet.

'We hebben geluk met deze wind,' ging Carradine verder. 'Daardoor blijft de sneeuwlaag op zijn plek en kan ik de beste route over de permafrost vinden. We moeten heel voorzichtig zijn... een klapband moeten we niet hebben met al die mensen achterin, zonder verwarming.'

Barbour keek in de achteruitkijkspiegel. In de reflectie van de boordlichten kon ze nog net de zilveren romp van de trailer onderscheiden. Daar zaten vijfendertig mensen in. Ze stelde zich voor hoe ze daar zaten, ze zeiden waarschijnlijk maar heel weinig, met slechts een paar zaklampen als verlichting. Het zou er nu wel afgekoeld zijn.

Carradine had haar laten zien hoe ze via de radio met Fortnum kon communiceren. Ze pakte de handset uit zijn standaard, keek of ze op de juiste frequentie zat en drukte op de praatknop. 'Fortnum, ben je daar?'

Even klonk er gekraak. 'Ja.'

'Hoe gaat het daar?'

'Tot nu toe oké.'

'Wordt het al koud?'

'Nog niet.'

'Ik praat je weer bij als we verder naar het zuiden komen. Laat het me weten als je iets nodig hebt.'

'Doe ik.'

Barbour wist niet hoe je het gesprek hoorde te beëindigen, dus zette ze de handset domweg weer op zijn standaard. Het laatste deel van het praatje was vooral peptalk geweest... ze kon natuurlijk niets voor ze doen. Ze keek naar Carradine. 'Hoe ver nog?'

'Na Arctic Village? Van de basis naar de noordelijke buitenpost is het driehonderdvijftien kilometer. Daar gaan we naartoe.'

Driehonderdvijftien kilometer. Ze waren al bijna een uur onderweg. Barbour maakte een klein rekensommetje. Ze hadden nog bijna zes uur voor de boeg.

Buiten de brede voorruit was de storm een dwarreling van witte vlokken tegen een zwart scherm. De wind zwiepte hoge wolken sneeuw van de grond op, waarmee het kleurloze, grijze permafrostmaanlandschap bloot kwam te liggen. Carradine had elke mist- en koplamp op de truck aangezet en ondanks zijn luchtige en grappige manier van doen, merkte ze hoe nauwlettend hij naar het landschap voor hen keek terwijl hij rustig met de truck ver voor een mogelijk obstakel een omtrekkende beweging maakte.

De cabine hotste en botste zo erg dat ze dacht dat ze haar tanden zou verliezen. Ze vroeg zich af hoe het Sully en Faraday op de basis verging, of

Marshall al was komen opdagen. Misschien had ze zich niet door Sully moeten laten overhalen om te vertrekken. Het was net zo goed haar expeditie als van iemand anders, ze was niet alleen maar computerspecialist, ze deed belangrijk onderzoek, dat had ze niet zomaar in de steek moeten laten vanwege...

Er was iets veranderd. Ze keek naar Carradine. 'Rijden we langzamer?'

'Yep.'

'Waarom?'

'We komen in de buurt van Lost Hope Lake. Twintig kilometer per uur, máximum, op het ijs.'

'Maar in de trailer zit geen verwarming. We kunnen niet langzamer.'

'Dame, ik zal het uitleggen. Als je over een bevroren meer rijdt, ontstaat er een golf onder het ijs. Die golf volgt ons tijdens de hele oversteek. Als je te hard rijdt, wordt de golf te groot en breekt hij door het ijs heen. Gebeurt dat, dan zinken we naar de bodem. Binnen een paar minuten vriest het gat weer dicht en, presto, zitten we met een voortijdig graf dat...'

'Oké. Ik snap het.'

Nu glinsterde er in de koplampen iets dofs in de duisternis voor hen. Barbour ging rechtop zitten, tuurde er geconcentreerd naar... en zenuwachtig. IJs strekte zich in de verte uit tot het in de storm verloren ging.

Carradine ging nog langzamer rijden, was druk in de weer met de versnellingspook en liet de truck vervolgens uitrollen tot hij met een zucht van de luchtdrukremmen tot stilstand kwam. Uit de slaapcabine haalde hij een lang stuk gereedschap dat eruitzag als een dunne handhamerboor. 'Ben zo terug,' zei hij terwijl hij zijn portier opende.

'Maar...' wilde ze protesteren.

De trucker stapte uit, sloot de deur achter zich en verdween uit het zicht. Ze bleef stil zitten. Even later zag ze hem weer, hij liep voor de truck, een ongerijmd gezicht in zijn tropische shirt, het gereedschap balanceerde op zijn schouder. De wind was wat afgenomen en wolken sneeuw krulden nu bijna teder om hem heen. Ze zag hoe hij op het ijs stapte en misschien vijftig meter doorliep. Hij haalde het stuk gereedschap van zijn schouder, bracht er leven in en zette het op het ijs. Ze zag dat het een drilboor was. Binnen een halve minuut was hij erdoorheen en liep hij naar de cabine terug. Hij klom omhoog, opende de deur en sprong naar binnen. Hij grijnsde breed. Een dun laagje ijs bedekte zijn haar en schouders.

'Je bent knettergek, weet je dat?' zei ze. 'Om in zo'n dun shirt zo'n storm te trotseren.'

'Kou is een gemoedstoestand.' Carradine gooide de boor achterin en wreef zich toen in de handen... van de kou of wat hun te wachten stond, dat kon Barbour niet uitmaken. 'Het ijs is vijfenvijftig centimeter dik.'

'Is dat slecht?'

'Dat is goed. Vijfenveertig is het minimum. Dit hier is goed voor vijfentwintig, misschien dertig ton.' Hij wees grinnikend met een vinger naar de boor. 'Ik weet dat we tijdens deze rit weinig techniek tot onze beschikking hebben. Geen voortdurende ijsmeting, geen ijsradar, zoals ze dat op een echte winterweg hebben. Maar hé: wij hebben ook geen last van maximale belading of die vermaledijde vervoerscoördinatoren.'

Hij keek haar een ogenblik aan. 'Oké. Ik ga je iets vertellen, zodat je weet wat je te wachten staat. Op ijs is rijden anders dan op een normale weg. Het buigt onder de truck mee. En het maakt een hoop lawaai.'

'Wat?'

'Het is beter als je het zelf hoort.' Hij gooide de rem los en zette de truck in de versnelling. 'Nu rijd ik langzaam het ijs op. Dat moet je niet te snel doen, want dan zet je er spanning op en dat wil je niet.'

'Spanning? Nee, dat wil je zeker niet.' Barbour keek over de schijnbaar eindeloze, voor hen liggende ijsvlakte. Gingen ze daar werkelijk met een achttienwieler overheen rijden?

'Oké.' Carradine liet de truck naar de oever van het meer kruipen, keek haar toen weer aan en knipoogde. 'Nu moet je duimen, dame.'

Ze kropen met niet meer dan vijftien kilometer per uur het ijs op. Barbour verstrakte toen het hotsen en botsen over de permafrost plaatsmaakte voor de veel verontrustender sensatie van het onder hen doorbuigende ijs. Carradine fronste geconcentreerd zijn voorhoofd, één hand aan het stuur, de andere om de versnellingspook geklemd. De motor jankte toen ze verder gingen. 'Ik moet 'm op toeren houden,' mompelde hij. 'Dan glijden we niet weg.'

Toen ze verder op het ijs kwamen, hoorde Barbour een nieuw geluid... een vaag kraken dat overal vandaan leek te komen, als een cellofaanverpakking die tijdens Kerstmis wordt opengescheurd. Ze slikte pijnlijk. Ze kon wel raden wat dat geluid was: het ijs dat onder het immense gewicht van de grote truck protesteerde.

'Hoe ver is het naar de overkant?' vroeg ze een beetje hees.

'Ruim zes kilometer,' antwoordde Carradine, zijn ogen geen moment van het ijs halend.

Ze reden met een slakkengangetje door en het kraken klonk luider.

Sneeuw schoot over het ijs, vormde wervelingen, cyclonen en vreemde fantastische vormen in de koplampen. Zo nu en dan hoorde Barbour scherpe klappen en dreunen van onderaf komen. Ze beet op haar lip, telde in haar hoofd de minuten af. Plotseling zwenkte de truck zijwaarts weg, gleed naar rechts. Ze keek snel naar de trucker.

'Een windvlaag,' zei hij terwijl hij rustig aan het stuur draaide om te compenseren. 'We hebben hier geen grip.'

De radio piepte. Barbour pakte de handset. 'Fortnum?'

'Ja. Wat is al dat lawaai daarbuiten? De mensen worden een beetje ongerust.'

Ze dacht even na voor ze antwoord gaf. 'We gaan over een ijspad. Het duurt nog een minuut of wat.'

'Begrepen. Ik geef het door.'

Ze zette de handset terug en wisselde een blik met Carradine.

Vijf minuten kropen voorbij, toen tien. Barbour merkte dat ze de stalen stang zo stevig met haar rechterhand omklemde dat die gevoelloos werd. En ze raakte zo gespannen van het licht verende ijs, het voortdurend gekraak en de klappende geluiden, dat ze bang was dat ze gek werd. De wind jankte en huilde. Zo nu en dan blies een harde windvlaag de truck opzij, waarop Carradine heel voorzichtig moest bijsturen.

Ze tuurde in het donker. Was daar in de verte de overkant? Maar nee… het was een donkere muur van in de lucht hangende ijspegels, die in de wind als een geplooid gordijn rimpelend verschoof.

'IJsmist,' legde Carradine uit. 'De lucht kan geen vocht meer vasthouden.'

De vreemde mist wikkelde de truck in wat wel een zwarte katoenen wolk leek. Het zicht, dat toch al slecht was, was nu nihil.

'Ik zie verdomme geen hand voor ogen,' zei ze. 'Rij 'ns wat langzamer.'

'Dat gaat niet,' antwoordde de trucker. 'Ik kan de vaart er niet uit halen.'

Die nieuwe blindheid, gecombineerd met het afschuwelijk bewegende en krakende ijs onder hen, was eenvoudigweg te veel voor Barbour. Ze merkte dat ze ging hyperventileren, in angst kopje-onder ging. Volhouden, snoes, zei ze tegen zichzelf. Gewoon volhouden. Nog maar een paar minuutjes.

En toen waren ze door de ijswolk heen… nu zag Barbour de rotsen op de oever aan de overkant, helemaal aan het einde van het licht van de koplampen. Opluchting stroomde door haar heen. Godzijdank.

Carradine wendde zijn blik heel even van het ijs naar haar. 'Zie je wel?' zei hij breed grijnzend. 'Dat viel toch best mee?'

Plotseling schoot de truck met een ruk naar voren. Tegelijkertijd klonk er luid gekraak als een kanonschot vlak achter hen. 'Zwakke plek,' zei Carradine, en hij trapte hard op het gaspedaal. 'Zwak ijs.'

Ze reden nu sneller, de grote dieselmotor gierde. Nog meer gekraak, nog harder zelfs, deze keer recht onder hen. Met afgrijzen zag Barbour dat zich in het ijs een scheur vormde, die nu razendsnel voor hen uit schoot en waardoor het ijs uiteengedreven werd. Carradine stuurde onmiddellijk bij, manoeuvreerde de truck zodanig dat de barst tussen de voorwielen bleef. Maar verderop splitste de scheur zich een, twee keer en verspreidde zich over het ijs in de grillige vormen van een zomerse bliksemschicht. Carradine rukte aan het stuur en bewoog zijwaarts over het spinnenweb van scheuren. De knallende en klappende geluiden waren nu oorverdovend. En op dat moment kreeg een brute windvlaag de truck in zijn greep. Barbour gilde het uit toen ze voelde dat de staart van de truck schudde, vervaarlijk kantelde, op het uiteenvallende ijs dreigde te scharen en om te klappen.

'We slippen!' riep Carradine. 'Hou je vast!'

Barbour klampte zich wanhopig aan de stang vast terwijl de trucker worstelde om te voorkomen dat het grote gevaarte zou omkiepen. Langzaam bracht hun voorwaartse gang hen weer op het ijs in evenwicht. De oever was nu pal voor hen, op minder dan vijftig meter afstand. Maar de truck zat nog steeds in een nauwelijks te hanteren slip. Hij kwam dreunend in botsing met een van de langs de oever liggende rotsen, schoot weg en stabiliseerde toen. Carradine gaf weer gas en de truck reed brullend het ijs af naar het ribbelige oppervlak van de permafrost.

Barbour slaakte een lange, bibberige zucht. Toen pakte ze de handset. 'Fortnum, met Penny Barbour. Alles goed achterin?'

Het duurde even, maar toen antwoordde Fortnum met krakende stem: 'Een beetje door elkaar geschud, maar verder oké. Wat gebeurde er?'

'Een windvlaag kreeg ons te pakken. Maar we zijn nu van het ijs af en de rest van de weg is een fluitje van een cent.'

Toen ze de handset terugzette, keek ze toevallig naar Carradine. Hij tuurde in zijn achteruitkijkspiegel. Toen ze zijn gezichtsuitdrukking zag, werd ze weer bang.

'Wat is er?' vroeg ze.

'Die rots waar we tegenaan sloegen,' antwoordde hij. 'Zo te zien heeft die een gat in de linkertank geslagen.'

'De brandstoftank? Maar hebben we er niet twee?'

'De linkertank zat vol. De rechter niet. Daar zit nog maar een derde in.'

Haar angst nam scherp toe. 'Maar we hebben toch wel genoeg voor Arctic Village… toch?'

Carradine keek haar aan. 'Nee, mevrouw. Dat geloof ik niet.'

43

Ze hadden snel en bij zo weinig mogelijk licht gewerkt. Hoeveel licht het beest precies nodig had, wist Gonzalez niet… maar ze hoefden het dat verdomde ding ook weer niet makkelijk te maken.

Hij tikte Phillips op de schouder, gebaarde toen naar het vaag verlichte kruispunt voor hen. 'Let op die hoek,' fluisterde hij. 'Ik maak de laatste verbindingen.'

'Ja, sir.'

'Geef zodra je iets hoort een teken.'

'Sir.'

Hij wachtte tot Phillips de gang door was – een schaduw tussen de schaduwen – en vlak bij het kruispunt positie had ingenomen. Toen keek hij naar de haastig in elkaar geflanste constructie pal voor hem: een stuk of zes dikke koperdraden hingen vanaf het plafond tot zo'n dertig centimeter boven een ondiepe plas water. Wreed, maar als ze klaar waren, dodelijk. Toen glipte hij weer door de deur waarop TRANSFORMATORONDERSTATION stond.

Net over de drempel bleef hij staan, keek om zich heen naar de ingewikkelde radertjes, koppelstukken, assen, rotors en hydraulica. In het onderstation stond een reusachtige machine waarmee ooit radarschotels werden rondgedraaid. Hij had om drie redenen voor deze ruimte gekozen: ze was vlakbij, er was voldoende stroom en ze lag aan de enige gang waardoor je uit dit gedeelte van B-niveau weg kon. Vroeg of laat moest het schepsel wel deze kant op komen.

Zijn ogen zwierven naar de verste hoek van de ruimte waar korporaal Marcelin stond, zijn wapen naast zijn voeten, trillend, ogen neergeslagen. Toen pakte hij de losse uiteinden van de koperdraden – Phillips en hij hadden ze langs de buizen over het plafond van de gang en door de bovendorpel van de deur getrokken – die hij naar het elektrische hoofdpaneel had omgeleid. Hoewel de radarschotels bijna een halve eeuw niets meer gedaan hadden, werkten de elektrische verbindingen nog wel. Hij had ze zelf getest: de zekeringen waren een beetje brokkelig, de contactpunten roestig, maar ze konden nog meer dan genoeg stroom aan. Bovendien had hij de radar zelf niet nodig... hij hoefde alleen de stroom er maar doorheen te jagen.

Hoe en waarom Sully en de anderen in het biowetenschappelijk lab erbij kwamen dat elektriciteit de grootste zwakheid was van het beest, wist Gonzalez niet en het kon hem niet schelen ook. Hij was simpelweg opgelucht – ongelooflijk opgelucht – te weten dat het een zwakke plek hád. Een plan maken en uitvoeren had een kwartier geduurd. En in dat kwartier had hij het godzijdank te druk gehad om na te denken.

Het hoofdpaneel bevond zich in de dichtstbijzijnde muur, vier keramische isolatoren zaten op het staal bevestigd. Hij maakte de dekplaat open en scheen er met zijn lamp in. Vier rijen zware zekeringen glansden hem tegemoet. Hij controleerde of de hoofdstroom eraf was en haalde toen met zijn zakmes het zware isolatiemateriaal van de uiteinden van de dikke draden. Zo snel hij kon verbond hij de draden rechtstreeks aan een van de stroomrails. Hij wierp een blik op het paneel, zich ervan verzekerend dat de beveiliging was uitgeschakeld. Ten slotte greep hij de veiligheidshendel naast het paneel en zette die op 'aan'. Licht zoemend kwam het circuit tot leven.

Nu zinderde er zesduizend volt en twintig ampère stroom door de draden. Dat voltage – het drievoudige van een elektrische stoel – zou het hart van elk beest opblazen, hoe groot het ook was. En Gonzalez nam geen risico's: als klap op de vuurpijl zouden de twintig ampères hem lekker gaarkoken.

Hij zette de veiligheidshendel weer uit en zei tegen Marcelin: 'Kom eens hier, korporaal.'

Even leek Marcelin het niet te horen. Toen pakte hij zijn M16 op en liep schoorvoetend naar voren.

'Wacht hier. Als ik het zeg, haal dan die hendel om. En snél. Begrepen?'

De korporaal knikte.

'Ga bij de deuropening staan. Wacht tot dat ding in het water stapt en contact maakt met de draden. Dan open je het vuur... en je blijft vuren.'

Marcelin ging naast het elektrische paneel staan. Gonzalez keek nog een keer naar de provisorische verbinding, stapte de gang in en ging zelf op zijn post staan, zorgvuldig uit de buurt van de bedrading blijvend. Hij controleerde zijn wapen, haalde het magazijn eruit, klopte er zacht mee op de grond en schoof het weer op zijn plek. Nu was het een kwestie van wachten.

Hij nam snel het plan nog even door. Het was meer dan dertig jaar geleden dat hij elektrotechniek had gehad, maar de basisdingen wist hij nog goed genoeg. Elektriciteit geleidt goed door water. Aangezien organismen voor het grootste deel uit water bestaan, zijn ze prima stroomgeleiders. Dus: hang zo veel mogelijk aangesloten stroomdraden aan het plafond zodat het schepsel minstens eentje raakt als hij erlangs loopt en ook zo laag dat hij er niet onderdoor kan kruipen. Zorg voor zo veel water op de vloer dat er een ondiepe plas ontstaat en zorg dat die de hele breedte beslaat. Hang de draden boven het water en doe er een positieve pool in. Als het beest door de draden loopt, maakt het circuit contact… en zeg dan maar dag met je handje.

Het leek een waterdicht plan. Nu moest dat ding nog komen opdagen.

Hij bukte nog dieper, maakte zich zo klein mogelijk. Hij zag het vage silhouet van Phillips bij de kruising. Phillips was het lokaas. Als hij zeker wist dat het schepsel hem had gezien, zou hij zich door de gang langs de draden en over het water naar de plek terugtrekken waar Gonzalez zat te wachten. Als het beest eraan kwam, zou hij Marcelin het teken geven dat hij de hendel omlaag moest gooien… en dan zou dat verrekte ding geroosterd worden.

Gonzalez wreef met de kolf van de M16 over zijn wang, keek langs de loop. Toen hij de elektrische doos controleerde en de draden aan het trekken was, was hij zich er maar al te goed bewust van geweest dat dat schepsel hen elk moment kon verrassen. Nu alles geregeld was, had hij tijd om na te denken. En hij wilde niet nadenken. Want hij wist waar zijn gedachten naartoe getrokken zouden worden: naar dat beeld van Creel die tot hondenvoer werd verscheurd, die afgrijselijke momenten tijdens de krankzinnige, uitzinnige vlucht, weg van Radarondersteuning, niet wetend of hij het volgende moment tanden in zijn rug zou voelen zinken, hoe die klauwen zijn ledematen van zijn lijf zouden scheuren…

Hij verschoof een beetje. Nu de val eenmaal was gezet hoefden ze niet meer stil te zijn. 'Phillips,' riep hij. 'Zie je al iets?'

Vanuit de lichtpoel bij de kruising schudde Phillips zijn hoofd, vormde een X met zijn onderarmen.

Gonzalez verschoof opnieuw in het donker. Creels granaat had jammerlijk gemist, het was niet verbazingwekkend dat die het schepsel niet had tegengehouden. Maar de kogelregen die daarop was gevolgd, zou die compleet mis zijn geweest? Want als dat niet het geval was, betekende dat...

Gonzalez moest er niet aan denken wat dat kon betekenen.

Misschien was het dood. Misschien was dat het gewoon. Het was dodelijk gewond geraakt en zijn karkas lag ergens in een van de donkere gangen. Of misschien was het naar C-niveau gegaan. Voor hetzelfde geld moesten ze hier uren zitten wachten, in het donker, en maar wachten...

Gonzalez schudde heftig zijn hoofd om die gedachten te verdrijven. Hij keek naar het onderstation, naar de bewegingloze gedaante van Marcelin. De korporaal was er slecht aan toe. Hij had er vertrouwen in – redelijk vertrouwen in – dat de man de veiligheidshendel zou kunnen bedienen. Dat risico moest hij nemen. Hij kon niet op twee plekken tegelijk zijn, en voor Phillips moest hij...

Door een beweging in zijn ooghoek keek hij de gang weer in. Phillips stond met een geschrokken gezicht heftig te gebaren.

'Komt hij eraan?' riep Gonzalez. 'Kun je hem zien?'

Phillips knoeide met een hand met zijn wapen, liet het vallen, pakte het als een uitzinnige weer op. En de hele tijd hield hij zijn hand in de lucht, zwaaide ermee, hij leek verdomme wel een carnavalsganger die met een ratel een hoop lawaai maakte.

'Maak dat je daar wegkomt!' riep Gonzalez. 'Marcelin, leg je hand op die hendel!'

Maar Phillips verroerde zich niet. Hij bleef daar maar staan, heftig met zijn mond bewegend alsof zijn stem het van afgrijzen had begeven.

Gonzalez tuurde in de duisternis, fronste zijn wenkbrauwen, probeerde Phillips beter in het zicht te krijgen. Hij concentreerde zich op de omhooggestoken hand, zag nu dat die niet zomaar zwaaide. Hij wees. Hij wees naar een punt áchter Gonzalez.

Angst greep de sergeant bij de keel. Hij keek snel achterom, naar de gang achter hem.

Daar was het: zwart op zwart, misschien vijftien meter bij hem vandaan. Het bewoog zich heimelijker dan Gonzalez ooit bij zo'n reusachtig schepsel voor mogelijk had gehouden. Hij staarde er met afschuw naar. Even stokte zijn hart in zijn keel. Toen ging het als een razende tekeer, bonsde hard tegen zijn ribben. Hij wankelde naar achteren, plonsde door het water, de elektrische draden dansten als een gek terwijl hij zich half rennend, half vallend door de gang naar Phillips bewoog. Onmogelijk, zei een stem heel ver in zijn achterhoofd. Deze gang is de enige uitgang. Hij had met geen mogelijkheid langs ons kunnen komen. En toch was hem dat op een of andere manier gelukt. Toen Gonzalez hijgend naast Phillips zijn positie innam, zag hij het ding heel even, de ogen staarden hem kil en zonder te knipperen aan voor hij weer naar voren kroop.

'Marcelin!' schreeuwde Gonzalez. 'Marcelin, nú!'

Er kwam geen reactie uit het onderstation.

'Marcelin, haal die verdomde hendel over!'

Hoorde hij daar het zachte zoemen van de transformator? Moeilijk te zeggen boven zijn gierende ademhaling uit, boven de pijnlijke druk die zich plotseling in zijn hoofd opbouwde. Het schepsel kroop nog steeds naar hen toe. Nog een paar seconden en hij zou door het onderstation komen… en bij de draden zijn. Gonzalez liet zich plat op de grond vallen, de kolf van de M16 rustte tegen zijn wang. Hij probeerde op het ding te richten, maar de loop van zijn wapen ging met het ritme van zijn hart op en neer. Het beest bewoog nu sneller, alsof hij de steelsheid van zich af had gegooid.

'O, mijn god,' zei Phillips, half biddend, half jammerend. 'Mijn god. Mijn god…'

Nog een stap. Weer een. Terwijl hij op hen afkwam, liet zijn blik hen geen ogenblik los, hij knipperde geen moment met zijn ogen, aarzelde niet. Die blik was zo verschrikkelijk dat Gonzalez van doodsangst op zijn benen stond te trillen. Met de grootste moeite wist hij te voorkomen dat het geweer door zijn vingers glipte en op de vloer zou kletteren.

En toen kwam het schepsel bij het water. Gonzalez zag dat het even aarzelde. Toen wrong het zich tussen twee bungelende draden door.

Eerst gebeurde er niets. En toen klonk er door de gang een ontzagwekkend oorverdovend geknetter. Bliksemschichten dansten van draad naar draad, van zijn enorme achterste spuugden honderden gevorkte tongen naar het plafond. De lucht stonk naar ozon. Gonzalez voelde dat zijn nekhaartjes rechtovereind stonden. Grijze rook kolkte in woedende golven omhoog, vulde de gang, onttrok het schepsel aan het zicht. Er klonk een hoog gepiep toen de transformator meer stroom probeerde te genereren. De lichten flakkerden – een keer, twee keer – wat werd gevolgd door een holle klap toen de transformator overbelast raakte. De gang was in volslagen duisternis gehuld.

'Mijn god,' bleef Phillips steeds maar herhalen, monotoon, als een mantra. 'Mijn god.'

De lichten floepten weer aan toen een tweede transformator het overnam. De draden rukten en dansten, sproeiden bij vlagen een vonkenregen. Gonzalez tuurde door de kolkende rookwolken, wilde wanhopig een glimp van het ding opvangen. Het moest wel dood zijn. Het móést. Zoiets overleefde niets en niemand...

De kop van het schepsel schoot door de dikke rook heen. Gonzalez hapte naar adem en verstevigde zijn greep op zijn wapen. Toen de rook langzaam optrok, werd steeds meer van het schepsel zichtbaar. Zwarte schroeivlekken brandmerkten zijn verschrompelde schouders. Even bleef het doodstil staan.

En toen opende het zijn bek.

In het onderstation begon Marcelin te gillen.

De kop van het schepsel draaide zich met een ruk in de richting van het geluid. Hij helde iets achterover op zijn machtige dijen. Toen draaide hij zich om en – langzaam, doelbewust – verdween hij door de deuropening. En al toekijkend, niet in staat te bewegen, niet in staat in actie te komen, leek Gonzalez' hart met het gieren van Marcelins schreeuwen steeds sneller te gaan slaan.

44

'Wat was dat?' Conti draaide zich plotseling om, de camera helde hachelijk op zijn schouder.

En nogmaals bleven ze alle drie staan om te luisteren.

Wolff hield zijn hoofd schuin. 'Ik hoor niets,' zei hij. 'Dit doe je nou al voor de derde keer.'

'Ik zeg je dat ik iets hoorde. Een gil, of zo. Of misschien een kreet.' Conti wees de gang in. 'Het kwam daar vandaan.'

Kari Ekberg volgde de uitgestoken wijsvinger van de regisseur met haar ogen. De gang liep de duisternis in. Het was er zo donker dat je het eind niet kon zien. Hij leek wel naar de oneindigheid te leiden, de ijzige wildernis onder de poolnacht in. Ze huiverde ondanks de vochtige warmte.

Een half uur waren ze nu al tevergeefs op zoek naar Gonzalez' team. Ze waren eerst naar de verzamelplaats gegaan, maar die hadden ze verlaten aangetroffen, op een enorme voorraad wapens na. Daarna hadden ze steeds grotere cirkels om de centrale vleugel gemaakt. Naarmate de minuten verstreken, werd Conti steeds onrustiger: hij klaagde steen en been over de tijd die hij had verspild omdat hij hen had moeten overhalen hem te helpen, vrat zich steeds meer op over het feit dat hij, zoals hij het uitdrukte, de 'kans van zijn leven' zou missen. Nadat ze hun zoektocht naar de zuidvleugel van de basis hadden verlegd, merkte Kari dat ze zich steeds onbehaaglijker ging voelen. In haar beleving konden ze dat schepsel net zo makkelijk als Gonzalez' groepje tegen het lijf lopen.

'Doorlopen,' zei Conti. 'De ziekenboeg is daar verderop.'

'Dat weet ik,' zei Wolff. 'Ik was er ook bij, weet je nog? Waarom denk je dat de sergeant deze kant op is gegaan?'

'Ik hoorde hem zeggen dat Ashleigh en die soldaat hier niet ver vandaan zijn gedood,' antwoordde de regisseur.

'Lijkt mij een goede reden om uit de buurt te blijven,' zei Kari.

Conti nam niet de moeite daarop te antwoorden. In plaats daarvan deed hij het bijlicht op de camera aan. De gang baadde in geel licht, waardoor de oude apparatuur scherp afstak tegen de muren.

'Als je hem zo graag wilt vinden,' zei Wolff, 'waarom gebruik je de radio dan niet?'

'Dat kan niet,' antwoordde Conti. 'Die sergeant gelooft niet in mijn werk. Geen van hen trouwens. Waarschijnlijk sturen ze ons de verkeerde kant op om van ons af te zijn. Of ze nemen de camera in beslag. Dat risico kunnen we niet nemen.'

Hij liep voor hen uit de gang door. De meeste deuren waar ze langskwamen waren dicht, die open waren, boden uitzicht op spookachtige, schemerige ruimten vol onbestemde spullen. Ze liepen een trap af, sloegen een hoek om. 'Daar is het toch?' zei de producer. 'Die linkerdeur?'

Wolff knikte.

Kari liep achter de twee aan een kleine wachtkamer in. Ze was nooit eerder in dit gedeelte van de basis geweest en ondanks haar onbehaaglijke gevoel keek ze nieuwsgierig rond naar de stoffige medicijnvoorraden en oude, verschoten etiketten op de flesjes die in kasten met glazen deuren stonden. Conti was al naar de volgende kamer doorgelopen en toen ze hem scherp zijn adem hoorde inhouden, wist ze dat hij iets had gevonden. Toen ze zijn kant op tuurde, zag ze twee in lakens gewikkelde lijken op een onderzoekstafel. Een was abnormaal klein, alsof het uit losse onderdelen bestond in plaats van een compleet lichaam. Het afdekplastic was zo dik met bloed en vocht besmeurd dat er niets van de lijken eronder te zien was. Kari keek gauw de andere kant op.

'Kari,' zei Conti.

Ze was zo door afschuw overweldigd, dat ze geen antwoord gaf.

'Kari,' herhaalde hij. 'Zet het geluid aan.'

Het enige wat ze kon doen was de mixer aanzetten en de microfoonkabel inpluggen. Conti liep langs de lijken heen en weer, de gloed van de camera scheerde meedogenloos over ze heen. 'Ze liggen hier,' zei hij in zijn microfoontje, zijn stem doortrokken van de ernst van het moment. 'De laatste slachtoffers. Een van hen een eenvoudig soldaat die hier zijn land diende, die zijn leven gaf in een poging dat van anderen te redden. De ander was een van ons, Ashleigh Davis, die ook diende… anders, maar op haar manier was dat van niet minder cruciaal belang. Ze kwam naar dit godverlaten oord om een groot mysterie te onthullen. Ze was een onverschrokken journaliste die nooit het gevaar schuwde, nooit aarzelde om haar leven voor anderen in de waagschaal te stellen, of dat nu om een onthulling of om amusement ging. Dat ding dat hen heeft gedood loopt hier nog steeds vrij rond… en een groep soldaten is op zijn vernietiging uit.'

Hij zweeg, maar liet zijn camera over de in plastic gehulde lijken zweven, ging heen en weer, zoomde in en pande uit.

'Ze geven nooit toestemming voor uitzending van die show van je,' zei Wolff.

'Ik denk eerder aan de dvd die daarop volgt,' zei Conti. 'Cut.' Hij liet de camera zakken. 'Dit was nog eens een meevaller.'

'Een meevaller?' vroeg Kari. 'Waar heb je het over?'

'Dat we ze hier aantreffen. Ik was bang dat ze al in de vriezer waren beland.'

Voor hen was het anders niet zo'n meevaller, dacht Kari. Ze wilde er iets tegen inbrengen, maar ze hield haar mond. Ze zou er toch niets mee bereiken.

Ze keerden naar de gang terug en liepen verder, hun voetstappen echoden hol op de vloer. Nu en dan riep Conti dat ze moesten blijven staan en stond dan bewegingloos, geconcentreerd te luisteren. Zijn gezicht vertoonde een uitdrukking die ze nog nooit eerder had gezien: het straalde een vreemde, verholen gretigheid uit. Ze keek ongemakkelijk naar Wolff. In het reflecterende licht van de camera zag ze dat de netwerkliaison vertwijfeld zijn wenkbrauwen fronste.

Weer een kruising, weer een eindeloze gang. Conti bleef opnieuw staan. 'Moet je kijken,' zei hij terwijl hij met de camera als een overmaats flitslicht de gang in priemde. 'Ligt daar bloed op de grond?'

Kari volgde de lichtstraal. Hij had gelijk: zo'n twintig meter verderop lag de gangvloer bezaaid met druppels en dat kon alleen maar bloed zijn. Kennelijk kwamen ze van een open deur waarop P-H TRANSFORMATORRUIMTE stond. Een chaotisch spoor van bloederige voetafdrukken liep in en uit de kamer en naar het einde van de gang. Kari voelde een steek van angst.

Conti liep verder terwijl hij de lens tegen zijn oog zette. Kari keek toe hoe hij de camera op het bloed richtte en in één lange, trage opname van links naar rechts pande. Toen liep hij naar de deur – zijn schoenen raakten met bloed besmeurd – en nam opnamen van het interieur van de kamer. Hij gebaarde naar Kari dat ze het geluid weer aan moest zetten.

'Hier heeft de aanslag plaatsgevonden,' sprak hij plechtig. 'Dit is de plek waar het onbeschrijflijke einde van de dood hen heeft overweldigd. Gedood door iets wat alleen maar kan worden omschreven als een monster... en we zullen nu de geheimen van dit monster gaan ontdekken... en er een eind aan maken.'

Hij wuifde naar Kari dat ze het geluid kon uitzetten. Hij liet de camera zakken en wees opgewonden naar de vloer voor hem. 'Moet je kijken. Die sporen... minstens drie soorten! Die moeten van Gonzalez en zijn mannen zijn.' Hij wachtte even en bekeek de grond nauwkeuriger. 'Mijn god. Is dit het spoor van het monster?' Hij tilde zijn camera weer op en filmde voor zich uit door de gang.

Toen Kari naar voren liep, vermeed ze in de ruimte te kijken waar Ashleigh en soldaat Fluke waren gestorven, richtte zich in plaats daarvan op de bloederige plek waar Conti naar staarde. Dat kon niet een spoor van het schepsel zijn... dat kon gewoon niet. Het was te groot, en de vorm zo onnatuurlijk. Ze raakte er verschrikkelijk door van slag en keek de andere kant op.

'Schitterend,' mompelde Conti tijdens het filmen. 'Schitterend gewoon. Het zou alleen nog beter zijn als...' Hij bedacht zich en zweeg. Hij liet de camera zakken en wierp een steelse blik in de richting van Wolff en Kari.

Het gedempte licht in de gang nam af, flakkerde even op en nam weer af. Toen ging het helemaal uit. En Kari stond in het volslagen donker. Ze hoorde Wolff verbaasd sissen. Een paar tellen later ging het licht weer aan, iets zwakker dan daarvoor.

Conti tilde de camera weer op zijn schouder. 'Klaar?'

'Ik weet niet of ik dit wel zo'n goed idee vind,' zei Wolff.

'Waar heb je het over? We weten nu waar ze naartoe zijn gegaan. Dit is precies waarvoor we gekomen zijn... we moeten opschieten.' En hij beende naar voren. Even later liep Wolff achter hem aan. Kari volgde schoorvoetend, heel schoorvoetend.

De gang kwam op een kruising uit, waar het bloederige spoor duidelijk rechts afsloeg. De kleine groep kwam langs verscheidene deuren en een trap die naar C-niveau omlaag liep, voor de sporen vervaagden. Ze bleven staan waar de laatste vage bloedvlek op de grond te zien was.

'En?' vroeg Wolff.

Conti wees naar voren. 'De gang loopt in die ruimte daar dood.' En opnieuw zette hij de camera aan zijn oog en liep verder.

Kari bleef bewegingloos staan, keek naar de regisseur toen die doorliep naar een dubbele deur, waarop RADARONDERSTEUNING stond. De deuren stonden open en tot hun verbazing brandden er een paar lampen. Ze zag hoe Conti door de deuropening stapte. Hij keek eerst naar rechts, toen naar links… en bleef stokstijf staan. Hij zette de camera aan en filmde misschien een kwart minuut. Toen keek hij de gang in.

'Kari?' zei hij met vreemde, dikke stem. 'Kun je even hier komen?'

Ze liep door de gang en door de deuropening. Toen ze Conti vragend aankeek, knikte hij eenvoudigweg naar iets achter haar. Ze draaide zich om en keek in de aangewezen richting. Eerst zag ze niets. Maar toen keek ze naar de hoek omlaag, waar de vloer met de beide muren samenkwam. Daar lag een hoofd met het gezicht omhoog dat haar met een bijna beschuldigende blik aanstaarde. Ze wankelde achteruit, duizelig van zowel shock als afschuw. Een deel van haar registreerde dat dit Creel was geweest, de opzichter van de groep werklieden die ze in Anchorage hadden ingehuurd. Het hoofd was bruut van de schouders gerukt en lag midden in een enorme plas bloed. Een meter verder piepten twee gelaarsde voeten bijna demonisch van achter de rand van de stalen stelling uit.

Ze kreunde, deed snel een stap naar achteren. Tegelijk botste ze ruw ergens tegenaan. Ze draaide zich om en keek recht in de ronde lens van Conti's camera. Hij had haar gefilmd. Ze zag de weerspiegeling van haar gezicht in het glas… een smal gezicht, bleek, kwetsbaar, angstig.

'Hou op!' hoorde ze zichzelf gillen. 'Verdomde klootzak, hou op, hou óp!'

45

'Ik ben klaar met de bloedanalyse,' zei Faraday zachtjes.

Marshall keek hem aan. De bioloog keek op van een labcentrifuge. De laatste paar minuten was hij een paar keer tussen de stereomicroscoop en de centrifuge heen en weer gelopen, en door de afdruk van het microscoopoculair zag zijn gezicht er nu uit als het masker van een wasbeer.

'En?' vroeg Marshall.

'Zoiets ben ik nog nooit tegengekomen.'

Sully zuchtte ongeduldig. Gonzalez had zich niet gemeld en het wachten ging hem slecht af. 'Het zou handig zijn als je wat specifieker was, Wright.'

Faraday zette zijn bril weer op en keek knipperend naar Sully. 'Het gaat om de witte bloedlichaampjes. Voornamelijk.'

Sully maakte een handgebaar alsof hij wilde zeggen: we zijn een en al oor.

'Je weet dat de witte bloedlichaampjes infecties, ontstekingen en wat daarmee te maken heeft te lijf gaan. De neutrofielen, lymfocyten, basofielen en ga zo maar door... zij moeten voor de afweer zorgen, zodat wonden weer kunnen genezen. Nou, dit organisme heeft een superontwikkeling van de witte bloedcellen doorgemaakt. Het lijkt op een genezingsmachine onder invloed van steroïden. Het bevat een ongelooflijke concentratie monocyten. En ze zijn volkomen a-typisch... en imméns. Ze zijn duidelijk in staat om zich in grote fagocyten te transformeren en een ton cytokines en andere chemische stoffen in de bloedstroom te dumpen, waardoor hij bijna onmiddellijk geneest.'

Toen niemand iets zei, ging Faraday door. 'En er is nog iets. De tests suggereren dat een chemische verbinding in het bloed en celweefsel heel erg overeenkomt met arylcyclohexylamine.'

'Nog eens?' zei Marshall.

'Dat is de werkzame stof in PCP. En het bloed van dit schepsel bevat een opmerkelijk hoge concentratie... meer dan honderd nanogram per milliliter. Volgens mij is het een NMDA-receptorantagonist, die zowel stimulerend als verdovend werkt. Wat ik alleen niet begrijp is hoe dit schepsel zo'n chemische stof kan aanmaken... Zoiets ben ik in de natuur nog nooit tegengekomen, en zeker niet in deze concentraties. Aangenomen dat het niet door externe factoren wordt veroorzaakt, kan het zijn dat de adenohypofyse het als een reactie op stress in de bloedsomloop brengt. Hoe dan ook, de hoeveelheid bizarre chemische stoffen in zijn bloed verklaart wel waarom hij ongevoelig is voor kogels en andere verwondingen. Hij voelt de wonden eenvoudigweg niet, en...'

'Dit is allemaal uitermate belangwekkend,' onderbrak Sully hem, 'maar dat brengt ons geen stap dichter bij het uiteindelijke doel: wat is de achilleshiel van dat verdomde ding?'

'Hij heeft gelijk,' zei Logan. 'Het is van het grootste belang dat we weten hoe we het kunnen stoppen.'

'Misschien is hij al gestopt,' zei Marshall. Hij keek het biowetenschappelijk lab rond, zijn ogen stonden vermoeid van de lange tocht door de sneeuwstorm. 'Misschien is het wel dood. De vorige keer lukte het met elektriciteit.'

'Het beest waar ze de vorige keer mee te maken hadden, was een stuk kleiner,' antwoordde Sully. 'We weten niet eens of dat hetzelfde specimen was.'

'Het was hetzelfde,' zei Usuguk. 'Kurrshuq is kurrshuq. Het verschil zit 'm in de grootte, kracht en hoe duivels ze zijn.'

Marshall keek naar de Tunit, die in kleermakerszit op de labvloer zat. Hij had een paar fetisjachtige voorwerpen uit zijn medicijnbuidel gehaald en ze voor zich op de grond uitgestald. Hij pakte ze een voor een op, sprak er op zachte, monotone toon tegen, als een dringende smeekbede. Daarna zette hij ze voorzichtig weer op de grond, draaide er nog even liefdevol aan en pakte de volgende.

'Wat doe je?' vroeg Marshall.

'Ik voer een ritueel uit,' was het antwoord.

'Zoiets had ik al begrepen. Wat voor een?'

'Dit is een plek vol onrust geworden. Een kwade plek. Ik roep de hulp in van mijn beschermgeesten.'

'Nu je toch bezig bent, vraag dan ook of ze een paar bazooka's willen sturen,' zei Sully. 'Bij voorkeur M20's.'

Buiten in de gang klonk een geluid. Iedereen, behalve Usuguk, draaide zich met een ruk om, waar Marshall aan merkte hoeveel spanning er in de lucht hing. De kruk ging omlaag en de deur werd opengeduwd. Sergeant Gonzalez en een soldaat – Phillips – stonden buiten. Ze stapten langzaam naar binnen en sloten de deur achter zich.

'En?' vroeg Sully op dwingende toon.

Gonzalez liep met stijve benen naar het midden van de ruimte. Hij haalde de M16 van zijn schouder en gooide hem op de vloer. Phillips bleef simpelweg staan waar hij stond, zijn gezicht was asgrauw.

'Is het dood?' vroeg Marshall.

Gonzalez schudde vermoeid zijn hoofd.

'En de val?' vroeg Logan? 'De elektrische stoel?'

'Hij werd uitzinnig van de elektriciteit,' antwoordde Gonzalez.

'Vertel wat er precies gebeurd is,' zei Marshall rustig.

De blik van de sergeant zwierf over de grond. Bijna een minuut lang zei hij niets. Toen haalde hij diep adem. 'We hebben de val precies volgens uw aanwijzingen gezet. Water op een stalen plaat op de grond. Een gordijn kale draden vanaf het plafond, gekoppeld aan een krachtstroombron, en in een gang die het beest absoluut door moest wilde hij in de rest van de basis kunnen komen.'

'En?' vroeg Marshall.

'Op een of andere manier is het langs ons gekomen. Hij kwam van achteren. Ik weet niet hoe hij dat heeft geflikt, maar het is hem gelukt. We konden ons terugtrekken. Hij liep naar ons toe en kwam in de draden terecht. Kreeg de volle elektrische lading door zich heen.' Hij schudde zijn hoofd toen hij eraan terugdacht.

'Hoeveel stroom?' vroeg Logan

'Zesduizend volt.'

'Onmogelijk,' zei Faraday. 'Er moet iets met de bedrading zijn misgegaan. Zo'n schok overleeft niets en niemand.'

'Er is niets misgegaan met de bedrading. Hij leek verdomme wel te ontploffen.'

'En het schepsel?' vroeg Marshall.

'Zijn vacht was hier en daar verschroeid. Maar dat was het wel.'

Er viel een korte stilte.

'Hoe zijn jullie teruggekomen?' vroeg Sully.

'Marcelin was in het onderstation om de stroom in te schakelen. Hij begon te gillen. Het schepsel ging op hem af. Wij konden wegrennen terwijl...' Gonzalez maakt de zin niet af.

En weer viel er een stilte in de kamer, deze keer duurde die langer. Marshall keek nogmaals naar de mismoedige gezichten. Nu pas, nu hun poging was mislukt, realiseerde hij zich hoezeer ze op Gonzalez en zijn team hadden gerekend. Hij had zo veel geloof gehecht aan het verhaal van de Tunit, dat ze met elektriciteit het beest konden verslaan, dat deze tegenslag bijna onverdraaglijk was. En toch had Gonzalez iets gezegd waardoor er een bekende bel ging rinkelen. Hij zocht in zijn geheugen naar een verband.

En toen wist hij plotseling wat het was.

'Wacht eens even,' zei hij hardop.

De anderen keerden zich naar hem toe.

'Misschien werd hij niet gek van de elektriciteit.'

'Wat bedoel je?' vroeg Logan.

'Dit schepsel is voor ons een compleet mysterie, ja? Het is een bizarre speling der natuur, een genetisch misbaksel. Zijn bloed is volstrekt abnormaal. Conventionele wapens doen hem kennelijk weinig. Dus waarom doen we dan alsof we zijn motieven – of zijn emoties – of wat dan ook begrijpen?'

'Waar gaat dit over?' vroeg Sully.

'Hierover. We zijn er de hele tijd van uitgegaan dat dit schepsel er alleen maar op uit is om ons allemaal uit te moorden. Stel dat het zo helemaal niet is begonnen? Weet je nog wat Toussaint zei? Dat het een spelletje met je speelt. Misschien doet hij dat feitelijk wel: spelen.'

'Usuguk zei hetzelfde,' voegde Logan eraan toe, 'over de vorige. Hij speelde zoals een vossenjong met een woelmuis speelde.'

'Spelen?' herhaalde Sully. 'Was dat ding dan aan het spelen toen hij als eerste die productieassistent, Peters, vermoordde?'

'Misschien wist het niet wat het deed. Of het kon hem niet schelen. Dat kan ook onderdeel van spelen zijn... het kan een kat niet schelen dat een muis pijn heeft. Waar het om gaat is dat het schepsel niet met ópzet wilde doden. Aanvankelijk niet. Toen Peters' lijk in de ziekenboeg was gelegd, kwam hij terug om het mee te nemen... alsof hij een speeltje wilde hebben. En neem Toussaint... hij is als een speeltje opgehangen. En dan is er nog iets. Hij heeft gedood, hij heeft de lijken aan stukken gescheurd... maar hij heeft geen van ons opgegeten. Niemand.'

'We hebben hem kwaad gemaakt,' zei Logan.

Marshall knikte. 'En ik denk dat ik weet wat het was. Wat hadden degenen die hij heeft gedood met elkaar gemeen? Ze schrééuwden allemaal.'

'Lijkt me een normale reactie als je oog in oog staat met een bloeddorstig monster,' zei Sully.

'Marcelin schreeuwde,' vervolgde Marshall. 'Impliceerde sergeant Gonzalez net niet dat het schepsel achter hem aan ging in plaats van achter hemzelf?'

'En Ashleigh Davis,' voegde Logan toe. 'De soldaten hebben haar ook horen gillen.'

'Creel gilde ook,' zei Gonzalez. 'Het beest liep me straal voorbij en viel hem aan.'

Marshall wendde zich tot Usuguk. 'En jij zei dat het eerste beest, de kleinere, niet boos werd tot de bandjes met de dieren in doodsnood werden afgespeeld. Konijnen gillen. Maar Toussaint heeft níét gegild. Dat hebben we op de geluidsband van de camera kunnen horen. Hij mompelde alleen binnensmonds: nee, nee, nee.'

'Dit is niets anders dan puur giswerk,' zei Sully.

'Het is geen giswerk wanneer elke gebeurtenis een bepaald patroon volgt,' antwoordde Logan.

'Het enige wat we weten is dat gillen eenvoudigweg zijn aandacht trekt,' vervolgde Sully.

'Zijn zintuigen zijn duidelijk vlijmscherp,' zei Marshall. 'Hij heeft geen geluid nodig om zijn aandacht te trekken.'

Het viel stil in de kamer. Alle ogen, zag Marshall, waren op hem gericht. Zelfs Usuguk had zijn totem neergelegd en keek hem geconcentreerd aan.

'Ik geloof dat geluid dat schepsel pijn doet, misschien heel intens,' zei Marshall. 'Vooral geluiden met een bepaalde frequentie en amplitude, zoiets als een gil. Neem zijn oren nou, net vleermuisoren. Geluid kan op hem een compleet ander effect hebben dan op ons. Ik denk dat het schepsel een gil als een dreiging opvat, een agressieve daad... en daar handelt hij naar.'

'En als er maar genoeg naar hem gegild is,' voegde Logan eraan toe, 'veronderstelt hij dat we vijanden zijn... en wordt hij boos.'

Marshall knikte. 'In plaats van dat hij ons doodt als gevolg van een spelletje, gaat hij nu in alle ernst moorden. Uit zelfbescherming.'

'Dit is te erg voor woorden,' zei Sully. 'Bedoel je soms te zeggen dat we het door middel van geluid om zeep moeten helpen?'

'Ik stel voor dat we die mogelijkheid onderzoeken, ja,' zei Marshall. 'Dat we hem in elk geval zo veel pijn bezorgen dat hij op de vlucht slaat.'

'Zelfs als dat zou kunnen, hoe moeten we dat dan aanpakken, denk je?' vroeg Sully. 'Dit is een radarstation. Radar maakt gebruik van elektromagnetische golven, geen geluidsgolven.'

Even zei niemand iets. Toen nam Logan weer het woord. 'Er is een wetenschappelijke vleugel.'

'Nou en?' vroeg Sully.

'Uit dat oude dagboek weet ik dat die oorspronkelijk werd gebruikt voor iets wat met sonartechnologie te maken had. Ik weet niet wat, en Usuguk heeft weinig meer te bieden dan een bevestiging daarvan. Misschien ging het om nieuwe onderzeebootapparatuur en wilden ze die op een afgelegen plek onderzoeken. Misschien ging het om een aanvulling op de in fase geplaatste radars op de basis. Maar vergeet niet dat aan dat onderzoek een einde kwam toen dat schepsel werd gevonden, en de noordvleugel een nieuwe bestemming kreeg.'

'Maar wij weten niet beter dan dat de oorspronkelijke spullen er al stonden voordat dat schepsel werd ontdekt.' Marshall vroeg aan Usuguk: 'Kun je je die instrumenten nog herinneren, dat gereedschap in de noordvleugel?'

De Tunit knikte. 'Het meeste zat onder lakens of zeildoek. Andere spullen zaten nog in hun krat. En er was een grote, ronde ruimte met gestoffeerde muren, het leek wel op kariboebont.'

'Misschien een echokamer of zoiets,' zei Faraday.

'Maar zelfs als de instrumenten daar staan opgeslagen,' vroeg Logan, 'wie heeft dan de akoestische expertise om ze te bedienen?'

'Dat is geen probleem,' zei Sully. 'We hebben op de middelbare school allemaal de vereiste elektrotechniek gehad.'

'Je hebt mijn keyboard gezien,' zei Marshall. 'Ik heb op school een analoge synthesizer gebouwd.'

'Ik ben radiozendamateur geweest,' voegde Faraday eraan toe. 'Ik heb mijn vergunning nog.'

Logan wendde zich tot Gonzalez. 'Wat vindt u ervan? Mogen we er nu wel in?'

'In vijftig jaar is er niemand in de noordvleugel geweest,' antwoordde de sergeant.

'Dat is geen antwoord,' zei Logan.

Even zei Gonzalez niets. Toen knikte hij kort.

‘Waar zijn Kari Ekberg en de anderen?’ vroeg Marshall.

Gonzalez pakte zijn radio. ‘Gonzalez aan Conti. Herhaal. Gonzalez aan Conti. Over.’

Geen antwoord, alleen statisch geruis.

‘Wacht eens even,’ zei Sully. ‘We weten niet zeker of dit waar is. Het is maar een theorie.’

‘Wil je hier liever zitten afwachten tot dat ding ons allemaal ombrengt?’ vroeg Marshall. ‘We zijn door onze ideeën heen.’ Hij stond op. ‘Kom mee. We hebben niet veel tijd meer.’

46

Ze stonden in de schaars verlichte gang buiten Radarondersteuning. Kari hield haar hoofd afgewend, had haar handen stijf ineengevlochten en huiverde ondanks de warme atmosfeer. Wolff keek naar haar en toen weer de andere kant op. Conti stond iets opzij, bekeek op het kleine camerascherm de opnamen die hij tot nu toe had gemaakt.

'Waarom mocht ik Gonzalez' oproep niet beantwoorden?' vroeg ze.

'Hij wil ons waarschijnlijk alleen maar uitroken,' mompelde de regisseur. 'Hij heeft zich na de aanval duidelijk teruggetrokken en nu wil hij dat wij ook teruggaan.'

'Hij zit waarschijnlijk in het wetenschappelijk lab,' zei Wolff. 'Bij de anderen. Als hij slim was, heeft hij dat vast gedaan.'

'Ik betwijfel het. Gonzalez is een soldaat, hij zal zich niet door zo'n tegenslag laten weerhouden.'

'Noem je het zo?' kaatste Wolff terug. 'Een tégenslag? Dat schepsel heeft net een van zijn mannen gedood.'

Conti draaide aan een knop op de camera en het scherm ging op zwart. 'Gonzalez zou het er niet bij laten zitten. Hij is zich waarschijnlijk rot geschrokken. Nu heeft hij van zijn fout geleerd... het was een slechte zet om zelf het gevecht met het beest aan te gaan. Het is beter om je eigen arena te kiezen en de vijand naar je toe te laten komen.'

Wolff keek hem vol ongeloof aan. 'Emilio, wat is dit volgens jou? Een film waarvan je naar believen het script kunt aanpassen?'

Maar Conti leek hem niet te horen. 'Laten we eens bij dat trappenhuis waar we langskwamen gaan kijken. Misschien is hij met zijn team daarheen gegaan om een executieplaats voor dat beest op te zetten.' Hij hees de camera weer op zijn schouder en liep de gang in. Wolff liep nog altijd protesterend achter hem aan.

Kari keek toe hoe ze wegliepen. In de gang krioelde het van vervlochten schaduwen, die met de minuut drukkender leken te worden. Ze kreeg het beeld van Creel maar niet uit haar gedachten: het verscheurde en starende hoofd, overal bloed, het uiteengereten lijk. Apathisch ging ze achter hen aan.

'Of we nemen contact op met Gonzalez of we gaan naar het wetenschappelijk lab terug,' hoorde ze Wolff zeggen. 'Het is waanzin om hier met die loslopende moordmachine rond te dwalen.'

'Dat zeg je niet als we een Oscar voor de beste documentaire in ontvangst nemen. Trouwens, je hebt een wapen.'

'Creel had ook een wapen. Een mooi, groot wapen. En kijk wat er met hem is gebeurd.'

'We weten niet wat er gebeurd is. Dat kan van alles geweest zijn. Misschien raakte hij van de anderen afgescheiden. Misschien kreeg hij het op z'n zenuwen en is hij gevlucht... recht in de kaken van dat beest.'

Ze kwamen bij het trappenhuis. De stalen schacht was een pikdonkere muil, slechts een kleine lichtbron beneden verlichtte de treden en leuningen. Conti bleef boven aan de trap staan om de cameralens aan te passen en het bijlicht aan te doen.

'Daar mag je van mij niet naartoe,' zei Wolff.

Conti bleef aan zijn camera knoeien. 'Is dan niets van wat ik heb gezegd tot je doorgedrongen? Dit is gewoon te belangrijk. Ik móét dit gedeelte eenvoudigweg onderzoeken. Als ze daar beneden zijn, moet ik dat filmen. Wat voor regisseur zou ik anders zijn?'

'We hadden nooit uit de officiersmess weg moeten gaan.' Wolff keek naar Kari achterom alsof hij bij haar bevestiging zocht.

Kari zei niets. Ze voelde te veel verdriet en afgrijzen. De herinnering aan dat moment in de mess, toen ze ermee instemde om het geluid voor Conti te doen, leek alweer een heel leven geleden. Ze walgde bij de gedachte dat omwille van de documentaire alle andere overwegingen naar de achtergrond waren verdrongen.

'We kunnen best even gaan kijken, we zijn zo klaar,' zei Conti. Hij hees de camera op zijn schouder. 'Als je wilt, kun jij hier wachten. Kari, ik heb je hulp later nog nodig.'

Kari schudde haar hoofd. 'Sorry, Emilio. Ik ga niet mee.'

Wolff legde zijn hand op de camera. 'Je gaat met ons mee terug. En wel nu.'

'Ik laat me door jou niet commanderen,' zei Conti stekelig, zich van hem losrukkend. 'Dit is mijn opname.'

‘Ik ben de vertegenwoordiger van Blackpool…’

Plotseling zweeg Wolff. Hij kreunde zacht van de pijn en legde zijn handen over zijn oren. Even later voelde Kari het ook: een pijnlijke druk die vanuit het midden van haar schedel uitstraalde.

‘Dit staat me niets aan,’ zei ze.

‘We moeten maken dat we hier wegkomen,’ zei Wolff. ‘En snel ook, voordat…’

Opeens hield hij zijn mond. Zij mond viel open en hij werd helemaal slap. Hij staarde langs Conti de gang in. Kari draaide zich om en volgde met immense tegenzin en knikkende knieën van angst zijn blik, bang om te kijken, maar nog banger om dat niet te doen.

Voor hen, bij de kruising in de gang, begon het vlies der duisternis te verschuiven.

47

Ze zochten zich in volslagen stilte een weg over de verschillende niveaus. Gonzalez wees de weg, de M16 hing over zijn rug en een krachtige zaklamp verlichtte een pad tussen de rommel door. Een zware moersleutel hing aan een in zijn werktenue ingenaaide ring. Daarachter kwamen Logan en de wetenschappers: Sully met in elke hand een wapen, Marshall en Faraday die ieder een kaki knapzak droegen met haastig bijeengeraapte werktuigen en spullen die al of niet van pas konden komen. Daarachter liep Usuguk, zijn getatoeëerde gezicht stond uitdrukkingsloos. Phillips sloot de rij, hij keek voortdurend achterom.

Ze liepen langs de voorraadruimten op D-niveau, stellingen vol ouderwetse instrumenten en overbodige sensoren waren als waakzame wachters in het vage licht. Toen Gonzalez er met zijn lamp in een boog langs scheen, werden nieuwe voorwerpen in het licht gevangen en plotselinge schaduwen schoten uit deuropeningen en opslagnissen op hen af.

De duisternis en stilte begonnen op Marshalls zenuwen te werken. Hij had Kari en Conti liever niet aan hun lot willen overlaten, maar de kans dat ze een wapen konden fabriceren waarmee ze het schepsel schade konden toebrengen, was te mooi om te laten schieten. Hij ging langzamer lopen, viel iets terug tot hij naast de Tunit was. 'Usuguk,' zei hij, omdat hij zijn gedachten dolgraag wilde afleiden. 'Waarom noemen jullie de berg een plek van het kwaad?'

Het duurde even voor de Tunit antwoord gaf. 'Het is een heel oud verhaal, dat sinds mensenheugenis van vader op zoon, van generatie op generatie is overgeleverd.'

'Ik wil het graag horen.'

Usuguk wachtte voor hij verder ging. 'Mijn volk gelooft in twee soorten goden: de goden van het licht en die van de duisternis. Net zoals alles een tegenpool heeft – geluk en verdriet, dag en nacht – zijn er twee soorten goden nodig voor de schepping van onze wereld. De lichtgoden zijn superieur. Dat zijn de ouden: de goden van goedheid en wijsdom. Zij zegenen de jacht, vullen de zee met vis. Zij waken over de natuurlijke orde. De goden der duisternis zijn anders. Zij beheersen ziekte en dood, de menselijke passies. Zij bevolken dromen en nachtmerries. Langzamerhand werden ze vergiftigd door hun eigen donkere sluier. Ze werden jaloers op de lichtgoden en verleid door het kwaad, dat hun instrument, hun krachtbron was. En zij werden zelf het kwaad.'

Ze sloegen een hoek om, liepen langs een reeks werkplaatsen.

'De goden der duisternis probeerden de lichtgoden te ondermijnen, hun daden tot iets slechts te verdraaien, het land te vervuilen, de helende zon te doven. Toen dat mislukte, probeerden ze met het kwaad de lichtgoden te corrumperen, ze tegen elkaar op te zetten. Hoewel de lichtgoden te goeder trouw waren, baarde dit hun zorgen en ze werden boos. En toen verscheen Anataq ten tonele.'

'Anataq?'

'De bedrieglijke god. Hij is licht noch duisternis, maar houdt de twee in evenwicht. Hij had gezien wat de duistere goden deden en wist dat ze de balans verstoorden, gevaarlijk waren voor de orde der natuur. Dus bood hij zijn hulp aan. Hij ging naar de goden der duisternis en vertelde hun over een geheime Tunit-grot. Een plek, zo zei hij, die werd bevolkt door de vijftig mooiste en reinste vrouwen van de stam. Zij waren van zo'n zeldzame schoonheid, zei hij, dat ze niet voor mannen bestemd waren, maar moesten worden bewonderd en vereerd. Hun grot was diep in een berg. Dit verhaal wekte wellustige belangstelling op bij de duistere goden, en hun bloed kolkte van de hitte.'

Ze liepen achter Gonzalez een trap naar E-niveau af, het laagste in de centrale vleugel, hun voeten weerklonken zacht op de stalen treden. 'De goden der duisternis vroegen Anataq waar die berg dan was. Maar de bedrieglijke god wilde dat niet vertellen. Hij zei alleen dat hij de berg eens per jaar een bezoek bracht, op de avond voor midzomerdag, wanneer de bewakers van de vrouwen naar de reinigingsceremonie waren. Dat jaar ging hij op de avond voor midzomerdag naar de holle berg. De goden der duisternis volgden hem, zoals hij al verwachtte. En toen ze eenmaal in het diepste vertrek van de berg waren, goot Anataq vloeibaar vuur over hen uit, zodat ze binnen opgesloten zaten.'

'Lava,' mompelde Marshall.

'De duistere goden raakten buiten zichzelf van woede. Ze bulderden en schreeuwden, en steeds maar weer spuwde de berg vuur. Ze maakten zo'n kabaal dat de lucht van horizon tot horizon werd verscheurd en de hemelen bloedden. Duizend jaar raasden en tierden ze. Maar Anataq had ze te goed opgesloten en uiteindelijk werden ze moe. De berg spuwde geen rood vuur meer. De hemelen bloedden niet langer.'

Tot nu toe dan, dacht Marshall. Wanneer zo'n legende deel uitmaakte van een geloofssysteem, was het geen wonder dat Usuguk bang werd toen het merkwaardige, bloedrode noorderlicht terugkeerde. Het was ongelooflijk te bedenken dat de man sowieso op deze berg had kunnen werken… en dan ook nog met zo'n angstaanjagend en gevaarlijk schepsel. Maar, overpeinsde hij, toen was Usuguk nog jong en vol twijfels over de tradities van zijn volk. Jammer dat er zo'n schokkende gebeurtenis voor nodig was geweest om daar verandering in te brengen.

'En de kurrshuq?' vroeg hij. 'Je noemde hem de bewaker van de verboden berg.'

'Toen de goden der duisternis eenmaal in de berg gevangenzaten, riep Anataq een kurrshuq bij zich om ze te bewaken, zodat ze niet konden ontsnappen. De kurrshuq komen uit de geestenwereld, het zijn geen goden, maar machtige wezens die zich te goed achten voor de gebruiken en levens van het volk. Vele jaren lang bewaakten ze de berg. Maar langzaam, heel langzaam, werden ook zij door de duisternis van de gevangen goden aangetast. En zij werden als duivels.'

'Zielverzwelgers,' zei Marshall.

De Tunit keek hem even aan, maar keek toen weer de andere kant op.

E-niveau stond nog voller met afgedankte rommel dan de hogere niveaus en het was er volslagen donker, waardoor ze aanzienlijk langzamer vooruitkwamen. Gonzalez leidde ze langs technische ruimten en een hulpcontrolekamer, en bleef vlak daarna bij een elektroruimte staan. Hij gebaarde de anderen te wachten en stapte naar binnen. Marshall zag dat hij een elektrisch paneel opende, een paar zware zekeringen plaatste, het weer sloot en een veiligheidshendel overhaalde. Hij gromde tevreden en stapte de gang weer in.

'De noordvleugel zou nu stroom moeten hebben,' zei hij.

Hij leidde ze langs een serie kleinere ruimten en sloeg daarna bij een kruising rechts af. Daar eindigde de doorgang, die werd versperd door een zwaar luik met klampen en een hangslot. Marshall keek een beetje ongemakkelijk naar de uitgedoofde rode lamp erboven, het waarschuwingssignaal dat iedereen moest tegenhouden, behalve degenen die toestemming hadden.

Gonzalez keek achterom naar Phillips. 'Jij bewaakt deze zes terwijl ik dat probeer open te maken.'

Marshall keek toe hoe de sergeant de zware klampen met de moersleutel loswrikte, een voor een, die piepend protesteerden omdat ze een halve eeuw niet waren gebruikt. Nadat hij de laatste klamp los had, bleef het hangslot nog over. Hij haalde een enorme sleutelbos tevoorschijn en het kostte een stuk of zes pogingen voor hij de juiste sleutel te pakken had. Nu het slot open was, greep Gonzalez de ronde vergrendeling en trok het luik naar zich toe. Het ging met een zachte plop open. Verpulverd rubber regende uit de bijna gemummificeerde pakking, verschaalde, uitgedroogde en bedompte lucht walmde naar buiten.

Daarachter lag alles in volslagen duisternis. 'Het lijkt wel of je in het graf van Toetanchamon kijkt,' mompelde Sully. Marshall wist wat hij bedoelde: niemand had in vijftig jaar door dat luik gekeken.

Gonzalez voelde met een hand aan de binnenwand en draaide een schakelaar om. Er klonken opnieuw ploppende geluiden toen een paar aan het plafond hangende peertjes sprongen omdat ze in vijf decennia niet gebruikt waren. Maar er bleven genoeg lampen over om een smalle stalen gang te verlichten die zich in een vaag verlichte ruimte terugtrok. Ze liepen er allemaal doorheen, en Gonzalez sloot en vergrendelde het luik achter hen.

'Zo te zien is dit een behoorlijk veilige verschansing,' zei Sully goedkeurend naar het zware luik knikkend.

Gonzalez schudde zijn hoofd. 'Dat ding is al eens eerder langs ons gekomen… ik weet nog steeds niet hoe. En deze vleugel heeft net als de andere ventilatie- en onderhoudsschachten.'

Ze liepen langzaam door de gang naar het eerste stel open deuren. Marshall vond de lucht naar stof smaken, met een koperen, metaalachtige zweem.

Gonzalez stopte bij de eerste deuropening en scheen met zijn lamp naar binnen. De lichtstraal onthulde twee houten bureaus met ouderwetse, mechanische schrijfmachines: een soort frontoffice of zoiets. Een half getypt memo zat nog in een schrijfmachine, het gele papier zat om de rol gekruld. Gonzalez scheen met de lamp naar de volgende deuropening. Hij keek naar binnen en Marshall hoorde dat hij abrupt zijn adem inhield.

Marshall liep naar voren om zelf poolshoogte te nemen. Een enorme chaos van een opgedroogde donkere vloeistof bedekte de vloer en vormde woeste kronkels op de muren en onderstellen van wat kennelijk elektrische apparatuur was. In een hoek stond een transformator, verbrand en half weggesmeuld.

'De stroomkamer,' zei Usuguk op effen toon.

'Ze hebben de bloedvlekken niet eens verwijderd,' zei Sully.

De sergeant deed zijn zaklamp uit. 'Kunt u ze dat kwalijk nemen?'

Ze liepen verder door de smalle gang en knipten onderweg de lichten aan. Er waren labs vol oscilloscopen en zwarte, doosachtige apparaten, sommige op tafels en in stellingen, andere nog steeds in hun houten kratten.

'Dit moet geluidsapparatuur zijn,' mompelde Faraday.

De volgende ruimte was een soort controlekamer, met een mengpaneel en verschillende versterkers. Gonzalez' zaklamp onthulde dat de verste wand van glas was en over een kleine geluiddichte studio uitkeek.

Daar voorbij liepen naar links en rechts gangen en na die kruising eindigde de centrale gang bij een ander zwaar luik. Gonzalez maakte het open, scheen er met zijn zaklamp in en snoof verbaasd. Hij knipte het licht aan. Marshall liep achter de anderen aan naar binnen... en bleef onmiddellijk staan.

Ze stonden op een smalle promenade – eerder een catwalk – die door het midden van een groot rond vertrek liep. Aan de overkant van de catwalk was een grote overloop van misschien drie bij drie meter, geheel omgeven door glaswanden. De binnenkant was compleet gestoffeerd met een donkergekleurde, bobbelige bekleding. Hier en daar staken spijkertjes uit de wand.

'Mijn hemel,' hijgde Faraday. 'Het is echt een echokamer. Ongetwijfeld om sonarapparatuur te testen.'

'Als ze tenminste zover zijn gekomen,' zei Sully.

'Dat is waar. Waarschijnlijk zijn de experimenten elders uitgevoerd toen de boel hier werd verzegeld.'

Logan boog zich naar Marshall. 'Slechts één uitgang.'

Marshall keek om zich heen. 'Inderdaad.'

'Echokamer. Ziet het er voor jou ook zo uit?'

'Ja.' Marshall draaide zich om en keek de historicus aan. 'Hoezo? Denk jij van niet, dan?'

Logan wachtte even. 'Eigenlijk niet. Voor mij is het eerder generaal Custers laatste verdedigingsstelling.'

48

Heel langzaam maakte het ding zich uit de duisternis los. Schaduwstrepen bogen mee met de beweging van gespierde flanken. Kari staarde er in afgrijzen naar – terwijl het centimeter voor centimeter naar de halfschemer kroop, als een zwemmer die uit een donkere poel tevoorschijn komt – toen de waanzinnige en verschrikkelijke details vorm kregen. De reusachtige kop als een kolenschop, bedekt met ruw, glanzend zwart haar. De te ver vooruitstekende bovenkaak herbergde een rij immense tanden, geflankeerd door twee slagtanden waarachter – afzichtelijk genoeg – als snorharen van een walrus honderden smalle, vlijmscherpe tentakeltjes hingen. De brede, vooruitstekende onderkaak was daarmee vergeleken klein, maar die was met een immens kaakgewricht aan de schedel verankerd. En – het schokkendste van al omdat ze die al eerder had gezien, een heel leven eerder althans, gevangen in ijs – de starende ogen die hen met een mengeling van lust en kwaadaardigheid bekeken.

'Christene zielen,' mompelde Conti naast haar. 'Jezus. Het is schitterend.' Langzaam… heel langzaam richtte hij de camera, zette die aan en begon te filmen.

Wolff stond pal achter hem. Hij wilde zijn pistool heffen maar trilde zo hevig dat Kari zijn tanden in zijn mond hoorde klapperen. 'Emilio,' zei hij met verstikte stem. 'In godsnaam…'

'Snel, Kari,' onderbrak Conti hem fluisterend. 'Gelúíd.'

Maar Kari kon zich niet bewegen. Ze kon alleen maar staan staren.

Zo langzaam bewegend dat ze niet eens zeker wist of hij sowieso wel bewoog, naderde het ding hen door de bespikkelde gang. Zijn immense voorpoten stonden iets naar binnen gebogen als van een buldog, en liepen uit in bolle, hoefachtige poten waar akelige klauwen uitstaken. Hij was nu helemaal te zien en minstens zo lang als een jong paard. Zijn rug liep van hoge, brede schouders naar gedrongen en machtige heupen, en was overdekt met een grove vacht. Ze staarde er met open mond naar. Toen wendde ze haar blik bijna onwillig naar de bek: de gebogen slagtanden, de enorme, onbeschrijflijk afschuwelijke tentakelmassa die erachter hing. Ze werd slap van angst en afkeer toen ze zag dat de tentakels niet alleen zachtjes op het ritme van de voetstappen van het monster mee bungelden, maar ook nog eens onderling onafhánkelijk van elkaar leken te schuiven...

De pijn in haar hoofd hamerde er onbarmhartig op los, haar hart ging als een razende tekeer. En toch kon ze zich niet terugtrekken, ze kon helemaal niets. Ze stond als aan de grond genageld van angst. Nu bleef het schepsel weer staan, ging op zo'n zeven meter afstand op zijn hurken zitten. Maar niet één keer knipperde hij met zijn ogen of keek hij een andere kant op. Voor Kari leken zijn ogen hard en donker als topaas, peilloos, en er brandde een laaiend innerlijk vuur in.

Hij bleef misschien een minuut bewegingloos staan. Het enige geluid was het zachte zoemen van Conti's camera en haar eigen zware ademhaling. En toen kroop het weer verder.

Dit werd Wolff te veel. Met een diepe kreun draaide hij zich met een ruk om en snelde de gang weer in, zijn wapen kletterde vergeten op de grond.

Het ding bleef weer even staan, deze keer korter. Een smalle, roze gevorkte tong piepte onder de snorharen uit. Toen stak hij hem verder uit, steeds verder en verder, likte eerst langs de ene slagtand en toen langs de andere.

Op dat moment leek Conti enigszins waanzinnig te worden. Hij begon te lachen, eerst zachtjes, en toen harder. In haar spasme van afgrijzen en ongeloof dacht Kari althans dat het een lach moest zijn: een vreemd, hoog geluid.

Ieeeeeeee, jankte Conti, nu steeds harder, terwijl de camera zichtbaar wankelde toen hij met zijn schouders schokte: *Ieeee-eeeeeee...*

'Emilio,' fluisterde Kari.

'Ik heb 't!' riep Conti bijna hysterisch uit. 'Kat in 't bakkie. Kát in 't bakkie! *Ieeeeee-eeeee...*'

Met twee sprongen was het ding boven op hem, sloeg hem woest de lucht in. De camera zeilde de gang door, sloeg tegen een muur en viel in stukken op de grond. Toen Conti omlaagkwam, ving het schepsel hem tussen zijn enorme voorpoten op en draaide hem in de rondte, als een ambachtsman aan een pottenbakkersschijf greep hij hem stevig vast en ging met de in zijn bovenkaak wriggelende vlijmscherpe tentakels heen en weer langs zijn silhouet, van top tot teen en weer terug, alsof hij een maiskolf was. Klodders bloed spoten alle kanten op, besmeurden de muren en het plafond, waardoor de gloeilampen in de buurt sissend kapot sprongen vanwege de nattigheid. Conti's gillende lach ging over in hysterisch gillen, steeds hoger en hoger. Prompt klemde het schepsel het hoofd van de regisseur in zijn bek en beet. De gil werd nu gedempt. Er klonk een zacht krakend geluid en het gillen hield op. Toen opende het beest zijn bek weer en Conti viel zwaar op de grond. En toen wist Kari eindelijk weer dat ze een stel voeten had en ze zette het op een lopen, langs Conti en die nachtmerrie van een beest dat nu over hem heen gebogen stond. Of het nu donker was of niet, of er nu obstakels in de weg stonden of niet, het kon haar niet schelen. En terwijl ze zich halsoverkop in de gang vol spookschaduwen stortte, weg van die waanzin, maakte Conti opnieuw geluid: deze keer geen lachen of gillen, maar het indringende kraken van bot: krak, krak, krák…

49

Toen Marshall met een zwartmetalen kist in de hand de controlekamer binnenging, zag hij dat Sully en Logan in de studio achter de glazen scheidingswand over een roestvrijstalen rolwagentje gebogen stonden. Toen hij het karretje zag, zakte de moed hem in de schoenen. Het apparaat dat erop stond leek eerder op technisch kinderspeelgoed dan op een wapen dat een monster van twee ton moest doden. Op het bovenste schap bevond zich een klein woud aan analoge en primitieve digitale apparatuur: potentiometers, voltagefilters, lagefrequentie-oscillators, geluidmixers en volumeregelaars, allemaal verbonden aan een bos bontgekleurde draden. Op het onderste schap stond een ouderwetse buizenversterker, met dunne rode snoeren aan een woofer en een tweeter verbonden.

De groep had in het afgelopen half uur kratten opengebroken en rekken met ongebruikte instrumenten uit elkaar gehaald en probeerde een machine te construeren die een breed scala aan hogefrequentietonen kon produceren, en wel zo hard mogelijk. Uiteindelijk hadden ze de tweeter uit een veel groter geluidsapparaat gehaald dan de woofer, met de gedachte dat hoge frequenties het beest hoogstwaarschijnlijk meer schade zouden toebrengen. Hoewel Marshall een voorstander van het plan was – vooral omdat dit het enige plan was dat kans van slagen leek te hebben – was hij zich er terdege van bewust welke gok ze namen: of het apparaat het sowieso zou doen en of het 't schepsel ook werkelijk zou afschrikken. Ze zetten het op een verrijdbare kar in elkaar zodat ze het overal konden neerzetten – idealiter ver buiten de wetenschappelijke vleugel – en ze zich konden terugtrekken als het plan zou mislukken.

Hij gaf de metalen doos aan Sully. 'Hier is de ringmodulator. Faraday heeft die uit een actieve sonarzender weten te peuteren.'

Sully legde hem op het bovenste schap, verbond er twee draden aan en gromde tevreden. Naarmate het geluidswapen vorderde, was de klimatoloog minder sceptisch geworden en raakte hij steeds enthousiaster over de mogelijkheden. 'We zouden moeten beginnen met witte ruis. Een gelijkmatig signaal binnen een afgepaste bandbreedte... daarmee krijgen we de effectiefste uitbarsting van sonische druk.' Hij keek Marshall aan. 'Waar is Faraday nu?'

'In de opslagkamer met apparatuur, hij is onderdelen aan het verzamelen.'

'Nou, dan hebben we alleen nog droge batterijen nodig. Heb je die toevallig gezien?'

'Nee. Maar ik heb er ook niet naar gezocht. Ik had het te druk met het demonteren van die omvormers.'

'Dan ga ik ze wel halen.' De klimatoloog kwam overeind en liep de controlekamer uit, de gang in. Voor hij naar links verdween keek hij nog even over zijn rechterschouder.

Marshall wist waarom Sully die kant op had gekeken. Dat had hij zelf ook gedaan toen hij de controlekamer binnenkwam. Die kant leidde naar het hoofdluik van de wetenschappelijke vleugel, waar Gonzalez en Phillips op hun post stonden, machinegeweren in de aanslag, op de uitkijk naar elk teken van het schepsel.

Hij merkte dat Logan naar hem keek. 'Enig idee wat voor soort geheim onderzoek hier werd verricht?' vroeg de historicus.

Marshall haalde zijn schouders op. 'Aangezien maar zo weinig van de spullen daadwerkelijk in elkaar is gezet – het grootste deel zit nog in kisten of is niet uitgepakt – is het moeilijk te zeggen. Maar als je kijkt naar de hoeveelheid verschillende passieve sonartoestellen – ik heb niet veel actieve sonarapparatuur gezien – vermoed ik dat ze de radarapparatuur hoopten aan te vullen met een geheime sonarzender.'

'Geheim,' zei Logan. 'Lees: "veel dichter bij Rusland".'

Marshall knikte. 'Misschien zelfs wel ín Rusland. Met actieve sonar kun je de exacte positie van een object bepalen. Maar voor een militaire basis als Fear Base was dat niet interessant... althans niet meteen. Ze wilden waarschijnlijk veel liever weten of er überhaupt een object naar hen op weg was. Met een passieve sonar zou je dat kunnen bepalen, stilletjes, en met behulp van TMA zouden ze het traject van een raket kunnen vaststellen.'

'TMA?'

‘*Target motion analysis*, analyse van de bewegingen naar het doel toe. De uitkomst zou reikwijdte, snelheid, zelfs de koers kunnen signaleren, lang voordat hij op de gewone radar te zien zou zijn.’

‘En dat allemaal in zo’n klein en geruisloos pakketje dat niemand er iets van merkt. Interessant.’ Logan zweeg even. ‘Maar de hamvraag is, vermoed ik, of wíj daarmee het vege lijf redden.’

Marshall keek naar het krankzinnige wetenschappelijke toestel dat op het schap tussen hen in stond. ‘Ik denk dat als we alles op alles zetten het gaat lukken. Ik hoef je niet te vertellen dat van de vijf zintuigen het gehoor het enige is dat volledig mechanisch werkt. Feitelijk verandert een geluidsgolf de luchtdruk en veroorzaakt trillingen. Bij de juiste frequenties gaan de golven letterlijk door alles heen. Een extreem lage frequentie kan bij mensen ademnood, depressie en zelfs angst veroorzaken. Er doen allerlei geruchten de ronde dat infrasonische of ultrasonische wapens verwondingen kunnen toebrengen, verlammen of zelfs dodelijk kunnen zijn.’ Hij haalde zijn schouders op. ‘Wie zal het zeggen? Misschien ging het bij deze basis feitelijk wel om dat soort onderzoek.’

‘Behoorlijk ironisch.’ Logan klopte op de zijkant van het wagentje. ‘En dit is nu klaar?’

‘Op de batterijen na, ja. Sully is er een paar gaan halen.’

‘Dus het wapen is er. Nu nog het doelwit.’

‘Het is niet gezegd dat het deze kant op komt… misschien moeten we hem ergens mee lokken.’

‘Lokken. Of liever gezegd: laten toehappen.’ Logan zweeg weer even. ‘Ik heb nog aan iets anders zitten denken. Die twee schepsels, dat wat nu is gevonden en dat van vijftig jaar geleden: denk je dat ze iets met elkaar te maken hebben?’

‘Goeie vraag. Ik heb er door een blok ondoorzichtig ijs maar een glimp van opgevangen. Maar Gonzalez’ beschrijvingen lijken met die van Usuguk overeen te komen, en…’

‘Zo bedoelde ik het niet. Ik bedoel, zijn ze aan elkaar verwánt?’

Marshall keek hem aan. ‘Je bedoelt… als vader en kind?’

Logan knikte. ‘Of misschien moeder en kind. Van elkaar gescheiden geraakt en toen tijdens dezelfde idiote klimatologische gebeurtenis in een flits bevroren?’

‘Jezus.’ Marshall moest slikken. ‘Als dat zo is, moeten we er maar op hopen dat de ouder niet ontdekt wat er met junior is gebeurd.’

Logan wreef over zijn kin. ‘Over junior gesproken… heb jij je afgevraagd waardoor het de eerste keer om zeep is geholpen?'

'Je bedoelt als het geen elektriciteit was?'

'Ja.'

'Zeker wel. Maar ik weet er geen antwoord op. Jij?'

'Nee. Maar ik vind het allemachtig interessant dat geen van die beesten zijn slachtoffers heeft opgegeten.'

'Dat zei ik al. Het verkoos de fysieke wereld vaarwel te zeggen.'

Het was Usuguk. Hij had steeds in een hoek van de studio in kleermakerszit gezeten, de handen balancerend op zijn knieën, zo stil en bewegingloos dat Marshall niet eens had gemerkt dat hij er was. Nu hij de rustige, gereserveerde gezichtsuitdrukking zag, zijn kalme rotsvaste overtuiging voelde, was Marshall bijna zover dat hij er ook in ging geloven.

'Dat verhaal dat je me vertelde,' zei hij tegen de sjamaan. 'Over Anataq en de goden der duisternis. Dat was zelfs voor mij als buitenstaander angstaanjagend. Ik moet het je vragen: als je werkelijk gelooft dat we nu met een kurrshuq te maken hebben – een zielverzwelger – waarom ben je dan met me mee teruggegaan?'

Usuguk keek naar hem op. 'Mijn volk gelooft dat overal een reden voor is. De goden hadden mij voor iets voorbestemd, vanaf de dag van mijn geboorte me voorbeschikt. Als jonge man leidden ze me van mijn volk weg – ze brachten me hierheen – in de wetenschap dat het me uiteindelijk zou doen terugkeren, sterker en meer betrokken dan daarvoor. Doordat ik de geestenwereld de rug heb toegekeerd, heb ik die des te meer in mijn armen gesloten.'

Marshall keek hem bedachtzaam aan. En toen begreep hij het. Doordat hij al die jaren zelfs volgens de meest traditionele waarden en normen van de Tunit een ascetisch, spiritueel kloosterachtig leven had geleid, had hij geboet voor het feit dat hij zijn geloof tijdelijk had afgezworen. En hier terugkeren – waar het verraad feitelijk had plaatsgevonden – was voor hem de ultieme boetedoening.

'Ik vind het akelig dat dit ervan is gekomen,' zei Marshall. 'Het was niet mijn bedoeling je aan zo veel gevaar bloot te stellen.'

De Tunit schudde zijn hoofd. 'Ik zal je iets vertellen. Vroeger in mijn jeugd, toen er nog gejaagd werd, kwam mijn grootvader altijd met de grootste walrus terug. De mensen wilden weten wat zijn geheim was, maar dat wilde hij niet vertellen. Ten slotte, hij was inmiddels een oude man, nam hij mij in vertrouwen. Hij voer, vertelde hij, met zijn kajak de zee-engten uit naar de diepe oceaanstromingen, verder dan wie ook durfde gaan. Ik vroeg hem waarom hij dat deed – waarom hij, zoals jij zegt, zich aan zo veel gevaar blootstelde – alleen maar om de grootste vangst binnen te halen. Hij zei dat de jacht op zichzelf al gevaarlijk was. En als je je op glad ijs begeeft, kun je dat net zo goed dansend doen.'

Er klonk een geluid van achter de glazen wand en Faraday kwam binnen, beladen met elektrische en mechanische apparatuur. 'Hier zijn de extra oscillatoren en potentiometers,' zei hij. Hij keek naar het apparaat op het wagentje. 'Waar zijn de batterijen?'

'Sully is er een paar gaan halen,' antwoordde Marshall.

'Mooi. Als we die hebben, kunnen we gaan testen, en dan...'

Op dat moment klonk er een indringend, krakend geluid uit de controlekamer. Marshall keek op. Het was de op de rand van het mengpaneel balancerende radio die Gonzalez hun had gegeven.

De radio kraakte opnieuw. 'Hallo?' Het was de stem van Kari Ekberg. 'Halló?'

Marshall liep naar de controlekamer. Hij greep de radio vast en drukte op de zendknop. 'Kari? Marshall. Ga je gang.'

'O, god. Help me!' Haar stem klonk schor, sloeg over en ze was de hysterie nabij. 'Help me, alsjeblíéft! Dat ding... heeft Emilio te grazen genomen. Het tilde hem op, het tilde hem op, en het...'

'Kari. Rustig aan.' Marshall deed zijn best kalm te klinken, zijn verstand erbij te houden. 'Oké, nu ga je me vertellen waar je bent.'

Hij hoorde haar paniekerig ademhalen. 'Ik ben... o, gód... op het entreeplein. Naast, naast de wachtpost.'

Toen Marshall weer op de zendknop drukte, kwamen Logan en Faraday uit de studio naar hem toe en gingen om de radio staan. 'Oké. Heb je een zaklamp?'

'Nee.'

'Loop dan de trap af naar de officiersmess. Zo snel en stilletjes als je kunt. Daar liggen zaklantaarns. En ook wapens. Kun je met een wapen omgaan?'

'Nee.'

'Dat geeft niet. Ga daar nu meteen naartoe. Als je daar bent, roep je me weer op.'

'Het komt achter me aan, ik weet 't zeker. Als het klaar is met Emilio. Het komt eraan, en het zal... het zál...'

'Kari. Ik kom je halen. Ik praat je naar me toe. Hou alleen je hersens bij elkaar. En verlies die radio niet.'

Weer gekraak en toen zweeg de radio.

Marshall wendde zich tot Faraday. 'Zoek Sully. Help hem met de batterijen. Haal dan dat sonische wapen hier weg, breng het naar de gangen op E-niveau. We moeten op deze vleugel kunnen terugvallen als het mislukt.'

Faraday knikte en haastte zich de controlekamer uit. Marshall keek naar Logan. 'Weet je nog wat je zei over toehappen? Kennelijk ben ik het aas.' En zonder nog een woord te zeggen stopte hij de radio in zijn zak en rende de kamer uit, op weg naar het luik in de centrale vleugel.

50

Kari struikelde door de gang van C-niveau, de zaklamp glibberde in haar zweterige hand. Haar schenen deden zeer van de schaafwonden door uitstekende leidingen en opslagkisten, haar knieën lagen open omdat ze een paar keer op de meedogenloze staal-met-linoleum vloer was gevallen. Goddank deden de lamp en de radio het nog. En opnieuw verjoeg ze met geweld de afschuwelijke beelden uit haar hoofd: de schreeuwende Conti toen het bloed als een straal uit een ronddraaiende sprinklerinstallatie alle kanten op sproeide. En opnieuw zei ze voortdurend als een mantra tegen zichzelf: niet omkijken. Níét omkijken.

Ze had er een kwartier over gedaan om van de officiersmess de twee trappen af te komen, een kwartier vol je reinste afgrijzen. Nu kwam ze langs de wasinrichting, ouderwetse wasmachines en drogers stonden in stille rijen onder omgekrulde posters die properheid aanprezen. Ernaast was het naaiatelier: een hok waar net een bureau, een naaimachine en een paspop in pasten. Daarna kwam ze bij een splitsing. Ze bleef staan en rommelde met de radio. Haar handen trilden zo hevig dat ze pas na de derde poging de zendknop kon indrukken.

'Ik ben bij de kruising naast het naaiatelier,' zei ze, en ze hoorde haar stem trillen.

Marshalls stem kraakte terug: 'Ik ben net op D-niveau aangekomen. Hou vol. Ik vraag Gonzalez om instructies.'

Ze bleef buiten adem in de benauwde duisternis staan. Dit was het allerergste: blijven staan, op instructies wachten… en wachten op dat merkwaardige volle gevoel in de oren en neusgaten, die steelse tred die aankondigde dat er een nachtmerrie naderde…

'Ga linksaf,' hoorde ze Marshalls mechanische stem zeggen. 'Aan het eind van de gang ga je weer links. Daar zie je een trap, daar moet je naar beneden en daar sta ik op je te wachten. Zo niet, dan roep je me weer op.'

Kari stopte de radio weer in haar broekzak. Ze sloeg links af, scheen even met het licht voor zich uit om te kijken of er obstakels waren, en zette het toen op een lopen. Ze passeerde de keukens: lege kookruimten waar de reusachtige porseleinen gootstenen spookachtig glansden. Een stuk of zes deuropeningen flitsten voorbij, gapende zwarte en mysterieuze ruimten. Haar knieën en schenen klopten hevig, maar ze duwde de pijn weg. Verderop zag ze opnieuw een splitsing in de gang, verlicht door een enkel peertje. Naar links, zei hij. Naar links en dan zie je een...

Plotseling haakte ze met haar voet ergens achter en viel languit op de grond, haar radio kletterde de gang door, haar zaklantaarn rolde tegen de muur en floepte uit. God, nee, nee... Op handen en gehavende knieën tastte ze als een uitzinnige rond naar de zaklamp. Ze vond hem, haar hart sloeg in haar keel, en drukte op de knop. Hij flakkerde, ging uit en sprong aan. Dank u. Dank u. Ze hees zichzelf overeind en scheen met het licht voor zich uit op zoek naar de radio. Daar was hij: op de grond, nog geen drie meter bij haar vandaan. Ze rende erheen en raapte hem op.

'Hallo!' zei ze met de zendknop stuntelend. 'Hallo, Evan, ben je daar?'

Niets. Zelfs geen statisch geruis.

'Evan, hallo!' Haar stem klonk schril van angst en wanhoop. 'Halló...!'

Plotseling hield ze haar mond. Iets had haar overlevingsinstinct op scherp gezet, alle bellen rinkelden. Hoorde ze voetstappen in de duisternis achter haar, zwaar en toch ongelooflijk steels? Joeg er bloed door haar oren, of hoorde ze een vaag, merkwaardig – bijna onaards – zingen? Opnieuw golfde doodsangst door haar heen, en met een snik die dicht tegen pure wanhoop aan zat duwde ze de radio weer in haar zak en dwong zichzelf het opnieuw op een lopen te zetten. Het licht aan het einde van de gang kwam dichterbij. En toen ze op de kruising was, schoot ze naar links, wild zwaaiend met haar lantaarn, op zoek naar de trap.

Daar was het trappenhuis: een poel van duisternis. Ze rende ernaartoe en racete de treden af, de zaklamp kletterde tegen de stalen leuning, ze was niet van plan haar paniekerige vlucht nog stil te houden.

Ze bleef op de onderste tree staan en keek om zich heen. Een volgende gedempt verlichte gang strekte zich voor haar uit, bureaus en werktuigen stonden aan weerskanten opgestapeld. Hij was leeg.

Ze knipperde hevig met haar ogen, veegde met de rug van haar hand over haar gezicht en keek nogmaals. Niemand.

'Evan?' zei Kari tegen de leegte.

Ze voelde dat haar ademhaling oppervlakkiger werd. Nee, nee, nee...

En daar was het opnieuw: dat zachte zingende geluid, bijna een fluistering in haar oren. Jammerend deed ze een stap naar voren, van de onderste tree de gang in. Ze voelde een onbedwingbare neiging achterom te kijken, de trap op. Ze bewoog spastisch met de zaklamp.

'Kari!'

Ze keek de gang weer door. Helemaal aan het einde kon ze een gedaante onderscheiden, een donker silhouet in het vage licht. Met een kreet rende ze ernaartoe. Toen ze dichterbij kwam, zag ze dat het Evan Marshall was, met een bezorgde uitdrukking op zijn gezicht en een automatisch geweer over de schouder.

'Kari,' zei hij op haar toe lopend. 'Goddank. Alles goed?'

'Nee. Het zit achter me aan, dat monster, ik hoorde het net...'

'Snel.' En hij duwde haar dwingend weer naar de gang terug.

Ondanks het feit dat ze bijna uitgeput was, bleef Kari zo dicht mogelijk bij Marshall toen hij een omtrekkende beweging maakte langs opslagplaatsen en werkplaatsen. Een keer bleven ze bij een kruising staan alsof hij moest nadenken over welke weg ze moesten nemen. Een andere keer vroegen ze Gonzalez via de radio naar een uitweg uit dit labyrint.

'Waar gaan we heen?' hijgde ze.

'De wetenschappelijke vleugel. Dat is één niveau lager. Die kan met een dik luik worden afgesloten, het is daar veel veiliger dan op de hogere niveaus. En we hebben een wapen geconstrueerd, een geluidswapen, dat we graag op dat beest willen uittesten. Maar niet alles tegelijk... we moeten jou eerst veilig achter dat luik zien te krijgen.'

Ze kwamen bij een volgende trap en Marshall dook praktisch omlaag, nam drie treden tegelijk. Kari sprong zo snel ze kon achter hem aan. E-niveau was een tombe, de lage plafonds waren bezaaid met dikke rijen leidingen en kabels. Ze renden langs een paar kamers terwijl Marshall de weg met zijn lamp bijlichtte. Bij een T-kruising sloegen ze rechts af. En toen bleef Marshall zo abrupt staan dat Kari bijna tegen hem aan botste.

De gang voor hen eindigde bij een enorme opening, het luik zelf stond wijd open, de ruimte erachter was helder verlicht. Daarbinnen stond een merkwaardig geval op een rolwagentje. De draden, antennes en elektrische onderdelen deden denken aan een apparaat uit een sciencefictionfilm uit de jaren vijftig. Twee van de wetenschappers – Faraday en Sully – stonden erover gebogen. Naast hen stond sergeant Gonzalez met het machinegeweer in de aanslag naar hen te wijzen.

‘Wat is er aan de hand?’ zei Marshall. ‘Waarom staat het wapen niet hier, uit de buurt van het luik?’

‘Geen batterijen,’ zei Faraday. ‘We moesten het op de stroom binnen aansluiten. De draden komen niet verder.’

‘In hemelsnaam, zeg,’ zei Marshall, ‘zoek dan daar ergens een stopcontact!’

‘Geen tijd,’ antwoordde Sully.

‘Als je verdomme maar weet dat er geen tijd is! Dat ding zit achter ons aan en we kunnen de veiligheid van de wetenschappelijke vleugel niet in de waagschaal stellen met een open…’

Marshall stopte midden in zijn zin. Toen merkte Kari het ook: een kruipend, angstig voorgevoel, eerder een zesde zintuig dan een feitelijke waarneming, waardoor haar nekhaartjes rechtovereind gingen staan en de angst opnieuw toesloeg. Opnieuw schreeuwde elk instinct haar toe dat ze zich moest omdraaien en achter zich moest kijken. En dit keer hield ze het niet vol en keek ze over haar schouder.

Om de hoek, net binnen haar gezichtsveld, kroop een zwarte vorm heimelijk in hun richting de trap af.

51

'Lopen, lópen!' Marshall dreef Kari letterlijk door de gang en de versterkte opening door. Onder het rennen stootte de M16 als een onbekend – en ook weer overbekend – gewicht tegen zijn rug. Vlak bij de luikopening stond Sully – lijkbleek maar vastberaden – aan het controlepaneel van het sonische wapen. Lange stroomdraden liepen van het wapen naar de elektrische ruimte terug, ze stonden helemaal strak, ze konden niet verder. De beide drivers stonden op het onderste schap en knetterden en zoemden van een sluimerende kracht, de woofer trilde licht. Faraday en Logan stonden er vlak achter ongerust naar te kijken. Ze werden geflankeerd door Gonzalez en Phillips, beiden geknield, de automatische wapens door de luikopening op de gang gericht. Usuguk stond achter hen. Hij hield zijn medicijnbuidel in beide handen vast en neuriede zacht een monodie.

Marshall keek snel om zich heen. Deze situatie had hij nu precies willen vermijden: het luik wijd open, het wapen in de wetenschappelijke vleugel, niet getest en onbewezen, stuk voor stuk waren ze compleet overgeleverd en konden zomaar worden aangevallen. 'We moeten het luik dichtdoen,' zei hij. 'Maak het nu dicht.'

'We hebben genoeg tijd,' antwoordde Sully. 'Als het niet werkt, als het schepsel zich er niet door laat afstoppen, is er nog tijd genoeg.'

Marshall opende zijn mond om daar iets tegen in te brengen, maar op dat moment bewoog er iets bij de kruising in de gang. Alle ogen gingen naar de slecht verlichte gang achter het luik. Langzaam kwam er een immense gedaante in het zicht. Marshall staarde ongelovig naar de gelaatstrekken: de brede schopvormige kop, de tanden die gemeen schitterden, de tientallen vlijmscherpe tentakels die eronder hingen. Dit was het schepsel uit zijn nachtmerrie, alleen erger: hij had de bovenkant van de kop door het ijs gezien, maar doordat het zo troebel was, was de afschuwelijke onderhelft genadiglijk uit het zicht gebleven. Hoewel, zo genadiglijk was het nou ook weer niet, want als ze door het ijs die ijzingwekkende tanden hadden gezien, die tentakels die als een nest slangen glibberden, zouden ze nooit, maar dan ook nooit hebben toegestaan dat zo'n afschrikwekkend beest ooit ontdooid zou worden… Even stond hij er simpelweg vol afschuw en verbazing naar te kijken. Toen maakte hij het wapen los en duwde Kari naar Faraday.

'Neem haar mee, diep de wetenschappelijke vleugel in,' zei hij. 'Zoek de veiligste, best afgesloten plek die je maar kunt vinden. En sluit jezelf in.'

'Maar…' begon Faraday.

'Doe het, Wright. Alsjeblieft.'

De bioloog aarzelde even. Toen knikte hij, pakte Kari bij de elleboog en samen trokken ze zich door de doorgang terug, langs de soldaten en de zacht neuriënde Usuguk, de hoek om en uit het zicht.

Marshall draaide zich weer naar de nachtmerrie om, die nu op zijn hurken en open en bloot op de kruising in de gang zat. Achter zijn schouder hoorde hij iemand snuivend ademhalen. 'Nee,' zei Phillips met een schrille, wanhopige stem. 'Nee, God, alstublieft. Niet weer.'

'Kalm aan, soldaat,' gromde Gonzalez.

Sully, die ook zwaar ademde, veegde zijn handen aan zijn shirt af en pakte de potentiometers en oscillators weer beet. Marshall kroop een paar meter naar de binnenkant van de luikopening en dook achter de stalen rand. Hij sloeg tegen de onderkant van het magazijn om er zeker van te zijn dat dat goed op zijn plek zat, trok het glijblok boven op het wapen naar achteren zodat de eerste kogel in de kamer viel, voelde naar de veiligheidspal en zette het wapen op scherp.

Het schepsel deed een stap naar voren, keek hen beurtelings met zijn starende ogen aan.

'Ga uw gang, doctor,' zei Gonzalez.

Het schepsel deed nog een steelse, doelbewuste stap. Hier en daar zaten kale strepen in de haarklitten op zijn machtige schouders – kogelsporen – en door die strepen heen zag Marshall de doffe glans van iets wat eruitzag als slangenschubben.

Sully's handen trilden hevig. 'Ik, ik probeer het eerst met witte ruis.'

Even hoorde Marshall alleen Phillips zware adem, het ratelen van een ander wapen, dat op scherp werd gezet. Toen kwam er een lading witte ruis uit de speakers.

Het schepsel deed nog een stap.

Sully's stem klonk schril en gespannen. 'Ik verhoog de geluidsdruk naar zestig decibel, voeg een lagetonenfilter toe.'

Het volume werd prompt opgevoerd en vulde de smalle gang. Het schepsel liep nog steeds door.

'Geen effect,' zei Sully boven het lawaai uit. 'Ik zal een simpele geluidsgolf proberen. Zaagtand, basisfrequentie van 100 hertz.'

Het statische geruis verdween en ervoor in de plaats kwam een zacht zoemen, dat snel de hoogte in ging.

Het schepsel in de gang bleef staan.

'De volgende gaat in het kwadraat,' zei Sully. 'Verhoog de frequentie naar 390 hertz bij 100 decibel.'

Het geluid verbreedde zich, werd complexer. En tegelijkertijd hoorde Marshall – of dacht hij te horen – een vreemd, vaag zingen, als de lage toon van een dreigend orgel, aangevoerd op een verre wind: een complex, exotisch, mysterieus geluid dat niets te maken had met de geluidsgolven die Sully creëerde. Zijn hoofd voelde merkwaardig vol aan, alsof er inwendige druk werd uitgeoefend.

Het schepsel leek te aarzelen, een immense voorpoot midden in een stap opgeheven.

'Ik voeg nu de sinusoscillator toe,' klonk de trillende stem van Sully. 'Ik verhoog de frequentie naar 880 hertz.'

'Voer de decibellen op,' riep Marshall naar achteren.

Het geluid klonk nog harder, tot de stalen wanden van de gang leken te trillen van het lawaai. 'Ik ga door de pijngrens heen!' schreeuwde Sully. 'Honderdtwintig decibel!'

De maalstroom van geluid, nog eens boven op het drukkende gevoel in Marshalls hoofd, dreigde hem tot waanzin te drijven. Het schepsel deed een stap naar achteren. Zijn heupen trokken licht, als in een onwillekeurige spastische beweging. Het schudde zijn ruige kop: één keer, twee keer, woeste schokken, duidelijk van de pijn.

'Nu alleen de sinusgolf!' riep Sully. 'Het wérkt!'

En toen dook het schepsel in een starthouding, bereidde zich voor op een sprong.

Er gebeurde van alles tegelijk. Phillips en Sully schreeuwden het uit van wanhoop en angst. Het volume van het toestel zwol nog steeds aan, breder, naar een crescendo. Gonzalez gaf een bijna onhoorbaar bevel om te vuren. En toen floten de kogels langs Marshalls hoofd, ze schoten door de gang in een bombardement van grijze rook terwijl ze jankend tegen muren ketsten en stapels overtollige apparatuur aan het wankelen brachten. Marshall hief zijn eigen wapen en haalde de trekker over. Hij zag zijn kogels gaan, zag ze in het schepsel inslaan en ricocheren, zag nieuwe strepen van chitineachtig zwart verschijnen op de schoften en flanken van het beest naarmate de kogels meer van het huidpantser blootlegden. Op dit crisismoment van absolute waanzin leek de tijd te vertragen en de werkelijkheid te vervagen: het was alsof Marshall bijna elke kogel, stuk voor stuk, van het salvo op zijn woeste en vergeefse reis door de gang zag schieten.

En toen viel het beest aan. Onmiddellijk gooide Marshall zich door de luikopening in een wanhopige poging die te sluiten, met doodsverachting het vuurgeweld van Gonzalez en Phillips negerend. Maar het schepsel bewoog zich razendsnel. In een tel was hij bij het luik en de opening door, sprong over het wapen en sloeg het tegelijk omver en greep Sully – doelbewust en wreed – met zijn voorpoten en rukte met twee barbaarse draaien van zijn kop zijn armen uit de kom.

52

Marshall kwam op een elleboog overeind, een ogenblik verbijsterd door de machtige klap. De centrale gang van de wetenschappelijke vleugel was getransformeerd tot een complete heksenketel van geluid en geweld: het afgrijselijke beest dat de gillende Sully aan stukken scheurde, bloed dat uit de kapotte ledematen van de klimatoloog spoot, besproeide de muren en vloer in een felrode maalstroom. Gonzalez en Phillips krabbelden achteruit, probeerden een vrij schootsveld op het beest te krijgen. De kar met het sonische wapen lag op zijn kant, de wielen draaiden nog. Usuguk stapte langs de soldaten naar voren, de sjamaan hield zijn amulet voor zich uit terwijl zijn gezang naar een indringend hoogtepunt voerde.

Marshall zag met suizende oren van de inslag dat het beest Sully, die het nog steeds uitgilde, met een krachtige klap van een voorpoot de lucht in zwiepte. Een tweede klap sloeg de wetenschapper door een deuropening naar het frontoffice. Het schepsel sprong achter hem aan, verdween uit het zicht. Een enorm kabaal – omvallend meubilair, een lichaam dat tegen muren werd geslagen – explodeerde daarbinnen. Sully's schreeuwen klonken steeds zwakker.

Marshall probeerde overeind te komen, wankelde, trok zichzelf op. Het was te laat... Sully zou sterven. Ze zouden allemáál sterven. Even vroeg hij zich af of er nog tijd was om hem de wetenschappelijke vleugel uit te krijgen, het luik dicht te doen en het monster buiten te sluiten, maar hij verwierp de gedachte meteen weer. Daar was geen tijd voor. Het was voorbij, het ding zou Sully doden en dan zou het zich tegen hen keren, één voor één, en...

Zijn blik viel op het sonische wapen, de onderdelen lagen in een warboel op de vloer van de gang. En toch had het gewérkt. Die laatste geluidsgolf die Sully had geprobeerd, de sinusgolf, had duidelijk effect op het schepsel gehad. Hij deed zijn best om het helse kabaal, het geschreeuw van de soldaten, de pijnlijke druk in zijn hoofd uit te bannen, probeerde na te denken, zich te concentreren in de paar seconden die hij nog had. Waarom werkte een sinusgolf wel en een zaagtand of een kwarttoon niet?

Hij stopte. Misschien zat het 'm niet in de golfvorm. Misschien was het iets heel…'

Hij schoot op het wagentje af, zette het recht en begon als een uitzinnige de losgetrilde elektronica weer in elkaar te zetten.

'Wat doe je?' riep Logan uit. Sully schreeuwde niet langer, maar het verschrikkelijke kabaal en de dreunen in het frontoffice hielden nog aan.

'Ik ga het nog een keer proberen.' Marshall controleerde de aansluitingen van de versterker op de speakers en klikte een losse potentiometer op zijn plek. 'Het zit 'm in de geluidscombinatie, kan niet anders. Dat is het enige antwoord. Maar we moeten er fatsoenlijk geluid uit zien te krijgen, als we de maximale…' Hij keek even wild om zich heen. 'Kom, help me even. Dat schepsel kan hier elk moment weer terug zijn. We moeten dit ding in de echokamer zien te krijgen.'

'Voor die onzin is geen tijd meer!' riep Gonzalez. 'Wat heeft dat nou voor zin?'

'Het is net als gif op een pijlpunt. We voeren het vermogen tot het uiterste op.'

Met Logans hulp rolde Marshall het wagentje de gang door, ze slipten herhaaldelijk weg op de van Sully's bloed doordrenkte vloer. Usuguk liep achter hen aan, nog altijd zingend, een sjamaanratel in de ene en een benen fetisj in de andere hand. Met moeite rolden de twee mannen het wagentje door de controlekamer, langs de kruising in de gang en door het achterluik de echokamer in.

'Gonzalez!' schreeuwde Marshall. 'Ik reken erop dat u 'm zo lang mogelijk tegenhoudt!'

Gonzalez gebaarde naar Phillips en ze gingen weer op hun verdedigingspositie even buiten de echokamer staan.

Het dreunende kabaal in het frontoffice hield op.

'We moeten hem in het midden opstellen, dan krijgen we het maximale effect,' zei Marshall tegen Logan.

Samen duwden ze het wagentje naar het midden van de catwalk. De elektrische kabels stonden strakgespannen en een afschuwelijk ogenblik dacht Marshall dat ze het niet zouden halen. Maar er zat net genoeg speling in om het wapen precies in het midden van de kamer te plaatsen, op de vloer van de catwalk was die plek met '0 dB' gemarkeerd.

Marshall keek naar Usuguk. 'Jij zit waarschijnlijk veiliger in dat observatiehok daar,' zei hij terwijl hij naar een met glas omgeven platform achter aan de catwalk gebaarde.

De Tunit onderbrak zijn zachte neuriën en schudde zijn hoofd. 'Ben je nu al vergeten wat ik je heb geleerd? Als je je op glad ijs begeeft, kun je dat net zo goed dansend doen.'

'Wat jij wilt.' Marshall draaide het wagentje zodanig dat de speakers naar de gang gericht waren, controleerde de aansluitingen en schakelde de machine weer aan. Er gebeurde niets. Als een uitzinnige haalde hij de vacuümbuizen eruit en zette ze er weer in, controleerde de contactpunten en probeerde het opnieuw. Deze keer kwam er een zacht gezoem uit de reusachtige woofer. Hij scande het toestel, riep de basisprincipes in zijn herinnering op van hoe geluid in een synthesizer wordt gegenereerd, maakte zich opnieuw vertrouwd met de panelen die de amplitude, frequentie en de vorm van de geluidsgolf via de oscillator en de filtering regelden. Hij greep de amplitudeknop en draaide die scherp naar rechts. Het wagentje begon te trillen.

Hij zag dat Logan naar hem keek. 'Volgens mijn berekeningen heb ik nog ongeveer drie minuten te leven,' zei de historicus. 'Als ik geluk heb, is het snel voorbij. In dat geval heb ik waarschijnlijk nog maar twee minuten. Maar voor ik sterf wil ik graag weten wat je probeert te doen.'

'Die laatste geluidsgolf die Sully probeerde,' antwoordde Marshall, zijn blik weer op het controlepaneel, 'die dat beest duidelijk zo'n pijn deed, was een sinusgolf. Dat is de puurste geluidsgolf die er bestaat. Geen harmonische tonen of boventonen. Dus ik ga verder waar hij was gebleven... Ik doe er nog een portie van de theorie van Fourier bovenop om het patroon compleet te maken. Misschien bezorgt dat het beest zo veel pijn dat hij op de vlucht slaat. Als we hem lang genoeg uit de buurt kunnen houden, kunnen we misschien meer verrijdbare...'

Hij zweeg. Het schepsel was uit het frontoffice tevoorschijn gekomen. Nu draaide hij langzaam zijn gezicht naar hen toe. Zijn voorpoten en klauwen dropen van het vocht, en de slagtanden en tentakels zaten vol gestold bloed.

Marshall haalde diep adem en deed zijn best zijn trillende handen onder controle te krijgen.

Het schepsel deed een stap in hun richting. Snel schakelde Marshall de geluidsgolf van de eerste oscillator naar een zaagtand op een frequentie van 30 hertz, en verifieerde of de amplitude van de masteroutput op 100 decibel stond ingesteld. Hij drukte op de toonknop. De kamer dreunde door een lage toon, net boven de onderste gehoorgrens.

Het schepsel sprong naar voren.

Marshall maakte in gedachten als een uitzinnige een berekening. Een tweede toon, zonder boventoon, een paar octaven hoger… Maar tegelijkertijd versnelde het schepsel zijn pas en kwam met grote sprongen de gang door. Hij zette de tweede oscillator op zaagtandgeluid, draaide de frequentie naar 800 hertz op.

'Christus!' schreeuwde Logan.

Gonzalez en Phillips waren nu aan het schieten. Boven het gejank van de speaker kon Marshall nog net Phillips' rauwe kreten horen, hij was als een gek aan het vuren, van hoog tot laag en van links naar rechts, tot de laatste resten van zijn geschokte zenuwen het begaven. Het schepsel was nu bij de soldaten, wachtte opnieuw en schudde woest met zijn kop, de tentakels dansten uitzinnig heen en weer. Phillips liet zijn geweer vallen, kwam overeind en rende jammerend de gang door. Het schepsel dook met zijn kop naar omlaag, tilde hem weer op en met een ijzingwekkende slag van zijn voorpoot sloeg hij Gonzalez – die nog altijd in het wilde weg aan het schieten was – in de echokamer terug, een venijnige klap waardoor hij over de hoofden van Marshall en Logan door de lucht vloog. De sergeant kwam met een dreun tegen de achterwand van de echokamer terecht en gleed vervolgens langs de ronde wand zo'n zeven meter lager naar de grond, waar hij verbijsterd in het isolatie- en geluiddichte materiaal bleef liggen.

Marshalls handen trilden nu verschrikkelijk en hij stuntelde om de derde en laatste oscillator aan te zetten: opnieuw een sinusgolf, maar deze keer in een heel hoge frequentie: 60.000 hertz. Met een snelle blik verzekerde hij zich ervan dat de elektronenbuis van de amplitude helemaal openstond. Toen greep hij het paneel voor het masterfilter en haalde dat helemaal naar zich toe. Het angstaanjagende *screeeeee* van de sinusgolf werd minder en hield er helemaal mee op.

'Wat dóé je?' zei Logan tussen opeengeklemde tanden. 'Je hebt het uitgezet, en nu zitten we in de val!'

'Ik wil het de kamer in lokken,' antwoordde Marshall zachtjes. 'We hebben maar één kans. Dit zou het moeten doen.'

Met een precieze, bijna subtiele beweging die volkomen uit de toon viel bij zo'n immens beest, tilde het schepsel een voorpoot over de rand van de luikopening. De andere voorpoot kwam erachteraan. Het keek eerst naar links, toen naar rechts, gele ogen namen de ronde kamer in zich op. Het vreemde lage zingen in Marshalls oren nam toe, en de pijn in zijn hoofd werd bijna ondraaglijk. Nu was het schepsel bijna helemaal in de ruimte en stapte het op de catwalk. Die kreunde onder zijn gewicht. Eén stap, twee... het schepsel ging op zijn hurken zitten, spande zich voor de volgende – en laatste – sprong.

... *dan kun je dat net zo goed dansend doen.* In een snelle beweging greep Marshall de amplitudeknop, draaide die naar 120 dB en haalde het filter eraf.

Onmiddellijk was de echokamer in een oorverdovend lawaai gedompeld. Het was alsof er miljoenen wespen in de ronde ruimte rondvlogen, die allemaal tegelijk zoemden, hun dreun versterkend en opnieuw versterkend. Het schepsel maakte aanstalten om te springen, ook al stuiptrekte hij over zijn hele lijf. Marshall draaide nogmaals aan de knop naar een volume van 140 decibel. Het schepsel schokte opnieuw midden in de lucht, deze keer woester en terwijl hij op hen afstormde krulde hij zich op. Hierdoor werd zijn sprong onderbroken en kwam hij zwaar op de grond terecht, waardoor de catwalk alarmerend door elkaar werd geschud. Marshalls hele universum leek nu alleen nog maar te bestaan uit die uitzinnige, verschrikkelijke dreun die door de kamer echode, die zichzelf versterkte en toewerkte naar een autonoom, machtig en intens crescendo dat zich letterlijk door zijn poriën leek te boren. Het schepsel krabbelde op de catwalk, klauwde naar voren, eerst de ene poot, toen de andere, de bloederige klauwen groeven in het stalen oppervlak, trokken de kolos naar hen toe. Marshall greep zwaar en hijgend ademhalend de knop weer vast, zette zich schrap en draaide de knop helemaal open: 165 decibel, het geluidsniveau van een straalmotor. Naast hem legde Logan zijn handen over zijn oren, de geschiedkundige opende zijn mond maar elke kreet werd compleet overstemd door de lawine van lawaai... een *screeeeee* dat nu deel leek uit te maken van Marshalls pure kern. Ook hij legde instinctief zijn handen op zijn oren, maar veel hielp dat niet tegen het folterende geluidsgeweld. Vlekken dansten voor zijn ogen en hij voelde dat hij ging flauwvallen.

Het schepsel verstarde. Het schudde van voorpoot tot achterlijf in een volgende spastische trilling. Het tilde zijn kop op, deed zijn ijzingwekkende kaken wijd open, waar Sully's bloed nog steeds vanaf droop en waar de tentakels als een gek onder trilden. Het draaide zijn kop opzij en sloeg met zijn kaken met een verschrikkelijke dreun tegen de catwalk: één keer, twee keer. Het trok zijn ledematen naar zich toe en kromde naar achteren. En toen zag Marshall zijn kop in een uitbarsting van bloed en hersens uiteenspatten, hen allen ondersproeiend met een stortvloed van bloed, en dat hij letterlijk aan hun voeten neerviel. Het sonische wapen was nu doorweekt van bloed en begon hortend en stotend te piepen, en viel uiteindelijk in een vonkenregen stil.

Marshall bleef lange tijd stomweg staan, hij trilde over zijn hele lijf. Toen keek hij naar Logan. De historicus keek op zijn beurt hem aan terwijl het bloed uit zijn oren druppelde. Hij zei iets, maar Marshall hoorde hem niet, sterker nog, hij hoorde helemaal niets. Marshall wendde zich af, stapte over het bewegingsloze schepsel – zwart bloed stroomde uit zijn verwoeste schedel – en liep met zware ledematen naar het luik, de wetenschappelijke vleugel uit. Plotseling had hij er behoefte aan weg te komen van deze afgrijselijke plek en schone lucht in te ademen. Hij voelde meer dan dat hij hoorde dat Logan en Usuguk achter hem aan liepen.

Langzaam en angstvallig zochten ze zich een weg naar de oppervlakte: naar D-niveau, naar de bekendere ruimten van B-niveau, en ten slotte naar het entreeplein, dat er in de schemering levenloos bij lag. Nog steeds doof, doorweekt van het bloed van het beest, liep hij de klimaatkamer door en nam niet de moeite een parka aan te trekken. Hij stak de verzamelplaats over en duwde de dubbele deur open die uitkwam op het betonnen platform erachter.

Het was donker, maar een lichte blos aan de horizon wees erop dat de dageraad niet lang op zich zou laten wachten. De storm was gaan liggen en de sterren waren tevoorschijn gekomen, ze schitterden spookachtig op het sneeuwkleed. Heel vaag, alsof het van heel ver kwam, moest Marshall denken aan een Inuit-gezegde: dat zijn geen sterren, maar openingen waardoor onze dierbaren naar ons glimlachen om ons ervan te verzekeren dat ze gelukkig zijn. Hij vroeg zich af of Usuguk dat ook geloofde.

Alsof het afgesproken was, voelde hij dat de Tunit zijn mouw aanraakte. Toen hij naar hem keek, wees Usuguk zonder iets te zeggen met een vinger naar de lucht.

Marshall keek omhoog. Het donkere, onaardse rood van het noorderlicht – het licht dat hen sinds het begin van de nachtmerrie had achtervolgd – stierf nu snel weg. Terwijl ze ernaar keken vervaagde het helemaal, slechts een zwarte koepel vol sterren achterlatend. Er was geen enkele aanwijzing, nog geen sprankje, dat het er ooit was geweest.

53

'Meneer Fortnum? Penny hier. Hoe gaat het achterin?'

Deze keer duurde het even voor er antwoord kwam. 'We hebben het koud. Verschrikkelijk koud.'

'Hou vol,' zei ze in de handset. 'Nog maar...' ze keek naar Carradine.

'Dertig kilometer,' mompelde de trucker. 'Als we het halen.'

'Dertig kilometer,' zei ze en ze zette de handset in de radio-unit. 'We móéten het halen. Hoe is het met de brandstof?'

'Met de linkertank is het verschrikkelijk hard gegaan.' Carradine tikte op het instrumentenpaneel. 'Geeft nog vijftien kilometer aan.'

'Ook al komen we zonder te zitten, dan kunnen we die andere vijftien nog wel lopen.'

'Dáárin?' Hij wees over zijn stuur naar de woestenij van de Zone. 'Neem me niet kwalijk, mevrouw, maar zo koud als ze het nu al hebben, redden ze het nog geen tweehonderd meter.'

Barbour keek door de voorruit naar buiten. Een rode veeg van de dageraad besmeurde de horizon. De storm ging nu snel liggen: de wind was nagenoeg stilgevallen het omliggende landschap lag nu onder een nieuwe deken poedersneeuw. Maar met het gaan liggen van de storm was de temperatuur gekelderd. Het dashboard gaf min dertig graden aan.

De truck schudde hevig en ze pakte de handgreep stevig vast. Dertig kilometer. Met deze snelheid zouden ze er over een half uur zijn.

Ze keek op het gps op het dashboard. Als ze in haar eigen auto door Lexington, Woburn, en het grotere Boston reed, was ze eraan gewend dat het op haar eigen gps-unit wemelde van straten, snelwegen en landmarks. Maar de unit in Carradines truck was volkomen blanco: het scherm was net zo wit en saai als de sneeuw buiten, enkel een kompas met een lengte- en breedtegraad dat aangaf dat ze op koers zaten, zich überhaupt voortbewogen.

'Je ziet er moe uit,' zei Carradine. 'Wil je niet wat rusten?'

'Grapje, zeker,' antwoordde ze. En toch had deze gespannen en schijnbaar eindeloze nachtwake – boven op de vele slapeloze uren die ze op Fear Base achter de rug had – haar uitgeput. Ze deed haar ogen dicht om ze even rust te gunnen, heel even maar. En toen ze ze weer opendeed, was alles anders. De hemel was een stuk lichter, de sneeuw om hen heen glinsterde in het zonlicht. Het geluid van de truck was ook veranderd: de rpm klonken zachter, ze reden veel langzamer.

'Hoe lang heb ik geslapen?' vroeg ze.

'Een kwartier.'

'Hoe staat het met de brandstof?'

Carradine keek naar het dashboard. 'We rijden nu op damp.'

De truck reed steeds langzamer. Barbour keek weer op het gps en zag dat er nu feitelijk iets op te zien was: een eentonige blauwe strook die de bovenkant van het scherm in beslag nam.

'Dat is toch geen...' maar ze stopte midden in haar zin.

'Yep. Gunner Lake.'

Angst, die tot een dof ongerust gevoel was weggeëbd, golfde weer door haar heen. 'Ik dacht dat je zei dat we maar één meer hoefden over te steken!'

'Klopt. Maar we hebben niet genoeg brandstof om eromheen te rijden.'

Barbour gaf geen antwoord. Ze slikte en likte langs haar lippen. Haar mond was heel droog.

'Geen zorgen. Gunner Lake is heel lang, maar niet erg breed.'

Ze keek hem aan. 'Waarom had je er dan omheen willen rijden?'

Carradine aarzelde even. 'Het is ongeveer twaalf meter diep en het ligt bezaaid met grote rotsen, ijspuin en andere rommel. Nu het zo gesneeuwd heeft, zijn die soms moeilijk te zien. Als we er per ongeluk een raken...'

Hij hoefde de zin niet af te maken.

Ze keek naar buiten. Het meer verderop was duidelijk te zien. Carradine schakelde terug toen ze dichter bij de oever kwamen.

'Ga je hier niet stoppen?' zei ze. 'Moet je niet met je drilboor meten hoe dik het ijs is?'

'Geen tijd,' antwoordde de trucker. 'Geen brandstof.'

Ze kropen het ijs op. Opnieuw kneep Barbour uit alle macht in de handgreep toen ze het ijs nogmaals onder zich voelde meebewegen, en weer voelde ze de spanning stijgen toen het angstaanjagende kraken weer van voren af aan begon, zich onder de wielen naar alle kanten toe verspreidde. Een paar rotsen waren duidelijk zichtbaar, ze staken als slagtanden boven het sneeuwdek uit, de zwarte punten glansden in de ochtendzon. Andere lagen onder sneeuwhopen verstopt. De zich terugtrekkende wind had de sneeuw in fantastische vormen opgestuwd: richels, pieken en kleine tafelbergen. Carradine zocht zich een weg over het oppervlak, manoeuvreerde de truck voorzichtig tussen de rotsen en sneeuwformaties door. Barbour keek voortdurend van het gps naar het meer en weer terug, wilde dat de display zich aanpaste, dat die weer helemaal blanco werd.

Drie minuten gingen voorbij, toen vijf. Het kraken werd erger, scheuren vertakten zich in spastische strepen voor hen uit. De motor stokte, Carradine stuurde bij en de rpm werden weer normaal. Barbour kon alleen maar raden wat er zou gebeuren als ze op het ijs zonder brandstof kwamen te zitten.

'Bijna,' zei de trucker alsof hij haar gedachten kon lezen.

Pal voor hen doemde een lage sneeuwrichel op, misschien veertig meter breed, tot een schulp opgestuwd die op de schuimkop van een golf leek. 'Dat moet pure sneeuw zijn,' zei Carradine. 'Kan niet het risico nemen eromheen te rijden, dan raak ik misschien weer uit koers. We ploegen er recht doorheen, banen het pad voor de trailer. Hou je vast.'

Barbour hing al met zo'n kracht aan de stang, steviger ging gewoon niet. Ze hield haar adem in toen Carradine de truck regelrecht de sneeuwrichel in reed. Hij schudde van de klap en Carradine handhaafde de snelheid en schakelde als een gek.

Plotseling schoot de voorkant van de truck woest de lucht in. Barbour werd naar voren gegooid en stootte ondanks de veiligheidsgordel bijna met haar hoofd tegen het dashboard. 'Christus!' zei Carradine terwijl hij een ruk naar links aan het stuur gaf. 'Er ligt zeker een zwerfkei onder die richel!'

Er klonk nog een klap toen de rechter achterwielen van de cabine over de zwerfkei reden. De truck werd opgetild en viel zwaar op het ijs terug. Er klonk een geluid als van de terugslag van een kanon en het grote voertuig minderde plotseling vaart. Barbour voelde hoe ze in haar stoel naar achteren werd gedrukt.

'De achterkant gaat zinken!' brulde de trucker. 'Pak de radio en zeg tegen iedereen in de trailer dat ze naar voren moeten gaan. Nú!'

Barbour morrelde aan de radiohandset, liet hem vallen, raapte hem weer op. 'Fortnum, we zijn door het ijs gezakt. Iedereen moet voor in de trailer gaan zitten. Snel.'

Ze zette de handset terug terwijl Carradine als een uitzinnige de motor liet razen. De truck worstelde zich naar voren, helde naar achteren, verscheurde het bevroren oppervlak, de staart van de trailer ploegde zich letterlijk met geweld door het zich verspreidende ijs. Barbour voelde hem steeds verder kantelen, de hoek werd steeds scherper. 'Nee!' hoorde ze zichzelf gillen. 'God, néé!'

Carradine schakelde en gaf plankgas. Er klonk weer gekraak, bijna net zo hard als eerst en met gierende inspanning rukte de truck zich uit het wak los en schoot naar voren. Snel nam Carradine gas terug, ervoor zorgend dat hij op het gladde oppervlak de macht over het stuur behield. Barbour viel in haar stoel achterover, bijna overweldigd door opluchting.

'Dat was op het nippertje,' zei Carradine. Hij keek naar de brandstofmeter. 'De tank is nu helemaal leeg. Ik heb geen idee waarop we nu rijden.'

Barbour keek naar de gps-indicator. Nu zag ze eindelijk zo'n vierhonderd meter verderop de witte streep van het vasteland.

De laatste paar rotsen vermijdend brulde de truck de oever op en meerderde vaart. Carradine slaakte een enorme, bevende zucht, plukte het bloemetjesshirt van zijn magere lijf en waaierde zichzelf koelte toe. Toen ging hij rechtop zitten en wees naar voren. 'Kijk!'

Barbour tuurde door de voorruit. In de verte, waar de hemel de horizon raakte, kon ze een groepje zwarte vormen onderscheiden, en een rood knipperlicht.

'Is dat...' begon ze.

De trucker knikte breed grijnzend. 'Arctic Village.'

Snel pakte ze de radio. 'Penny Barbour aan Fortnum. We hebben het gehaald. Arctic Village ligt daar verderop.'

En toen ze de handset terugzette, meende ze dat ze – boven de ploeterende diesel uit – gejuich hoorde.

EPILOOG

Het was een kristalheldere, schitterende dag, alsof de elementen – beschaamd dat ze zo heftig tekeer waren gegaan – wat graag de storm weer wilden rechtzetten. Het was volslagen stil in de lucht, er was geen zuchtje wind, en toen Marshall zijn blik van de basis naar het immense pak ijs en de perfecte luchtkoepel erboven afwendde, kon hij zich bijna voorstellen dat in deze afgelegen wildernis de natuur slechts twee kleuren op haar palet had: wit en blauw.

Die ochtend was het een gestaag komen en gaan geweest van medisch personeel en helikopters voor het afvoeren van de lijken, een wirwar aan legerhelikopters en een klein vliegtuig vol mannen in donkere pakken van wie Marshall op een of andere manier heel onrustig werd. Nu stond hij met Faraday, Logan en Kari Ekberg op het platform voor de ingang van de basis. Ze zouden met zijn allen afscheid nemen van Usuguk, die op het punt stond naar zijn verlaten nederzetting terug te keren.

'Wil je echt geen lift?' vroeg Marshall.

De Tunit schudde zijn hoofd. 'Er bestaat een gezegde bij mijn volk: de reis is een doel op zichzelf.'

'Een Japans dichter heeft ooit net zoiets geschreven,' zei Logan.

'Nogmaals bedankt,' zei Marshall. 'Dat je ondanks alles toch bent gekomen. Dat je ons hebt laten delen in je kennis en inzichten.' Hij stak zijn hand uit, maar in plaats van dat Usuguk die greep, pakte hij Marshall bij de armen vast.

'Dat je de vrede mag vinden die je zoekt,' zei hij. Toen knikte hij de anderen toe, pakte de kleine knapzak met water en voedsel die ze voor hem hadden ingepakt, trok de capuchon met bontrand om zijn gezicht strak en draaide zich om.

Ze keken zonder een woord te zeggen toe hoe de oude man zich door de sneeuw een weg zocht naar het noorden. Marshall vroeg zich af of de vrouwen weer naar het dorp zouden terugkeren, of dat Usuguk de rest van zijn leven als een monnik in eenzaamheid zou slijten. Maar hij wist dat de man met stoïcijnse sereniteit om het even welke uitkomst zou aanvaarden.

'Ben je op zoek naar vrede?' vroeg Kari.

Marshall dacht even na. 'Ja. Ik denk het wel.'

'Dat geldt vast voor ons allemaal,' antwoordde Kari. Ze aarzelde. 'Nou, ik moet weer terug. De vertegenwoordiger van Blackpool en de mensen van de verzekering komen na de lunch. Daar heb ik nog een hoop voor te regelen.'

'Ik zoek je later wel op,' zei Marshall.

Ze glimlachte. 'Ja, doe dat.' Toen draaide ze zich om en glipte door de deuren naar de verzamelplaats.

Logan keek haar na. 'Ben je soms op een relatie uit?'

'Als ik er een excuus voor kan vinden, ja,' antwoordde Marshall blij.

'Er is altijd een excuus.' Logan keek op zijn horloge. 'Nou, ik ben de volgende. Mijn helikopter kan er elk moment zijn.'

'Wij vertrekken morgen,' zei Marshall. 'Je had nog een dag kunnen wachten, had je wat geld gescheeld.'

'Ik kreeg een telefoontje van mijn kantoor. Er is iets tussen gekomen.'

'De volgende spokenjacht?'

'Zoiets ja. Bovendien weten die zwarte operationele types die vanochtend iedereen hebben ondervraagd waar ik woon. Ik betwijfel of ik al van ze af ben.' Hij zweeg even. 'Wat heb jij ze verteld?'

'Precies wat er gebeurd is, zoals ik me het althans kon herinneren,' antwoordde Marshall. 'Maar het was alsof elk antwoord alleen maar nieuwe vragen opriep, dus uiteindelijk heb ik niet veel losgelaten.'

'Geloofden ze je?'

'Volgens mij wel. We hebben het tenslotte allemaal met eigen ogen gezien, dus ik zou niet weten waarom niet.' Hij keek Logan aan. 'Wat denk jij?'

'Volgens mij had het een stuk gescheeld als we een karkas hadden kunnen laten zien.'

'Ja, dat is merkwaardig. Maar het heeft absoluut een hoop bloed achtergelaten. Ik durfde er een eed op te doen dat het morsdood was, zoals die schedel eraan toe was.'

'Het heeft vast een stil plekje opgezocht om te sterven,' zei Faraday. 'Net als de eerste.'

'Je weet wat Usuguk hierover te zeggen zou hebben,' antwoordde Marshall. Hij keek naar de horizon, waar de Tunit al verschrompelde tot een bruine vlek tussen de immense vegen wit en blauw.

'Ik ben verdomd blij dat hij het loodje heeft gelegd,' zei Logan, 'maar ik begrijp nog steeds niet hoe het werkt. Hoe geluidsgolven hem hebben kunnen doden, bedoel ik.'

'Zonder een lijk komen we er ook niet precies achter,' antwoordde Marshall. 'Maar ik heb een vermoeden. Het is duidelijk dat hij niet tegen hoge frequenties kon. Een pure sinusgolf, geluid zonder bijgeluiden, leek nog pijnlijker te zijn.'

'Maar produceert het meeste geluid niet ook bijgeluiden?'

'Inderdaad,' zei Faraday. 'Zogenaamde "imperfecte" instrumenten, zoals een viool of hobo – of de menselijke stem – doen dat allemaal. Ironisch eigenlijk, want door die bijgeluiden, door de harmonie, wordt geluid juist zo rijk en complex.'

'Maar bepaalde sinusgolven doen dat níét,' zei Marshall. 'Ik liet het toestel een reeks van drie van zulke golven produceren, elk een veelvoud van een perfecte, enkele kwint, daarmee de basisboventoon versterkend. Ik hoopte dat we een geluidspatroon konden vinden dat zo pijnlijk voor hem was, dat hij van de basis zou wegvluchten.'

'Maar het ging nog veel verder,' zei Logan.

Marshall knikte. 'Het is interessant. Vissen en walvissen hebben inwendige luchtzakken die door sonar verstoord kunnen worden. Sommige wetenschappers geloven dat dinosaurussen bepaalde hersenorganen hadden waardoor ze ongelooflijk hard konden trompetteren, wat mijlenver in de omtrek te horen was. Het zou mij niet verbazen als dit schepsel niet net zo'n soort orgaan of zakje in zijn schedel had... om te paren, te communiceren, wat dan ook. Ik geloof dat hoge frequenties – in dit geval een hele reeks perfecte kwinten – een sympathetische resonantie binnen dat orgaan losmaakten waardoor het uiteindelijk uit elkaar barstte.'

'Ik ben een historicus, geen natuurkundige,' zei Logan. 'Ik heb nooit gehoord van sympathetische resonantie.'

'Denk maar eens aan een glas dat uiteenspat als een sopraan een hoge toon zingt. Glas vibreert op een natuurlijke frequentie. Als de sopraan diezelfde toon blijft zingen, ontstaat er steeds meer energie in dat glas. Op een bepaald punt kan het glas die energie niet snel genoeg meer afvoeren en dan breekt het.' Marshall keek achterom naar de basis. 'In dit geval denk ik niet dat we er ooit achter komen.'

'Jammer.' Logan wendde zich tot Faraday. 'En wat heb jíj onze geüniformeerde ondervragers verteld?'

Faraday keek hem met zijn eeuwig verschrikte gezichtsuitdrukking aan. 'Ik heb getracht het vanuit puur biologisch perspectief uit te leggen. Hoe de twee schepsels tijdens één enkele gebeurtenis zijn ingevroren: een atmosferische inversie veroorzaakt door een neerwaartse trek van superkoud ijs, waardoor de dieren in een flits bevroren voordat zich in hun bloedbaan ijs kon vormen en ze in schijndode toestand kwamen. Ik heb uitgelegd hoe het ijs is gesmolten: de unieke samenstelling van ijs-15, dat het op een paar graden onder nul smelt. Ik heb het tweede oorzakelijk verband uitgelegd: het tegengestelde fenomeen van ultieme invriezing, een neerwaartse trek van ongebruikelijk warme lucht waardoor het schepsel weer tot leven is gekomen, en hoe beide gebeurtenissen dat bizarre felrode noorderlicht hebben veroorzaakt waar Usuguk zo verschrikkelijk bang voor was. Ik heb als voorbeeld de Beresovka-mammoet aangehaald.'

'Wat heb je over het schepsel zelf gezegd?' vroeg Logan.

'Ik heb ze over het Callisto-effect verteld. Hoe de schepsels heel goed een genetische mutatie konden zijn geweest, of misschien zoiets eenvoudigs als een nieuwe soort. En ik heb ze ook op de hoogte gebracht van de superontwikkelde witte bloedcellen van het schepsel, waardoor hij nagenoeg ter plekke geneest. Dat er onder zijn vacht een hard huidpantser zat, maar met schubben als van een slang, waardoor hij zich snel en soepel kon bewegen... en het afketsen van kogels. En zijn unieke neurologische conditie: zelfs bij hoge doses elektriciteit raakte zijn zenuwstelsel niet ontwricht en zijn hart hield er ook niet mee op. En dat dan ironisch genoeg geluid – met een bepaalde amplitude en frequentie – dodelijk bleek te zijn, wellicht wat geholpen doordat hij verzwakt was door de honger.'

'Dus dat verklaart alles,' zei Logan.

'Alles... en niets,' voegde Faraday eraan toe.

Logan fronste zijn wenkbrauwen. 'Wat bedoel je?'

'Omdat alles wat ik je net heb verteld – afgezien van het verhaal over het bloed – een kwestie van theoretiseren en speculeren is. Feit blijft dat afwijkende ijsvormen, zoals ijs-15, slechts onder extreem grote druk gevormd worden. Feit blijft dat het schepsel in ijs, wat voor soort ijs ook, bevroren zat en het duizenden jaren heeft overleefd. Het was buitenaards sterk. Hij was ongevoelig voor enorme stroomschokken...' Faraday haalde zijn schouders op.

Marshall keek hem bedachtzaam aan. De bioloog had zojuist een aannemelijke verklaring voor dit alles gegeven... en had die vervolgens razendsnel weer onderuitgehaald. 'Misschien had Usuguk uiteindelijk toch gelijk,' zei hij.

De twee mannen keken hem aan.

'Meen je dat nou?' vroeg Faraday.

'Natuurlijk... in elk geval voor een deel. Ik ben een wetenschapper, maar ik ben de eerste om toe te geven dat wetenschap niet alles kan verklaren. We zitten hier een heel eind van de beschaving af. Dit is het dak van de wereld. Hier gelden andere regels, regels waar we geen idee van hebben. Dit is geen omgeving voor een mens... maar de mensen hier hebben heel wat meer gezien dan wij, en we zouden naar ze moeten luisteren. Als een streek al het land der geesten zou kunnen worden genoemd, zou dat dan niet hier moeten zijn... deze vreemde, heilige, afgelegen plek? Denk je werkelijk dat het stom toeval was dat het noorderlicht uitdoofde precies op het moment dat het schepsel stierf?'

De vraag hing in de koude lucht en er kwam geen antwoord op. In de stilte die daarop volgde hoorde Marshall in de verte het *whap-whap* van helikopterrotors.

'Dat is mijn lift,' mompelde Logan. Hij duwde tegen de knapzak bij zijn voeten.

'En hoe zit het met jou?' vroeg Marshall.

'Hoe zit het met mij?' Logan hing zijn laptop over zijn schouder. 'Als een van jullie ooit in New Haven is, kom me dan opzoeken.'

'Dat is geen antwoord. Voor welke theorie kies jij... de wetenschappelijke of de spirituele?'

Logan keek hem even aan, vernauwde zijn ogen iets. In plaats van antwoord te geven, stelde hij een wedervraag. 'Waar ben je opgegroeid, dr. Marshall?'

Dit was wel het laatste wat Marshall had verwacht. 'Rapid City, South Dakota.'

'Ooit een huisdier gehad?'

'Natuurlijk. Drie teckels.'

'Ze ooit als kind op een lange autorit meegenomen?'

Marshall knikte, maar begreep er niets van. 'Bijna elke zomer.'

'Ooit een van je teckels kwijtgeraakt tijdens een rustpauze aan de kant van de weg?

'Nee.'

'Ik wel,' zei Logan. 'Barkley, mijn Ierse setter. Ik was stapelgek op dat beest, meer dan wat ook. Tijdens een picknick rende hij in de middle of nowhere in Oklahoma weg. We hebben met z'n allen drie uur lang gezocht. Nooit gevonden. Uiteindelijk moesten we weg. Ik was ontroostbaar.'

De helikopter landde nu buiten de omheining, sloeg dunne wolken poedersneeuw de lucht in. Marshall keek met gefronst voorhoofd naar Logan. 'Ik begrijp niet wat een huisdier kwijtraken te maken heeft met...'

Plotseling viel het kwartje. Marshall knipperde verbaasd met zijn ogen toen het hem begon te dagen. 'Behalve dat de reizigers waar jij het over hebt, van veel verder weg kwamen dan Rapid City, South Dakota.'

Logan knikte. 'Veel, veel verder.'

Marshall schudde zijn hoofd. 'Geloof je dát?'

'Ik ben een enigmaloog. Het is mijn werk om me in de verbeelding te oefenen. Zoals onze vriend Faraday hier al zei: het is een kwestie van theoretiseren en speculeren.' Hij grijnsde, schudde hun de hand en liep naar de wachtende helikopter. Toen de piloot de passagiersdeur opende, draaide hij zich om.

'Wel een gewaagde theorie, hè?' riep hij boven het gejank van de motor uit. Toen klom hij naar binnen en sloot de deur. De helikopter steeg op, cirkelde nog een keer boven de Fear-gletsjer – blauw tegen een blauwe lucht – en draaide toen met een scherpe bocht naar het zuiden, naar de beschaving, weg uit het land der geesten.

DANKWOORD

Tijdens de lange reis die *Sterfkou* van concept tot publicatie heeft afgelegd, hebben veel mensen me ruimhartig hun tijd en kennis ter beschikking gesteld. Dr. J. Bret Bennington van de geologische faculteit van de Hofstra University heeft me een beter begrip van paleo-ecologisch veldwerk bijgebracht, evenals de principes ervan. Timothy Robbins heeft me inzicht gegeven in de beginselen van het maken van filmdocumentaires (ik haast mij hier te vermelden dat specifieke pekelzondes van Terra Prime, Emilio Conti en anderen volkomen voor mijn rekening komen). Dokter William Cors heeft me terzijde gestaan bij de verschillende medische aspecten van het verhaal. Mijn vader, dr. William Child, voormalig hoogleraar scheikunde en buitengewoon decaan van het Carleton College, heeft me waardevolle inzichten verschaft in kristalstructuren en andere chemische aspecten. Special agent Douglas Margini heeft me wederom geholpen met bijzonderheden over vuurwapens. En mijn neef, Greg Tear, luisterde geduldig naar me en diende me van zijn doorgaans uitnemende advies.

Bovendien wil ik mijn redacteur en vriend, Jason Kaufman, bedanken, omdat hij als altijd mijn doorslaggevende gids was tijdens de schepping van dit boek, evenals Rob Bloom en vele anderen bij Doubleday, omdat ze zo goed voor me hebben gezorgd. Ook gaat mijn dank uit naar mijn agenten Eric Simonoff en Matthew Snyder, omdat ze een mooie strijd hebben gestreden. Dank aan Claudia Rulke, Nadine Waddell en Diane Matson voor al hun hulp. Een ijskoude Beefeater martini, extra droog, zonder ijs, met een twist, voor mijn schrijfpartner Doug Preston vanwege zijn jarenlange kameraadschap. En in de laatste maar zeker niet de minste plaats ben ik mijn familie dankbaar voor hun liefde en steun.